Ren voor je leven

Helena von Zweigbergk

Ren voor je leven

Vertaald uit het Zweeds door
Neeltje Wiersma

DE GEUS

Oorspronkelijke titel *Fly för livet*, verschenen bij Bokförlaget Semic
Oorspronkelijke tekst © Helena von Zweigbergk, 2006
Published by agreement with Bengt Nordin Agency, Zweden
Nederlandse vertaling © Neeltje Wiersma en De Geus BV, Breda 2009
Omslagontwerp Robert Nix
Omslagillustratie © Paul Thurlow/Arcangel Images/[image]store

Mixed Sources
Productgroep uit goed beheerde bossen
en andere gecontroleerde bronnen
www.fsc.org   Cert no. SGS-COC-006507
© 1996 Forest Stewardship Council

Dit boek is gedrukt op FSC-gecertificeerd papier

ISBN 978 90 445 1192 5
NUR 331

Hoe goed je ook je best doet, het maakt niet uit. Je begrijpt het toch niet. Staak alle pogingen maar en leg alle voorstellingen maar naast je neer. Er zijn dingen die je pas kunt begrijpen als je ze hebt meegemaakt. En je kunt niet begrijpen hoe het voelt als er een wapen op je gericht is. Hoe vaak je het ook hebt gezien, op de tv en in de bioscoop, nee, dat kun je niet begrijpen.

Je weet hoe het eraan toegaat. Er wordt een pistool op het hoofd van een andere persoon gericht. Bij degene die bedreigd wordt breekt het koude zweet uit en hij smeekt om genade. Of de bedreigde ziet er juist zelfverzekerd uit. En je zit voor de tv te gapen en vindt dat de hele scène iets afgezaagds, misschien wel iets banaals heeft.

Tenminste, dat vond ik. Nu zal ik nooit meer zo'n scène kunnen zien zonder misselijk te worden. Echt misselijk, zo misselijk dat ik wil braken. Het lichaam zegt nee. Het lichaam zegt 'vluchten' en 'dat nooit weer'.

Op het moment dat het gebeurt, dat het echt gebeurt, écht gebeurt, is het alsof de lucht uit je binnenste wordt geperst. Letterlijk. En wanneer je bang bent, krijg je geen bijzondere krachten, zoals altijd wordt beweerd. Dat is gewoon onzin. Bang worden betekent het tegenovergestelde.

Ik krimp, word zwak, verdwijn. Er loopt speeksel uit mijn mond, mijn knieën worden slap, de kracht stroomt uit mijn handen. Ik word stil en zwak.

Hoofdstuk een

Osmo drukt het pistool tegen mijn hoofd. Hard. Het doet pijn.

'Maar beweeg je dan, godverdomme', schreeuwt hij. 'Beweeg, smerige rotdominee.'

Ik probeer het echt en op een of andere merkwaardige manier verplaats ik me naar voren. Wankelend, aarzelend. Met een hand voor me uit, alsof ik op de tast een weg zoek in het donker. Om de klap op te vangen wanneer ik val. Osmo houdt mijn andere arm stevig vast. In zijn andere hand heeft hij het pistool dat hij tegen mijn hoofd drukt.

Ik wil zeggen dat ik probeer me te bewegen. Open zelfs mijn mond, maar het voelt alsof ik me onder water bevind.

Ik doe wat je maar wilt, dat is wat ik probeer te zeggen. Alles, wat dan ook, als je me maar niet doodt. Als ik maar mag blijven leven. Dood me niet. Alsjeblieft, niet doen. Alsjeblieft, alsjeblieft, alsjeblieft. Ik heb een kind. Begrijp je? Een dochter van nog maar een jaar oud die me nodig heeft. Die ik nodig heb. En er is nog zo veel wat ik wil doen. Alsjeblieft, wat dan ook.

Ik denk natuurlijk ook aan jou, Anders. Maar ik denk vooral aan Kleintje. Je wordt geen moeder om daarna te sterven.

Wat dan ook, als ik maar bij jullie terugkom.

Maar de stem verschuilt zich ergens in mijn lichaam. Ik vind hem niet, kan geen geluid uitbrengen. Ik wankel verder met Osmo, strompel voort. Als ik de blik van Barbro ontmoet, de cipier in het wachthuisje, zijn haar geschokte ogen een groet uit een andere wereld. Ze is er getuige van hoe Osmo me meeneemt het dodenrijk in en ze kan alleen maar toekijken. Met een bleek gezicht waarop de paniek te lezen is.

Kalle heeft ook een wapen. Hij houdt een scherp geslepen steel van een tandenborstel tegen Markus' hals gedrukt. Een dun streepje bloed stroomt naar beneden. Markus is cipier in de inrichting en net als ik gijzelaar.

Drie mannen willen onder bedreiging de gevangenis uit. Osmo, Kalle en Ronnie. Ze zitten op dezelfde afdeling, de zwaarstbewaakte van de hele gevangenis.

Dit had niet moeten kunnen gebeuren. Pistolen mogen niet naar binnen gesmokkeld kunnen worden.

'Ik schiet haar dood! Ik schiet de dominee dood, begrepen!'

Het is Osmo die schreeuwt. Osmo, met wie ik een bijzonder en vruchtbaar contact dacht te hebben. Nu dreigt hij me dood te schieten. En hij zou het doen. Als ik hem en de twee andere mannen op een of andere manier ook maar belet te vluchten, schiet hij mij zonder pardon dood. Dat zie ik in zijn ogen. Dat zie ik in Barbro's ogen: mijn hemel, ze doden haar. Ik zie dat ze dat denkt.

We komen het gebouw uit. De koude februari-avond heeft die troosteloze duisternis die kenmerkend is voor deze tijd van het jaar. Het licht op het terrein is verblindend fel. Uit de monden van de voortvluchtigen komen ademwolkjes. Opnieuw schreeuwen de stemmen die tekeergaan met de levens van mij en Markus als inzet. De stemmen knallen om ons heen als schoten.

'We schieten haar dood. We doden hem. Nu!'

Ze hebben haast, heel veel haast. Dan doet Markus het. Hij wringt zich uit Kalles greep en geeft hem met zijn elleboog een por in zijn maag, zodat hij loslaat. Het gaat zo snel. De hele tijd. Het gaat zo snel. Het is zo onwerkelijk. Die fractie van een seconde dat je het probeert te bevatten. Osmo schrikt op. Zal hij achter Markus aan gaan, die met een sprong wegrent van de plek?

Nee. Het moet snel gaan. De aarzeling moet verdwijnen en verandert in een nog steviger greep om mijn arm.

'We nemen haar wel mee', brult Osmo naar Kalle, die Markus nakijkt met een van razernij vertrokken bleek gezicht.

Osmo buigt naar Kalle toe en nu schreeuwt hij.

'Shit, laat hem maar! We nemen de dominee wel!'

Kalle staat als aan de grond genageld. Osmo geeft hem een por tegen zijn schouder en Kalle wordt wakker, is er weer bij. Alle drie blijven ze dicht bij me, zodat niemand zal durven te schieten.

Hoelang duurt het voordat de politie er zal zijn? Twintig minuten? De inrichting ligt een aardig eindje buiten het dorp. Ik ben bang voor het moment dat de politie komt. Alsjeblieft politie, kom niet. Kom niet, lieve, beste politie. Dan neemt de kans op een schotenwisseling toe of kunnen er andere gewelddadige dingen gebeuren.

Lief Kleintje. Lieve Anders. Jullie zijn mijn thuis. Waar we ons ook bevinden, samen of ieder voor zich, jullie zijn mijn thuis.

Osmo drukt het pistool zo hard tegen mijn hoofd dat ik gedwongen word gebukt mee te lopen. Ik sleep me voort op mijn werkslippers over het krakende ijs op de grond.

Het is volstrekt onwerkelijk.

Ik herken de vent die achter het stuur zit van de Volvo die voor de poort van de gevangenis staat. Het is Kalles broer die hem eerder in de inrichting heeft bezocht. Hij schreeuwt ook.

'Naar binnen, stelletje slome lullen! Tempo godverdomme!'

De auto stinkt naar zweet. Ik word door Osmo op de achterbank geduwd. Hij gaat naast me zitten. Kalles broer geeft plankgas voordat Ronnie het voorportier dicht heeft kunnen doen. Hij kukelt er bijna uit als hij het dichttrekt. Iedereen schreeuwt door elkaar heen. Ronnie krijgt een pistool van de man achter het stuur. Ronnie en Osmo richten hun wapens naar achteren. Pas als het licht van de inrichting verdwijnt, komt de eerste opgeluchte reactie.

'Wat een stel oude wijven!'

Osmo lacht hard, droog en schel. Hij kijkt naar mij. Hij zegt niets, maar glimlacht. Koud en onpeilbaar. Osmo heeft zijn ramen dichtgedraaid. Alleen nog maar kou, geen hart.

'We zouden die blauwe meenemen. In plaats daarvan ben jij het geworden. Dat was eigenlijk niet de bedoeling, maar we hebben iemand nodig voor het geval we weer onder bedreiging moeten ontsnappen.'

Hij glimlacht weer, maar ik vermoed een verkeerde voorstelling van zaken. Hij doet alsof hij nog steeds de controle heeft. Maar het feit dat ik ben meegenomen en niet Markus, is voldoende voor hem om de grip te verliezen. Dat meen ik te zien in zijn gejaagdheid en verwarring omdat hij stoned is.

Maar mannen van Osmo's soort zijn gewend om zich niet te laten kennen, geen gezichtsverlies te lijden. Ze zijn het zo gewend dat ze het zelf geloven. En dat is nu precies het gevaarlijke. Ze denken dat ze alles aankunnen, dat ze het aankunnen zo hard mogelijk te zijn. En achteraf praten ze met mij over hun angst voor de dingen die ze hebben gedaan. Maar niet op het moment zelf. Dan is er geen angst en geen berouw. Soms denk ik dat dat hen nu juist aanspoort. Het geweld wordt een ritueel om de angst te overwinnen. Ze nemen hun toevlucht tot het geeft niet wat om hun blokkades te kunnen breken: drugs, drank, pillen, geforceerd fanatisme.

Ik besef hoe goed gepland de ontsnapping is. Het was vlak voor het opsluiten. Het was lawaaiig en roerig. Een van de gedetineerden was bij Markus aan het zeuren. Hij wilde nog iets doen voordat hij in zijn cel werd opgesloten. Plotseling kwam er rook uit de tv-kamer. En dan pas zie ik dat Kalle iets tegen de hals van Markus drukt en de rode streep die langzaam verschijnt. Plotseling voel ik Osmo's arm om mijn nek en dat koude, harde metaal tegen mijn slaap. Maar ik ben niet degene die ze mee willen hebben. Ze weten dat wanneer mij iets overkomt, dat bij de andere criminelen niet goed zou vallen. Maar met een gekidnapte cipier of een mishandelde cipier of zelfs een dode cipier dwingen ze respect af.

Een gevangengenomen, mishandelde of dode vrouwelijke dominee is niet goed. Het taalgebruik van de gevangenen en hun gedrag onder elkaar zijn wreed, maar ook vol sentiment. Op de momenten dat ze sentimenteel worden, kunnen ze zich ook wreed gedragen.

Osmo beseft dit en dat breekt hem. Daarom verhardt hij. Hij maakt zich sterk. Daarom glimlacht hij. En ik weet dat hij dan, op het moment dat hij zijn grenzen overgaat, het gevaarlijkst is.

We slaan af bij een zijweg. De auto helt over en ik word tegen Kalle aan gegooid, die mij onmiddellijk met zijn schouder hard van zich af duwt. De auto stopt plotseling. De koplampen worden gedoofd en de portieren gaan open. Osmo sist weer dat ik moet bewegen, terwijl hij me hardhandig uit de auto trekt. Ik struikel en beland met beide handen op de grond, op de harde sneeuw. De koude nattigheid verspreidt zich over mijn knieën.

'Maar sta toch op!'

Hij geeft me een schop in mijn zij. Ik heb me net overeind gehesen op mijn armen en verlies weer mijn evenwicht. Ik kruip verder. Het is zwart om ons heen. Ik kijk omhoog naar de sterrenhemel. De speldeprikken die getuigen van het eeuwige, grote licht boven ons. Mijn zij doet zeer op de plek waar ik geschopt ben, en ik ben misselijk. Osmo staat over me heen gebogen als een dreigend, zwart silhouet.

'Sta op of ik sla je verrot.'

Zijn stem is kalm en beheerst. Zakelijk. Moeizaam kom ik overeind en ga rechtop staan.

'We zijn nog niet klaar met je', zegt Osmo. 'Je mag nog een tijdje met ons mee. En ik beloof je, bij het minste ... Dit gaat ons lukken ... nu, begrijp je, zullen we ... Deze keer gaat het lukken. Deze keer accepteren we geen gesodemieter. Nu gaan we ervandoor. Zo is dat.'

Ik zie hoe Kalle en Ronnie een dekkleed van een andere auto aftrekken. Kalles broer gaat weer achter het stuur zitten. Hij schreeuwt: 'Kom nu, stelletje oude wijven.' Osmo duwt me naar de auto. We rijden verder in de ijskoude auto over een hobbelige bosweg. Ik word heen en weer geslingerd, val beurtelings tegen

Osmo en Kalle die aan weerskanten van me zitten. Mijn hoofd schudt heen en weer zodat ik pijn in mijn nek krijg. Na wat een eeuwigheid lijkt, houden we stil. In het felle licht van de koplampen zie ik vaag een schuur. Wanneer het geluid van de motor wegsterft, is het zwart om ons heen. Een paar seconden zitten we doodstil in de auto. Ronnie hoest plotseling en gehaast. Ik schrik op. Mijn voeten zijn steenkoud in de slippers, mijn sokken zijn nat van de sneeuw.

Is dat niet raar, Anders? Ik zit te trillen van angst en denk tegelijkertijd aan mijn koude voeten. Dat ik er intens naar verlang om ze te kunnen opwarmen. Alsof we een skitochtje maken. Alsof we een lange wandeling hebben gemaakt. Het lichaam heeft de situatie niet begrepen, die komt in het referentiekader van het lichaam niet voor. Het lichaam schreeuwt door de schrik om zijn eenvoudige, primaire behoeften. Heb het koud! Doe iets!

Kaj, zoals de broer van Kalle heet, stapt uit de auto en loopt weg, de duisternis in. Hij heeft een zaklantaarn bij zich. Het lichtschijnsel verdwijnt snel. De stilte en de duisternis in de auto zijn drukkend. Osmo moppert iets als 'Godverdomme, waar is hij verdomme naartoe gegaan, die trage klootzak.' Kalle draait zich om naar Osmo en zegt tegen hem dat hij zijn bek moet houden. Ik hoor zelf hoe mijn tanden klapperen van de kou en de angst. Osmo én Kalle zijn groot en hebben brede schouders en het is een ontzettend zielig gevoel om tussen hen ingeklemd te zitten.

Ik slik en slik, alsof ik mijn hart naar beneden probeer te drukken, alsof het hart bezig is zich door mijn keel naar buiten te persen. Wat moet ik denken op dit soort momenten? Ik probeer te bidden. Lieve, goede God, niet nu. Nog niet.

Niet nu.

Anders, ik wend me tot de God in wie we allebei geloven. Bid om genade. Respijt. Maar ik word onrustig in mijn bidden. Ik beland bij jou en Kleintje. Met júllie wil ik praten.

Kleintje. Anders. Kleintje. Ik wil niet sterven. Ik wil echt niet sterven. Lieve, goede God, nog niet. Laat me terugkomen bij jullie, Anders en Kleintje.

We zijn vanmorgen in blinde woede uit elkaar gegaan, Anders.

Is dat de laatste tijd niet vrij vaak gebeurd? Die plotselinge donderslagen in de grauwheid van de ochtend. De vermoeidheid die als een mijnenveld op de huid ligt.

Waar ging het eigenlijk om? Iets banaals, zoals meestal. Jij pakte mijn theekopje weg voordat ik ermee klaar was. Zo was het. Een vlug bezoekje aan het toilet, een haastige blik naar iets waar Kleintje mee bezig is. Daarna terug in de keuken en de theekop staat in de afwasmachine. En jij staat daar met het aanrechtdoekje in je hand en wrijft de plek schoon waar ik heb gezeten.

'Maar ik was nog niet klaar', bries ik en je kijkt zo gekwetst dat ik je alleen daarom al wil slaan. 'Er zat eigenlijk niets meer in', grom je terug en ik denk dat je liegt. Je liegt voor zo'n futiel uitstel, in de hoop dat ik op zal houden chagrijnig te zijn en in plaats daarvan dankbaar ben dat ik een man heb die de boel op orde houdt.

En daar op dat punt begin ik. In mijn gedachten hou ik een lang beschuldigend betoog over jou. Het gaat over die zelfingenomenheid die je over jouw gevoel voor orde hebt in contrast met mijn wat slordige manier van doen. Een opgeblazen martelaar die uit zijn vel springt van deugdzaamheid, dat ben je. En opeens, in mijn gedachten, meen ik dat je in álles wat ik doe mijn slordigheid ziet. Vind je dat ook van mij als dominee? Dat ik niet echt controle heb over de dingen waar ik mee bezig ben? Jij bent mijn voormalige baas en je bent zelf dominee op zo'n ... wat moet ik zeggen ... degelijke manier. Ik slinger meer, ben onzeker, zoekend. Heb het beroep en het geloof uit een soort wanhoop gekozen. Dat als God niet bestaat, ik er ook niet meer bij wil zijn. Maar jij, je hebt een rijp besluit genomen, jij heb gezocht en je hebt gevonden. Jouw keuze om dominee te worden lijkt een doordachte beroepskeuze te zijn, met zorgvuldig afgewogen voor- en nadelen. Je hebt een veilige domineesrol, ook al heb je zeker gelijk dat ik bevooroordeeld ben als ik het heb over de oude vrouwen met wie je zit te keuvelen.

En als moeder? Vind je dat ik daar ook een beetje slordig in ben? Zeg ik te vaak ja? Sta ik dingen toe alleen omdat ik iets anders niet kan opbrengen?

Je vindt het leuk om voor Kleintje te beslissen. Het geeft je een gevoel van bekwaamheid en dat je alles onder controle hebt. Je zou de zelfvoldaanheid moeten zien die van je afstraalt. Als een vet en glanzend glazuur.

Conflicten hanteren, noem je het op jouw eigen zelfingenomen manier. Op een toon alsof ik het nog nooit heb gedaan.

Dus toen je vanmorgen vroeg of ik niet voor één keer een beetje dankbaarheid kon tonen voor het feit dat je de boel op orde houdt, ontplofte ik. Ik hield een lange tirade over dat ik heus ook wel dingen deed. Ook al wreef ik dan het tafelzeil niet schoon of rende ik niet rond als een of andere schoonmaakjuffrouw.

Toen ging je. Toen smeet je de deur dicht.

Waarom word ik zo gemeen?

Nu doet het pijn. Als ik nu doodga, zul je dat met je meedragen als onze laatste samenzijn.

Ik op kousevoeten gemeen sissend tegen je.

Hoe kan ik mezelf toestaan om zo slordig met je om te springen.

Hoe kan ik zo slordig zijn met de liefde?

Hoofdstuk twee

'Ik wil niet dood.'

Weet je dat ze lachen als ik dat zeg? Ik zei het zonder er goed over na te denken, het kermde er als het ware uit, een gedachte, zo intens dat ik die niet zonder geluid meer binnen kon houden. Hij kwam er als een zucht uit, als een half gesmoord gepiep. En hij maakt iets los in de mannen die mijn beulen kunnen worden. Ze lachen. Hard en ongelukkig grinniken ze.

'Dat wil niemand', zegt Ronnie, en het is de eerste keer dat ik iets anders in zijn stem hoor dan bitse hardheid. Het minachtende snuifgeluid dat hij uit zijn neus perst lijkt een sarcastische droge lach te smoren.

'Ik heb kinderen …' vervolg ik. 'Ik heb een klein meisje.'

'Daar ben je vast niet uniek in', sist Ronnie. 'Vaders en moeders gaan voortdurend dood, had je dat nog niet begrepen? Niemand wil dood. En toch doen ze het.'

'Nee, niemand wil Magere Hein ontmoeten', zegt Kalle. 'Maar jij als dominee …'

Een ruk aan de hendel van het portier onderbreekt wat Kalle nog wilde zeggen. Het licht van Kajs zaklantaarn schijnt op de achterbank en doet pijn aan mijn ogen.

'Het is klaar', zegt hij.

Opnieuw duwt Osmo tegen me om aan te geven dat ik de auto uit moet. Ik zak met mijn slippers in het met knerpende sneeuw bedekte gras en ik voel de natte kou optrekken naar mijn voeten. Kaj loopt voorop met zijn zaklantaarn, daarna komen Kalle en Ronnie. En daarachter kom ik, gevolgd door Osmo. Ik kan onmogelijk zien waar ik loop. Mijn steenkoude voeten strompelen voort. Elke keer dat ik struikel, voel ik een hand van Osmo in mijn rug. Een ferme duw. Wat erg dom is omdat ik daardoor mijn evenwicht nog meer verlies.

'Kun je verdomme nu eens overeind blijven', zegt Osmo.

Het is niet gemakkelijk. Door de angst en de kou lukt het me nauwelijks om rechtop mee te lopen. Op een bepaald moment, als ik wankel, heb ik zin om het op te geven. Neerzakken in de nattigheid, weigeren weer overeind te komen. Ik probeer me voor te stellen wat ze zouden doen. Osmo zou tegen me schreeuwen. Me schoppen. De gedachte aan de trap alleen al doet me mijn evenwicht hervinden en verder lopen. Het lichtpuntje van de zaklantaarn raakt steeds verder weg en Osmo's porren zijn ongeduldig.

'Als je me duwt dan val ik', zeg ik. En mijn stem is vast.

Osmo antwoordt niet, maar hij geeft me geen porren meer. Daar word ik door gesterkt, dat het me lukt een boodschap over te brengen. Dat ik iets kan veranderen. Mijn benen dragen me weer en ik kan een paar snellere stappen nemen. En wanneer ik toch een beetje struikel, steekt Osmo zijn hand uit om me te helpen.

We komen bij een grote, donkere schuur. Kalle en Kaj helpen elkaar om een paar grote deuren open te krijgen. Ik word de schuur ingeduwd, het blijkt een garage te zijn. Wanneer Kaj wegloopt begrijp ik dat hij daar de auto in zal rijden. Osmo trekt me aan mijn arm naar een tractorband waar geweven vloerkleden overheen liggen.

'Zitten', brult hij. Zijn adem wolkt uit zijn mond. 'Hier zitten en niet bewegen.'

Ik laat me zakken op de tractorband. Die is ijskoud. Ik heb alleen maar een tweedbroek aan, een dunne wollen jumper en de slippers. Die verdomde slippers met doorweekte badstofsokken. Net op deze ochtend heb ik geen andere sokken kunnen vinden dan een paar sportsokken die ik van jou leende, Anders. Witte met daarop in zwarte letters INTERSPORT. Ze zijn eigenlijk te groot en rimpelen bij de voeten. Wanneer ik de sokken zie ben ik zo dankbaar dat ik juist die heb aangetrokken, ondanks alles. Die van jou.

Met mijn ene voet probeer ik de slipper aan mijn andere voet uit te doen, af te schuiven, maar mijn voeten zijn zo ijskoud en gevoelloos dat het me niet lukt ze fatsoenlijk te sturen. In plaats daarvan slaag ik erin met een koude, rode hand beide slippers uit te doen en daarna ga ik gehurkt op de band zitten met mijn voeten onder mij. De poging om mijn voeten te warmen met mijn koude vingers, terwijl ik op de koude band zit, is meelijwekkend. Een soort gehuil baant zich een weg door mijn keel naar buiten, een laag kermend geluid. Door de kou moet ik ook zo luid klappertanden dat het geluid uit mijn keel een knarsend geluid van een dier wordt. 'Hou je bek', sist Kalle. Hij staat de auto naar binnen te loodsen. 'Godverdomme, bek dicht.'

Ik probeer het echt. Doe mijn mond dicht en kijk om me heen. De koplampen verlichten het daarbinnen, maar ze worden snel gedoofd en dan zijn de zaklantaarns in de handen van Kalle en Osmo de enige lichtbronnen in de ruimte. Het licht strijkt over het plafond, houdt stil bij mij, bij Kaj. Een dik zwart gordijn hangt voor het raam. In het magere, haastige licht zie ik dat de schuur wordt gebruikt als garage.

Mijn tanden beginnen weer te klapperen. Ik kan het geluid dat uit mijn mond komt niet tegenhouden. Plotseling krijg ik een klap midden op mijn wang. De klap komt zo snel en is zo hard dat ik sterretjes zie. Het duurt een paar seconden voordat ik begrijp wat er gebeurt. Osmo's gezicht is van onderen verlicht door de zaklantaarn. Verwrongen, woedend.

'Je werkt iedereen hier op de zenuwen. Dat begrijp je toch wel?' sist hij. 'We hebben gewoon … We moeten geconcentreerd zijn, begrijp dat. Dus nu hou je je bek, anders krijg je weer een mep.'

Mijn ene wang klopt na de klap, het bloed wordt naar mijn wang gepompt, die warm wordt. Ik proef bloed. Met mijn tong voel ik aan de binnenkant van mijn lip. Een plek is wat opgezwollen en wanneer ik die even licht aanraak met het puntje van mijn tong, doet het zo'n pijn dat de tranen in mijn ogen springen.

Mishandeld. Het woord duikt op in mijn hoofd. Maalt mij

steeds door mijn hoofd sinds ik besef dat ik geslagen ben. Mishandeld. Anders, ik had graag gewild dat ik je dit niet hoefde te vertellen. Ik weet hoe onaangenaam het je zal treffen en ik zal mijn blik afwenden als we elkaar weer zien en je het ter sprake brengt. Iemand heeft me geslagen, zomaar recht op mijn mond, hard en woedend. Beloof me, als ik het overleef, dat je er met geen woord over rept tegen Kleintje.

Je schaamt je als je wordt geslagen. Wat de reden ook is, wat de omstandigheden ook zijn, je schaamt je.

Er zijn dingen die je niet weet over mij, Anders. Ik ben een vrouw met geheimen. Vol ongemakkelijke, pijnlijke gevoelens en gebeurtenissen waar niemand iets van weet. Een van de geheimen is dat ik eerder geslagen ben. Zoiets weet níémand over mij. Alleen hij en ik.

Wanneer ik aan mijn gebarsten lip voel verplaats ik me terug in de tijd. Naar Johannes. Hij had zo'n milde en ongevaarlijke naam. Johannes. Geliefd bij iedereen. De zoon van een arts in Avesta, en mijn vriendje in mijn middelbareschooltijd. Tegenover mijzelf en anderen deed ik achteraf altijd alsof hij nooit anders dan aardig is geweest. Tegenover de mensen die mij toen kenden spreek ik alleen maar over hem als het niet anders kan en in dat geval zo beknopt en neutraal mogelijk.

Heb ik iets gehoord over hoe het tegenwoordig met Johannes gaat?

Nee, zo gaat dat waarschijnlijk, je groeit uit elkaar.

Jullie waren in die tijd onafscheidelijk!

Nog steeds zeg ik niets over wat er is gebeurd. Niemand weet het. Af en toe geloof ik dat mijn vader en moeder het jammer vinden dat het tussen hem en mij niets geworden is. Ik geloof zelfs dat mijn vader een keer zoiets heeft gezegd. We pasten immers zo goed bij elkaar! Als ik eraan denk dat mijn ouders zo denken, overvalt me een ondraaglijk gevoel van eenzaamheid.

Dat zij die mij zo na zouden moeten staan, het zo fout kunnen hebben.

Ze zien waarschijnlijk de eerste tijd met Johannes voor zich. De tijd die ze willen zien. Die piekerende, naar binnen gekeerde tiener die plotseling opbloeide. Die uit haar meisjeskamer werd gelokt, haar landerige lichaam strekte en opkeek van de boeken waar ze anders zo in verdiept was.

Zelf heb ik nooit begrepen waarom hij juist mij koos.

Het was op een dag dat ik van school naar huis liep. Alleen, zoals altijd. Ik was zestien jaar en had geen hartsvriendin of goede vrienden op school. Het was winter, ik gleed uit en viel. Behoorlijk hard eigenlijk. Ik viel met beide knieën op het ijs. Mijn eerste impuls was om me heen te kijken of iemand het had gezien. Mijn knieën deden ongelooflijk pijn en de tranen sprongen in mijn ogen en ik was bang dat ik niet weer overeind kon komen. Toch was de schaamte dat ik was gevallen groter. En op dat moment ontmoette ik Johannes' blik. Hij stond maar een paar meter van me af en glimlachte.

Nu achteraf denk ik dat ik het toen al door had moeten hebben. Er deugt iets niet aan iemand die glimlacht als jij je net pijn hebt gedaan. Maar toen ... Ik was het niet gewend om gezien te worden. Dus toen Johannes, met zijn geamuseerde glimlach, zich naar me toe boog en vroeg of hij me weer overeind kon helpen, voelde het alsof hij me naar boven, naar een menselijk samenzijn kon dragen dat mij eerder niet vergund was geweest.

Hij ondersteunde me de hele weg naar huis. Hij vertelde dat hij negentien jaar was en in de laatste klas van de middelbare school zat. Na de zomer zou hij geneeskunde gaan studeren, net als zijn vader.

Hoeveel weet je en verkies je toch buiten beschouwing te laten? Het meeste, denk ik. Ik weet nog dat ik dacht dat er iets superieurs in zijn gedrag was. In hoe hij wees op de soevereiniteit van zijn familie, vergeleken met die van mij.

Het vage, neerbuigende gedrag, zoals hij over mij en mijn familie praatte. Alsof het vanzelfsprekend was dat ik of mijn familie zich nooit zouden kunnen onderscheiden op een goede en belangrijke manier.

'Dus hier woon je', zei hij toen hij bij het rijtjeshuis omhoog-keek, en hij keek net zo geamuseerd als toen hij me hulpeloos op de grond had zien zitten. En ook al was het me niet helemaal duidelijk, ik vermoedde dat het feit dat ik de mindere was hem aantrok.

In contrast met mij werd hij nog meer degene die hij wilde zijn. Zijn superioriteit werd nog openlijker en duidelijker.

Ik ben zowel verdrietig als opgelucht over het feit dat je me nooit meer over Johannes hebt gevraagd, Anders. Je weet dat ik tijdens mijn middelbareschooltijd een vriend had in Avesta. Dat is eigenlijk alles. Weerhoudt jouw jaloezie je ervan om verdere vragen te stellen? Of is mijn inspanning om onverschillig te zijn als hij ter sprake komt zo succesvol?

Wat er met Johannes is gebeurd is zo geheim dat ik het zelf bijna ben vergeten. Wat er is gebeurd is echt, ook al is het nu langgeleden. Mijn gebarsten lip herinnert me eraan.

Hoofdstuk drie

Ik leg mijn armen over mijn hoofd en probeer zo stil mogelijk te zijn. Doe mijn ogen stijf dicht en probeer het te begrijpen. Wat in mij naar boven komt, zwart en stinkend, is zelfverachting. Hier zit ik, ben niet gevlucht zoals Markus. Heb niet geprotesteerd. Zo ben ik. Probeer niet te ontsnappen, niet slim te zijn. Leg mijn armen over mijn hoofd en ben bereid om wat dan ook te accepteren. Als ze me maar niet weer slaan. Als ik maar mag blijven leven. Terugkomen. Ik verweer me niet. Niet tegen Osmo. Toen niet tegen Johannes. Ik ben zo iemand die je kwelt. En daarvoor schaam ik me.

Jij bent lief tegen me, Anders. Ik ben degene die zo nu en dan gemeen tegen je doet. Daarvoor schaam ik me ook. Ik moet proberen mijn plotselinge gemeenheden uit te leggen als ik ooit – hier moet ik snikken – als ik jou ooit weer mag zien. Dat zal moeilijk worden, aangezien ik zelf niet goed begrijp waarom. Maar ik geloof dat het ermee te maken heeft dat ik je af en toe een idioot vind omdat je van me houdt. Soms vind ik je daarom zo bewonderenswaardig. En op andere momenten vind ik dat je een idioot bent. En verder – in mijn beste momenten – vind ik dat het gewoon is zoals het moet zijn. Dat jij en ik heel eenvoudig 'wij' moeten zijn, dat 'wij' ook samen kunnen creëren in het grootse, warme dagelijkse leven.

Na een tijdje duwt iemand tegen me aan. Ik ben dan bijna verzonken in een droomtoestand. Wanneer ik opkijk staat er een brandende lantaarn op de vloer. Kaj, Kalle en Ronnie zitten ernaast en drinken iets warms uit plastic bekers. Even later ruik ik de koffiegeur. Osmo pakt mijn arm weer beet en trekt me omhoog.

'Kom, wat drinken.'

Mijn voeten zijn zo stijf dat ik de kracht niet heb om ze weer in mijn slippers te krijgen. Osmo trekt zich er niets van aan. Hij duwt me naar voren zodat ik op kousevoeten verder wankel. Op een plastic tas liggen twee kleffe, langwerpige kaneelbroden en er staat een waterkoker.

'Strooi er zoveel in als je wilt hebben', zegt Ronnie en hij reikt me de pot Nescafé aan. Ik probeer de lepel te pakken terwijl ik tegelijkertijd een beker met warm water aanneem. Maar mijn handen beven en het is onmogelijk om überhaupt iets vast te pakken. De beker valt op de grond.

'Wel godverdomme', zegt Ronnie die bijna mijn warme water over zijn broekspijp heen krijgt. In plaats daarvan spat het op de grond. Osmo buigt zich naar voren en grist de beker naar zich toe. Hij zorgt voor het water en de oploskoffie.

Kaj haalt een fles sterkedrank tevoorschijn terwijl hij me recht in de ogen kijkt. Hij leunt naar voren en giet een paar druppels in de beker die Osmo voor me klaarmaakt. Osmo grinnikt en brengt de beker naar mijn mond. Kaj blijft me aankijken met een kille blik. Ik durf niets anders te doen dan drinken. Proberen te drinken. Als ik met mijn gebarsten lip de rand van de beker alleen al voel doet het zo'n pijn dat de tranen weer in mijn ogen springen. Ik voel ze over mijn wangen biggelen en in de beker vallen. De sterkedrank prikt op mijn lip en in mijn maag, door de wasem van de hete koffie doe ik mijn ogen dicht. Na drie pijnlijke, grote slokken is het alsof ik langzaam ontwaak uit een geestelijke verlamming. En dan verlang ik terug naar de bevroren verstijving. Nu is het net alsof ik wakker word uit een nachtmerrie en merk dat ik er nog steeds middenin zit.

Het licht van de lantaarn is geel en warm, maar de gezichten die oplichten zijn koud en grijs als oude melk. In de inrichting heb ik de beschouwende rol. Nu is het andersom. Nu beschouwen ze mij. En ze doen dat kil en hard. Met wat sadistisch geamuseerde gezichten. Ze verharden zich. Buiten de gevangenis moeten ze zich aaneensluiten om zichzelf overeind te houden. De tralies van de gevangenis over hun huid heen leggen.

Nog twee slokken. Osmo geeft het niet op.

'Zo, eentje voor papa. Mond open en doorslikken.'

Een dun straaltje stroomt langs mijn wang, over mijn hals de trui in. Ik hoest. Een slok koffie sproeit over het voorpand van Osmo's jasje. Iedereen schaterlacht, behalve Osmo.

'Shit, godverdomme ...'

Hij laat me zo haastig los dat ik voorover val, hoewel ik op mijn knieën zit. Het is alsof ik ben vergeten mijn handen te gebruiken. Moeizaam kom ik weer overeind. Veeg mijn neus af aan mijn mouw. Door die warme drank begint mijn neus te lopen. Het gelach ebt weg en het voelt alsof ze naar me kijken en op het vervolg wachten als een soort vermaak.

Ik heb met iedereen gepraat in mijn hoedanigheid als dominee, behalve met Kaj.

Met Kalle heb ik het minst contact gehad. Hij is de bodybuilder en bracht de meeste tijd door in de fitnessruimte waar hij trainde en aan gewichtheffen deed. In de inrichting liep hij meestal rond in een trainingsbroek en een lila Nike-hemdje. Ik probeerde meestal niet te dicht in zijn buurt te komen, aangezien hij naar zweet stonk. Zijn haar is lang, dun en piekerig. Toch lijkt hij er zelf helemaal verrukt van te zijn. Trots zelfs. Hij schudt vaak zijn hoofd om zijn haar als het ware over zijn brede, gespierde schouders uit te schudden. Tot nu toe vond ik dat grote lichaam en die meisjesachtige, truttige manier waarop hij met zijn kapsel omging, er ontroerend uitzien.

Nu, terwijl hij breed en gemeen grijnzend in een dikke legergroene jas zijn plukjes haar zit te draaien, is er niets ontroerends meer aan hem. Kaj, zijn broer, lijkt zo veel op hem dat ik vermoed dat ze een tweeling zijn. Kaj heeft een dikke gouden ring in zijn oor en een gouden tand vrij voor in zijn mond. Naast het gevangenisbleke gezicht van Kalle maakt hij een gebruinde indruk.

Wat heb ik met Kalle gehad? Ja, we hebben een keer met elkaar gesproken. Zijn moeder was gestorven en dezelfde avond dat ik het te horen had gekregen, liep ik langs zijn cel. Ik wilde me niet opdringen, maar wilde laten zien dat ik er was voor het geval dat. Kalle lag al in zijn bed, hoewel de mannen nog niet in hun cel waren opgesloten, en bladerde in een tijdschrift met een half-naakte spierbundel op het omslag. Het heette iets met 'Fitness', dat herinner ik me nog.

'Hoe is het?' vroeg ik.

Hij liet het tijdschrift langzaam op zijn schoot zakken. Met zijn ene hand legde hij de blonde, dunne plukjes haar zo dat ze mooi gedrapeerd op het kussen lagen.

'Omdat mijn moeder is overleden?' vroeg hij.

Ik gaf geen antwoord, maar glimlachte flauwtjes naar hem. Zijn directheid bracht me een beetje van mijn stuk.

'Ik overleef', zei hij kort.

'Alleen dat?' vroeg ik.

'Hierbinnen is het voornamelijk dat', zei hij. 'En daarbuiten ook, als je er goed over nadenkt. Maar jij wilt misschien over iets praten?'

Hij glimlachte en ik weet nog dat ik dacht dat zijn ogen zo verdrietig stonden. Er stond in te lezen: kom en help me. Die stevige, getatoeëerde armen. Waren ze mollig of zo dun als een stokje toen ze ooit werden uitgestrekt naar de moeder die nu over een week zou worden begraven?

'Hoe herinner je je moeder?'

Kalle zuchtte diep en legde zijn armen gekruist over zijn borst. De adelaar op zijn schouders spreidde zijn vleugels.

'Ze verliet me toen ik zeven jaar oud was', zei hij. 'Dat herinner ik me nog heel goed.'

'Mag ik?'

Ik wees met mijn hoofd naar de aan de muur verankerde stoel in de cel. Hij knikte en keek daarna naar het plafond, alsof hij het zich probeerde te herinneren.

'Ze zoop, hing de hoer uit, sloeg ons en leerde ons geld te jatten van de vaders en moeders van onze vrienden als we ergens naar binnen mochten. Maar zoals ik al zei, later ontsnapten we aan haar. En nu ben ik aan het overleven.'

Ik zei niets, maar wachtte op een voortzetting. Kalle keek naar het plafond en spande zijn kaken, liet ze als het ware even knappen. Het bleef even stil. Ik wilde hem niet storen. Wachtte op het moment dat hij zijn masker zou laten vallen.

'Als kind hadden mijn broer en ik dus niemand. Mijn vader was weg en er waren heel veel andere oude mannen die ons een tijdje lastigvielen, voordat ze weer verdwenen. En als je niet op je moeder kunt vertrouwen …'

Weer een stilte. Geruis in mijn oren. Kalle draaide zich naar me toe. Zette zijn hand onder zijn kin.

'Ach, ik plaag je. Dat had je toch wel begrepen, hè? Ik dacht dat ik maar iets passends moest zeggen. Nee, ze was waarschijnlijk zoals de meeste moeders zijn. Soms een zeur, soms lief en ze viel ons wat lastig, maar godverdomme, dat doen de moeders in de mooie villa's ook. Nog meer zelfs. Denk ik.'

Kalle ging rechtop zitten en legde zijn haar goed achter zijn schouders. Ik kwam niet verder met hem. Misschien was het waar, het eerste wat hij zei. Dat zijn moeder zoop en de hoer uithing. Dat het helemaal geen grapje was. Hoe dan ook, hij verdedigde zich en ik weet dat ik besloot om later terug te komen.

Dit was twee weken geleden. Nu zitten we in de zwarte garage en ik zie hoe Kalle en zijn broer dicht bij elkaar zitten en dat ze echt heel veel op elkaar lijken. Kajs korte haar is donkerder. Maar hij heeft net zulke brede schouders; ze lijken de interesse voor het bodybuilden te delen. Beiden hebben verschillende tatoeages met de verscheidenheid aan symbolen die normaal is in de inrichting: arenden, wolven, doodskoppen. Ik aarzel altijd om ze te vragen waar ze voor staan. Dat begrijp ik toch wel. Ze zeggen: ik ben gevaarlijk.

Ik kan er niets aan doen dat ik moet huilen. De tranen blijven stromen. Ze stromen gewoon uit me. En ik denk aan Kleintje, aan Kleintje en uiteraard aan jou, Anders. Het is alsof jullie je in een ander leven bevinden. Ik heb een keer een film gezien die zich in een ruimtecapsule afspeelde. Er ging iets mis. De zuurstof raakte op en er waren problemen om terug te komen naar de aarde. En ik herinner me de duizeligheid die ik voelde toen de hoofdpersoon naar de aarde keek. Zo ver weg. Zo ver weg van huis.

Zo voelt het nu ook, hier in de garage.

God, mijn God, help mij hier doorheen.

Ik zie Ronnie grote slokken sterkedrank uit de fles nemen en hoe zijn ogen als het ware brandstof krijgen. Zijn ogen beginnen enthousiast te glinsteren.

'Ja, godverdomme', zegt hij. 'Nu voel je je net een prins?'

Ronnie onderscheidt zich van de anderen doordat hij vrij mager en klein is. Zijn huid is gelig, hij rookt aan één stuk door en heeft de scherpste tong die ik ooit ben tegengekomen. Hij lijkt voortdurend op volle toeren te draaien. Ik weet dat hij een ex-amfetaminegebruiker is, en naar eigen zeggen ermee gestopt is, maar desondanks blijft hij hyper. Of hij gebruikt nog steeds.

Hij is een keer bij me geweest in de inrichting omdat hij moeilijk tot rust kon komen vanwege de gevolgen van een ongeluk waar hij vroeger bij betrokken was geweest. Tijdens een achtervolging door de politie na een overval had de vluchtauto waarin Ronnie zat een tienjarig jongetje op een fiets aangereden. Het jongetje stierf aan zijn verwondingen. Hoewel Ronnie niet achter het stuur had gezeten, had hij ernstige schuldgevoelens.

'Het laat je niet los', zei hij tegen mij terwijl hij onder het praten de hele tijd met zijn ene voet op en neer wipte. 'Dat gaat toch niet? Hoe doe je dat? Wat doe je dan?'

Het was alsof hij een 'abracadabra' verwachtte, en dat je het dan kwijt was. Alsof hij hoopte dat ik iets verlossends zou zeggen, iets waardoor hij het los kon laten.

'Ach, je snapt het wel. Het werd zo stil en ik …'

Toen Ronnie huilde deed hij dat net zo heftig en intens als in alles wat hij deed. Het was alsof hij voortdurend boos was. En door de woede over het lot, de woede over het feit dat het leven hem dwong zich het moment te herinneren dat een tienjarig jongetje stierf terwijl hij zelf op de vlucht was om zijn leven te redden, schoten zijn roodomrande ogen vuur. Het deed hem zinnen roepen als 'Dit was helemaal niet de bedoeling.' en 'Godverdomme, had dat kereltje niet beter kunnen uitkijken. Wat moest hij daar ook op die weg? Had zijn moeder niet zo verstandig kunnen zijn om hem thuis te houden? Moeten kinderen overdag niet naar school?'

Ronnie huilde en liet mij zijn hand vasthouden. Vier keer hebben we elkaar gezien en elke keer verliep het op dezelfde manier. Ronnie vervloekte, hij huilde, schreeuwde en vloekte met een intense felheid. Alsof hij hoopte dat de kracht in zijn uitdrukkingen zijn gevoelens die hem zo kwelden, zou verzachten.

'Je weet, de gozers met wie je omgaat. Dat soort kerels met wie je gebruikt en knoeit ... het is niet altijd zo soepeltjes verlopen, of wat zal ik zeggen. Maar we doen immers mee ... we zijn ons ervan bewust. Maar dat kereltje.'

Ronnie liet me veel van zijn innerlijk zien. Zonder voorbehoud. Hij liet mij hem vasthouden. Hij praatte en huilde. Maar hij ontweek me met zijn blik en was altijd een stap van me verwijderd.

'Maar ontspan je nu', zegt Ronnie tegen mij met zijn dronken oogjes. 'Je kent je kerels hier toch. Je weet hoe aardig we diep van binnen zijn.'

Hij lacht. De anderen lachen ook.

Weet je, Anders, dat het voelt alsof ik iets van ze terugkrijg. Dat ze me iets teruggeven omdat ze zich voor mij hebben blootgegeven. Omdat ik de barsten in hun harde, opgepompte mannelijkheid heb gezien. Of ze zien me als een vertegenwoordiger van het gevangeniswezen. Weliswaar het meest humane gezicht ervan. Tegelijkertijd, en dat heb ik zelf gevoeld op de momenten dat ik vond dat een gevangene slecht behandeld werd, kan ik zelf overvallen worden door het gevoel dat ik de marteldokter ben. Dat ik degene ben die erop toeziet dat ze deze geïnstitutionaliseerde wreedheid overleven.

Nee, nu overdrijf ik. Maar je weet wat ik bedoel, Anders. We hebben het er vroeger weleens over gehad. Jij vertelde over jouw eerste tijd als dominee, in de cellen, dat het zo'n onmenselijk harde plek kan zijn. Dat je een deel bent van een bestraffingsysteem waar je kritisch tegenover staat. Dat je met je zogenoemde goedheid een glimlachende vertegenwoordiger van het kwaad wordt.

Osmo reikt me een stinkende poetsdoek aan en eist dat ik mijn tranen droog en mijn neus snuit. Zijn lachende gezicht verhardt plotseling. Ik schud mijn hoofd naar de naar benzine stinkende doek, maar hij reikt hem me weer aan en ziet er meteen dreigend uit. Ik pak hem aan en dep mijn gezicht een beetje, terwijl ik tegelijkertijd mijn adem inhoud. De anderen lachen weer. Is mijn gezicht vuil? Of ziet het er alleen dom uit, ik met de poetsdoek?

Aarzelend geef ik de doek weer aan Osmo die er nog steeds streng en agressief uitziet.

'Zo ja', zegt hij lijzig. 'Nu lijk je weer op een mens ...'

Ik haal voorzichtig mijn hand over mijn gezicht. Osmo staart me boos aan. Dan begint hij plotseling ook te schaterlachen.

'Nee, Ingrid, nu moet je echt ontspannen. Je ziet er erg belabberd uit. Kom op, meid. Beetje vrolijker. We kunnen echt aardige kerels zijn, wanneer we die kant naar voren laten komen.'

Osmo is kaal, heeft een zilveren ringetje in elk oor en een ring door een wenkbrauw. Hij heeft tatoeages in zijn nek, op zijn armen en, dat heb ik in de inrichting gezien, ook op zijn borstkas. Je kunt niet zien wat er staat, maar de letters zien er Oud-Noors uit, dus ik vrees het ergste. Osmo heeft een uiterlijk waardoor mensen in een andere metro gaan zitten of een ander hotdogkraampje kiezen zodra ze hem in het oog krijgen. Dat wil hij. Hij doet erg zijn best om er zo afschrikwekkend mogelijk uit te zien. Ik verdenk hem ervan dat hij zo'n type is dat geld incasseert voor een motorbende. De anderen in de inrichting hadden respect voor hem. Wanneer Osmo iets zei, gebeurde dat. Niemand sprak hem tegen. Behalve Ronnie, als hij de kans kreeg, en vreemd genoeg, wanneer Ronnie schreeuwde en tekeerging pikte Osmo dat. Hoewel hij met zijn linkerhand Ronnie fysiek zou kunnen breken.

Tegelijkertijd had ik eerder, voordat dit gebeurde, durven beweren dat Osmo een van de gedetineerden was met wie ik het beste contact had. Hij dacht veel na. Zo begon hij onze gesprekken ook vaak: 'Je weet dat ik veel nadenk.' En hij vond het leuk om situaties te verzinnen, moralistische dilemma's, die hij en ik samen oplosten. Ze gingen vaak over hetzelfde, ook al waren de omschrijvingen verschillend. Moest je in het leven het slechte of het goede pad kiezen? Osmo beschreef het zo: zwart of wit. En hij hield ervan, weliswaar op een sentimentele manier, maar toch, dat het goede zegevierde.

'Godverdomme, wat mooi', zei hij altijd. 'Ik hou wel van wat je daar zegt. Dat alles niet zo vreselijk hoeft te zijn als iedereen zegt.'

Eigenlijk zou ik zover willen gaan dat ik durf te beweren dat we een soort vriendschap hadden ontwikkeld. Dat we allebei het gesprek op prijs stelden.

Nu vertoont hij geen enkel teken van vertrouwen of een streven naar goedheid. Eerder het tegenovergestelde. Ook zijn ogen glanzen. Osmo heeft een keer verteld dat hij Rohypnol en sterkedrank innam voordat dat hij 'zaakjes moest opknappen'. 'Dan word je niet zo'n sloom oud wijf', zoals hij het uitdrukte. Ik vermoed dat hij zich nu zo heeft voorbereid. Dat ze dat allemaal hebben gedaan. De fles gaat rond. Er worden grote slokken genomen en er wordt luid gelachen. Ronnie veegt zijn mond af met de achterkant van zijn hand en zegt: 'Zoals ik al zei, net een prins. Verdomde lekker.'

Het voelt alsof ik wondjes in mijn keel heb. Ik doe zo mijn best om niet meer te huilen dat ik amper kan ademhalen. Ik wrijf met mijn hoofd tegen de schouder van mijn trui, eerst rechts, daarna links, om mijn gezicht te drogen.

'Kan … ik … een … deken … krijgen.'

Mijn woorden zijn niet te horen tussen het bulderende gelach en de stemmen. Ik herhaal het en nu horen ze me wel. Osmo staat op en loopt naar een hoek waar hij iets tevoorschijn trekt. Hij gooit het naar me toe. Dit stinkt ook. Ik zie hoe Ronnie aan zijn sigaretten zuigt en hoe de as ervan rondvliegt. Hoe gemakkelijk vat een deken vlam? Zitten er benzinevlekken op? Hoe gevaarlijk is roken hierbinnen überhaupt?

De deken is koud en ik begin te huiveren en weer te klappertanden als ik die om me heen sla. Ik wacht even op het moment dat de deken net zo warm is als mijn lichaam en zijn warmte verder zal verspreiden. Na een tijdje voelt het beter. Maar mijn voeten zijn nog steeds ijskoud en nat. Ik trek ze onder me, probeer ze in de deken te wikkelen en ze te masseren. En plotseling word ik slaperig. Kan ik mijn ogen niet meer openhouden.

Ik kruip in elkaar tegen de muur en sluit mijn ogen. Denk aan Kleintje, voel haar lijfje zwaar van de slaap tegen me aan.

Anders, kun jij zeggen …

Wil je doorgeven …

Als er iets gebeurt, wil je haar zeggen dat het afgelopen jaar, sinds we haar hebben gekregen, het gelukkigste jaar in mijn leven is geweest. Misschien verbaast je dat, Anders. Vind je dat er heel wat gezeur van mijn kant is geweest.

Ontzettend veel gezeur van mijn kant. Je weet hoe we de laatste tijd bezig zijn geweest. Onze verwarring en vermoeidheid naar elkaar toe hebben gegooid, terwijl we onze glimlach en zachte woorden voor Kleintje hebben bewaard. Zoete woordjes voor Kleintjes lieve roze mondje en bittere chagrijnigheden voor jou. Er zijn momenten geweest dat ik echt niet van je heb gehouden. Dat ik naar je gekeken heb toen je daar in je oude pyjamabroek stond en je pas ontwaakte lichaam stond te krabben en heb gedacht hoe ik toch ook maar een moment in mijn hoofd had kunnen halen dat ik van deze persoon hield.

Maar dat is wel zo. Ik hou wel van je. De woede stroomt uit me en ik hou van je. Weer. En weer. Weet je dat ik de ogen kan sluiten zelfs wanneer ik me zo voel, dat ik de ogen kan sluiten en als een lied herhaal hoe ik zielsveel van je hou en nog steeds halsoverkop verliefd op je kan worden. Waarom heb ik je dat niet verteld?

Sinds de komst van Kleintje is het leven chaotisch geworden, maar ook gelukkig. En misschien lijkt het juist vanwege dat geluk op een chaos. Nooit meer in mijn leven het effen grijze. Dat laat je achter je als je moeder wordt. En ook als je vader wordt, neem ik aan. Plotseling gaat iemands leven je zo ontzettend veel aan. Plotseling speelt alles zo'n grote rol. Kleine zaken worden groot. Misschien meer dan je soms kunt dragen? En je verlangt naar het moment dat het leven zich weer eens onverschillig gedraagt. Onverschillig op een mooie en ontspannen manier.

Maar nu niet meer. In alles wat je doet zit nu ernst. En de angst daarvoor heb je in mijn gezicht gezien.

Kleintje. Zeg haar dat …

Zeg dat zij me pas echt heeft geleerd wat christelijke liefde is. Dat ik omwille van een ander mens, omwille van haar, mijn eigen leven opzijzet. Dat ik dat in feite doe, elke dag, een stap opzij. Steeds maar weer, en weer, en weer.

Al die grote woorden. Al die dingen waarvan ik wil dat ze die meekrijgt. Wanneer ik naast haar lig tot ze in slaap valt, hou ik altijd stille toespraken voor haar. Vertel haar wat belangrijk is. Als een herhalingsoefening voordat ze zo groot is dat ze begrijpt wat ik zeg. Dat ze bestaansrecht heeft hier op aarde. Dat ze altijd moet durven te zijn wie ze is. Dat ze nooit onnodig bang moet zijn.

Vaak gaat het over de soort dingen die ik zelf moeilijk durf. Klein Kleintje. Aan welke verwachtingen moet jij al niet voldoen?

Weet je, Anders, dat ik in mijn gedachten met jou praat, dat wanneer ik geen toespraken hou voor Kleintje, ik in mijn gedachten met jou praat. Langzaam is dat erin geslopen. Jij bent altijd bij me. En nu op dit moment, nu ik ineengedoken onder een koude deken lig, gegijzeld ben door vier zware, gewelddadige criminelen, ben ik daar dankbaar voor, dat ik die gewoonte heb. Voor ik in slaap val zie ik jullie handen voor me, die van jou en die van Kleintje, liggend in die van mij. We zitten aan elkaar vastgeketend. Wat er ook gebeurt en waar we ons ook bevinden, we zitten aan elkaar vastgeketend.

Geheimen die je hebt voor degene met wie je intiem wilt zijn, verbleken niet. Integendeel. Ze hebben een houdbaarheidsdatum. Daarna beginnen ze te stinken. Worden steeds pijnlijker. Nog beladener. Het hoeft niet eens iets van noemenswaardige betekenis te zijn. Het kan een domme onbenulligheid zijn. Iets waar je niet trots op bent. In het begin is het niet vreemd dat je eraan voorbijglijdt. Maar ook geheime onbenulligheden kunnen groot worden, aangezien ze de neiging hebben om ruimte in te nemen waardoor ze afstand scheppen. Plotseling draai je om dingen heen en je kunt niet vertellen waarom.

Het wordt vreemd omdat je niets hebt gezegd. Je kunt je voor iets moeten verantwoorden, alsof het je plicht is om het te vertellen. Het wordt een vertrouwenscrisis. En dan kun je je niet verdedigen door erop te wijzen dat de ander geen vragen heeft gesteld.

Wil je intiem met iemand zijn, dan ben je verplicht de geheimen die plaats innemen en energie kosten te vertellen.

Het geheimhouden van Johannes, wat de relatie met hem met mij heeft gedaan, is steeds zwaarder om te dragen nu ik bij jou ben. Een geheime kreupelheid die steeds meer aan de oppervlakte kwam naarmate we samen verder het pad op gingen. Als ik erover had verteld in het eerste half jaar dat we bij elkaar waren, was het niet vreemd geweest. Dus waarom heb ik dat dan niet gedaan? Omdat het te pijnlijk is. Omdat ik me schaam. Ik weet dat ík me niet moet schamen. En met dat scherpzinnige inzicht schaam ik me nog meer voor het feit dat ik me schaam. Het is een kluwen dat steeds groter wordt.

We zijn nu vier jaar samen, Anders. Waarvan drie jaar getrouwd. Je zou me aankijken op die ongeruste, beetje verschrikte manier. *Maar waarom heb je het niet verteld?*

En wanneer je zou inzien dat niemand het weet, zou je naar me kijken alsof er iets ernstig mis was met me.

Dat gevoel gaf Johannes me. Van dat gevoel lag al een zaadje in me, de beleving van in wezen verkeerd te zijn. Johannes pakte het zaadje in, liet het groeien, plantte het, gaf het water, bemestte het. Het zaadje kon zijn hardnekkige onkruid verspreiden. Al het andere verstikken.

De tijd dat het zaadje groeit is verkeerd te interpreteren als een tijd van weldadige warmte en groei. Jou wordt het idee gegeven dat er helemaal niets mis is met je. Integendeel. Je krijgt uitstel van de existentiële twijfel die je al zo lang je je kunt herinneren met je mee hebt gesleept. Er begint iets in je te zwellen, iets wat je opvat als goed. Je bent simpelweg dankbaar dat daar iets wil groeien.

Maar wat je niet bedenkt is hoe afhankelijk je wordt van degene die je water geeft en welke risico's het met zich meebrengt. Je maakt je breder en neemt ruimte in, terwijl je daarvoor in een hoekje hebt gestaan met je handen over elkaar. Op het moment dat degene die je water geeft een paar stappen terug doet en je kritisch en argwanend onderzoekend opneemt in plaats van vriendelijk bevestigend, dan ben je overgeleverd en weerloos. Dan ben je hopeloos dom. Oh, dacht je dat werkelijk? Wat? Van jezelf?

En jij bent het mikpunt van de spot en de spot wordt je eigen masker.

Maar kijk naar jezelf! Wie denk je dat je bent?

Dat zei Johannes tegen mij.

Denk je dat je op een bepaalde manier bijzonder bent?

En toch was dat wat hij me heel even liet geloven.

De dag dat Johannes met me mee naar huis liep, nadat ik op het ijs was gevallen, zei hij dat er iets bijzonders aan me was. 'Jij hebt iets heel bijzonders', zei hij en hij duwde tegelijkertijd mijn muts terug die blijkbaar opzij was geschoven toen ik was uitgegleden, maar die ik nog niet goed had opgezet. Hij duwde hem vrij hard naar beneden terwijl hij dat over dat bijzonder zijn zei. En in mijn binnenste botsten golven van gevoelens met elkaar. De ene golf was de schaamte over de val, over die scheve muts, ons armzalig rijtjeshuis, dat ik degene was die ik was. En de andere grote golf was van waanzinnige blijdschap. Ik was gezien, ik werd bijzonder geacht. Dat bracht me aan het wankelen omdat … omdat … ja, het raakte me gewoon.

Johannes lachte, weer, toen ik bloosde. Hij drukte mijn muts over mijn ogen en grijnsde om mijn roodgevlamde wangen. Ik zag nauwelijks iets, maar voelde mijn hart zo hard slaan dat ik amper kon ademhalen. Voorzichtig duwde ik de muts een beetje omhoog en keek in zijn geamuseerde gezicht.

Ik geloof dat de rangorde tussen ons toen al werd vastgelegd.

Hoofdstuk vier

Ik word wakker doordat er iemand tegen me aan schopt. Niet erg hard, maar voldoende hard om mij met een van angst dichtgesnoerde keel wakker te laten worden. Ik zie alleen maar af en aan dansende zaklantaarns in de duisternis. Een vrouwenstem lacht. Zegt: 'Hou op, godverdomme.' Kirrend en met een pruttelend gegiebel.

'Godverdomme, was jij dat', hoor ik een mannenstem zeggen in mijn oor.

Ik draai me om en zie Osmo's gezicht, gedeeltelijk verlicht door een zaklantaarn.

'Wilde alleen een beetje ruimte maken voor mij en mijn meisje, lig jij daar als het ware in de weg.'

In het beweeglijke lichtschijnsel zie ik een hoofd met een donker, groot, verfomfaaid kapsel. Het licht van de zaklantaarn schijnt in mijn gezicht. Het verblindt me en doet pijn aan mijn ogen en ik wend mijn blik af.

'Maar wel godverdomme … Wat doet zij hier?'

De stem van de vrouw klinkt schel en beschuldigend. Osmo antwoordt haar smekend op een manier die niets voor hem is.

'Je wist toch … Het had die blauwe moeten zijn, maar nu is zij het geworden … We hadden besloten dat we hem zouden nemen, maar nu is dit het geworden.'

'Niet dat zij mee moest daarna … Die vent moest immers …'

'Ja, dat is dus niet zo.'

'Maar verdomme …'

'Ja, zijn we er uit of zijn we er niet uit? Mopper nu niet zo.'

'Maar waarom moet zij mee? Begrijp je niet dat zij kan … Soms vraag je je toch werkelijk af waar die hersens van jou

35

eigenlijk zitten. Als je ze al hebt.'

'Ze kan goed van pas komen als er iets misgaat. Dat snap je toch zeker wel. Deze keer zal niemand ons in de weg staan. Daarom is ze mee. Rustig nou maar. Zeur niet zo.'

Vanaf de andere kant van de kamer klinkt een schaterlach. Ik tuur in die richting. In het licht van de lantaarn op de grond zie ik de contouren van vier personen. Daar zit nog een vrouw. Ze heeft een cowboyhoed op waardoor ze er berekenend en stoer uitziet. Alsof ze een van de mannen is. Het stoere type.

'Godverdomme, je reet vriest er hier af', hoor ik haar zeggen.

Kalle of Kaj mompelt iets en de anderen barsten in bulderend gelach uit.

'Jij gore vent', proest het meisje met de hoed.

Ik trek de deken nog dichter om me heen en probeer zo stil mogelijk te zijn. De kou sluipt weer naar binnen en ik doe mijn mond stevig dicht om niet hardop te huiveren. Ik bevind me in een donkere hoek van de ruimte en ik hoor dat Osmo en het andere meisje zich in de hoek aan de overkant hebben teruggetrokken. Ze fluisteren en giechelen.

'Dat zou je wel willen', hoor ik haar zeggen. 'Dat zou je wel willen hè, zwijn dat je bent.'

Osmo knort als antwoord, als een varken, en het meisje schaterlacht: 'Viezerik – haha – viezerik – haha …'

Ik hoest, luid en schetterend. Het is onvermijdelijk. Mijn keel kriebelt en prikt. Als ik het probeer te onderdrukken, dreig ik te stikken. Het klinkt luid en Osmo zegt: 'Foei, schaam je Ingrid, niet afluisteren.'

Ik reageer niet, maar wikkel de deken nog steviger om me heen en leg mijn handen over mijn oren. Ik doe mijn ogen stijf dicht en probeer opnieuw het gevoel van onwerkelijkheid te verjagen. Dit volstrekt absurde, het ijzingwekkende inzicht dat dit mij gebeurt. Dat dit nu net mij moet gebeuren. Iets wat gewoon bijna nooit gebeurt. Dat ergens anders thuishoort. In boeken of films.

Hoewel, iemand zoals ik had daarin de hoofdrol niet gekregen. Die was aan iemand toebedeeld die slim was en in staat te overleven.

Wat doe jij op dit moment, Anders? Ben jij in staat tot overleven? Doe je slimme en moedige zetten? Sta je in het zwaailicht de politie te dirigeren en ga je tekeer en bonk je woedend met je vuist op de motorkap omdat ze niet naar jouw ideeën willen luisteren?

Of lig je wakker met Kleintje op je arm en bel je de politie af en toe om te vragen hoe het gaat? En maak je verschrikkelijk veel verontschuldigingen en zeg je dat je begrijpt dat ze wel iets anders te doen hebben dan jou de hele tijd op de hoogte houden? En dat je je natuurlijk realiseert dat zij weten wat ze het beste kunnen doen in zo'n situatie?

Wie ben jij in zo'n situatie? En wie ben ik?

Angstgevoelens verscheuren mijn lichaam. Wissen het rationele denken uit, verjagen woorden en gedachten naar een paniekerige chaos. Mijn ademhaling klinkt luid en piept, dat komt door de paniek en ik kan er niets aan doen. In plaats daarvan open ik mijn mond, laat de lucht in- en uitstromen, maar het lijkt wel alsof dat niet voldoende is. Een diepe ademhaling met een verstopte neus en deze keer brult Osmo: 'Godverdomme, kun je niet proberen je bek te houden!'

Tot mijn ontzetting merk ik hoe de angst in mijn maag gaat zitten en dat ik naar de wc moet, echt moet. Ik knijp mijn billen samen, maar weet dat ik het in mijn broek doe als ik nu niet ga.

'Ik moet naar de wc', zeg ik, maar niemand hoort me want ik heb er moeite mee om mijn stem te verheffen. De angst maakt mijn stem nog zwakker, nog krachtelozer.

'Ik moet nu!'

Ik kom overeind op mijn wankele benen en weet in het donker niet waar mijn slippers zijn. Ik doe mijn best om het op te houden. Het koude zweet breekt me uit want ik voel hoe spastisch mijn darm is en ik kan het nauwelijks ophouden. De angst om het in mijn broek te doen vermengt zich met de paniek over mijn situatie en ik zeg luider dat ik naar de wc moet.

Nu reageert de vrouw die met Osmo is en zegt: 'Luister toch, help haar dan.' Osmo komt moeizaam overeind en zegt: 'Het ruikt hier naar poep, heb je het in je broek gedaan?' Terwijl hij het zegt vermoed ik een glimlach, maar ik heb het nog niet in mijn broek gedaan. Tot nu toe is het alleen nog maar lucht, of het is de angst die stinkt.

'Ik geloof dat ze het in haar broek heeft gedaan', zegt Osmo tegen het meisje.

'Bah. Wat goor.'

Het licht van de zaklantaarn schijnt in haar gezicht en ik meen een glimp van belangstelling te zien. Walgend, maar ook een beetje gefascineerd. Haar lange, donkere haar is vol en verfomfaaid. Ze ziet er jong uit, vermoedelijk is ze niet ouder dan vijfentwintig jaar.

Osmo pakt mijn ene arm beet en drijft me naar de deur. Het voelt wat minder koud buiten, vreemd genoeg. Milder. Minder guur. De angst wordt iets minder, alleen maar omdat ik de frisse lucht inadem. Osmo geeft me een duw om aan te geven dat ik hier maar op de grond moet gaan zitten.

'Je snapt dat ik niet het risico kan nemen dat je wegrent. Het is niet bepaald het Hilton, maar ik kijk de andere kant wel op.'

Als een hond met het baasje ernaast. Maar ik aarzel niet, kan nog net mijn broek omlaag doen voordat het uit me loopt. Ik heb krampen in mijn buik en het schrijnt. Ik buig mijn hoofd naar mijn knieën en ook de schaamte is onwerkelijk, de schaamte over het geluid dat ik maak en over wat ik ruik terwijl Osmo maar een paar meter bij me vandaan staat. Godzijdank heb ik een pakje papieren zakdoekjes in mijn zak en met bevende vingers trek ik er eentje uit. Er komen nog een paar mee die op de grond vallen, maar die stop ik weer in mijn zak, hoewel ze nat zijn geworden. Realiseer me dat ik ze nog een keer nodig kan hebben.

'Zijn we klaar dan?' vraagt Osmo en ik hoor de glimlach in zijn stem.

Ik antwoord niet, maar volg hem weer naar binnen. Hoe laat zou het zijn? Het is donker, maar aan de andere kant; het is februari.

'Hoe laat is het?' vraag ik.

Ik kijk naar de hemel die nog steeds zwart en helder is.

'Het is nog steeds nacht', zegt Osmo. Precies hetzelfde zeg ik tegen Kleintje als ze veel te vroeg wakker wordt. Het is nog steeds nacht. Ga maar weer slapen.

Opnieuw heb ik moeite om overeind te blijven. De angst zit nog steeds in mijn maag en in mijn benen, waardoor die zwak worden en ik wankelend op mijn benen sta. De angst neemt toe wanneer Osmo de deur van de schuur opent. Hij rukt die open, hard, en de rauwe lucht daarbinnen ruikt naar drank, smeerolie en rook.

'Liggen en slapen', zegt Osmo en hij geeft me een duw in mijn rug.

Ik strompel terug naar mijn hoek en door het rillen begint mijn lichaam weer te schudden. Het is niet tegen te houden. Ik ben bang dat ik weer naar buiten moet, want er zit weer iets in mijn buik dat eruit wil, net zoals mijn hele ik eruit wil. Schakel het uit. Dat probeer ik tegen mezelf te zeggen, probeer duidelijk te zeggen waar het op staat, dat het op moet houden. Schakel je buik uit, de angst, het verlangen. Met mijn hand voor me uit in het donker zoek ik tastend mijn hoek op. Ik vind de deken en trek die om me heen, wikkel hem stevig om me heen, alsof ik mezelf bij elkaar moet houden.

'We gaan even weg.'

'Om de dooie dood niet!'

De stemmen komen vanaf de andere kant van de ruimte. De vrouw wil weg. En ik geloof dat Ronnie reageert. Nu hoor ik een andere stem. Vermoedelijk die van Kalle.

'Maar we willen wat privacy. Snap dat dan. Rustig maar. We gaan naar de auto of zo.'

Ik hoor hoe de deur wordt opengetrokken en het meisje giechelt als ze naar buiten gaan. Wanneer de deur weer dichtvalt zegt Ronnie dat ze ervoor zullen boeten als ze dit voor hen allemaal verpesten.

Ik doe mijn ogen stijf dicht. Ik ben bang dat ze ontdekt zullen worden, en dat ze me dan weer als schild zullen gebruiken.

En vreemd genoeg val ik weer in slaap. Dat komt door de kou. Mijn lichaam gaat in de slaapstand. En ik ben dankbaar voor de duisternis en de slaap.

In de vroege ochtendschemering wordt de deur opengerukt. Bleek licht valt naar binnen en het vertrek wordt zichtbaar. Voor de ramen in de garage hangen zwarte gordijnen. In het licht zie ik hoe de anderen ook liggen te slapen.

In de deuropening staat de vrouw. Het meisje dat met Kalle is weggegaan. Nu is ze alleen. Ze staat te trillen en schreeuwt.

'Die klootzak! Hij heeft hem doodgeschoten!'

Osmo springt op aan mijn kant van het vertrek. Ik hoor de andere vrouw, die naast Osmo lag te slapen, vlug naar adem snakken. Ook Ronnie en Kaj, die zich dichter bij de buitendeur bevonden, staan slaapdronken op.

Het meisje heeft een gewatteerde jas om zich heen geslagen. Ik zie haar gezicht niet ondanks het licht van de deuropening. Ze staat naar Ronnie en Kaj gekeerd.

'Het was die oude kerel … hij was in het huis.'

'Hij zou toch … wel godverdomme …'

De anderen verzamelen zich rond de deur. Kaj pakt haar beet bij haar arm, stevig. Ze verliest bijna haar evenwicht. Herstelt zich en stamelt: 'Kalle, hij … die oude man zou hier immers niet zijn … hij stond daar zomaar, heel plotseling. En hij snapt immers niet wat je zegt. "Jij zou uit de buurt blijven", zei ik. Maar hij staarde alleen maar en zei iets van "uhu" en toen richtte hij op

Kalle. En toen Kalle het geweer van hem af wilde pakken … ja, toen drukte hij af …'

'Waar is de rotkerel nu?' brult Kaj en het meisje, dat huilt, stamelt de woorden 'nog in het huis'.

Een seconde lang heerst er een besluiteloze stilte. Dan zie ik dat Kaj zijn hand in de binnenzak van zijn jas steekt. Osmo pakt ook een wapen, dat naast hem ligt. Ik kruip verder mijn hoek in. Wil niet gezien worden, niet opgemerkt worden. Ik doe mijn ogen stijf dicht en zie hoe een penseel met zwarte waterverf in een glas water wordt gedompeld. Een druppel verf in een schoon glas water. Ik zie hoe mijn eigen angst oplost, alles donker en troebel maakt. Er zit een bodem in de onwerkelijkheid. Nu stort ik naar beneden in een duisternis die zo dicht is dat ik op het punt sta mezelf volledig te verliezen.

'Omhoog jij.'

Osmo schopt tegen mijn been. Traag sta ik op. Tast met mijn hand naast me op de grond naar mijn slippers. Maar ik zie noch voel ze. En toch zijn ze daar misschien. Ik zou ze in mijn hand kunnen hebben zonder dat mijn van schrik verlamde hersenen een en een bij elkaar op kunnen tellen.

'Of, trouwens. Yasmine, jij houdt haar in de gaten.'

'Maar waarom dan, ik wil …'

'Stil. Doe wat ik zeg.'

Ronnie en Kaj zijn de garage al uit, samen met het huilende, geschokte meisje. Het meisje dat Yasmine heet gaat rechtop zitten en wrijft over haar armen. Het wordt donkerder in de ruimte als de anderen de deur weer dicht doen. Ik vraag me af of Yasmine een wapen bij zich heeft. Waarom zou Osmo anders denken dat ze me zou kunnen bewaken? Of zie ik er simpelweg uit als iemand die zich schikt?

Als ik nu eens probeer weg te rennen? Als ik dat nu eens echt zou doen? Haar weg zou duwen als ze probeert me tegen te houden? Zelfs vechten?

De gedachte gaat door me heen, maar ik doe niets. De kou.

De angst. Ik denk en beweeg me langzaam en stijf. Mijn nek doet pijn. Alles doet pijn. Mijn keel is zo droog dat ik niet kan slikken. Ik probeer wat meer rechtop te gaan zitten.

'Zit stil', zegt Yasmine. 'Niet bewegen.'

Ik moet toch mijn houding veranderen om mijn tenen te kunnen wrijven. Ze voelen zo ijskoud aan dat ik me afvraag of ik er wel op kan lopen.

'Maar verdomme …'

Ze gaat rechtop zitten en kijkt mijn kant op. Ziet ze meer dan mijn schaduw?

'Ik probeer alleen maar bij mijn voeten te komen. Ik ben bang dat ze anders bevriezen. Als ze al niet bevroren zijn.'

Yasmine antwoordt niet. Ik zie dat ze naar de deur kijkt waar de anderen door zijn verdwenen. Ze is ook bang en voelt zich in de steek gelaten. Ze vindt het niet prettig om met mij alleen te zijn. Alsof het niet alleen onaangenaam is, maar ook vernederend en pijnlijk. Bovendien maakt ze zich vreselijk zorgen over wat er daarbuiten gebeurt. Ik hoor het aan haar manier van ademhalen, kort en snel, en zie het omdat ze haar blik strak gericht houdt op de deur.

Eindeloos langzaam buig ik weer naar mijn tenen. De panty is nog niet droog en alle gevoel is uit mijn voeten verdwenen. Wanneer ik erop druk begint het te prikken, maar meer niet. Wat gebeurt er als je tenen bevroren zijn? Dan moeten ze geamputeerd worden, dat heb je toch weleens ergens gelezen? Kun je dan nog steeds lopen? Hardlopen? Gewone schoenen dragen?

Ik begin te snikken. Kleintje. Zal ik je kunnen inhalen als ik zie hoe je wegrent in de supermarkt? Dat eerste struikelende loopje. Levensgevaarlijk snel en tegelijkertijd onstabiel.

Zal ik mezelf stukje bij beetje opgeven in dit vreselijke gezelschap? Zal ik delen van mezelf weggooien als afval langs de weg? Of zal ik de volgende zijn die wordt doodgeschoten?

Gewoon omdat het toevallig zo loopt. Gewoon omdat er wa-

pens zijn. Want bij iedereen zijn de zenuwen tot het uiterste gespannen.

Yasmine gooit iets naar me toe. Ik voel met mijn hand. Het is
een slaapzak. Hij is warm en droog.

'Als Osmo komt moet je hem teruggeven', zegt ze.

Ik wikkel de slaapzak om mijn benen, om mijn voeten. De
stinkende deken glijdt van me af en ik probeer me zo klein mogelijk te maken opdat de slaapzak helemaal om me heen past. Ik
kruip er niet in. Deels omdat mijn vingers te stijf zijn om met
een rits te prutsen, deels omdat ik zo snel mogelijk overeind wil
kunnen komen als er iets gebeurt.

De angst laat ik de vrije loop. Kalle is neergeschoten. Dood.
Nee, het is volkomen onwerkelijk. Het gebeurt niet. Kan niet
waar zijn.

'Bedankt', zeg ik tegen Yasmine.

Wanneer mijn voeten langzaam ontdooien beginnen ze pijn
te doen. Het prikt en trekt. Yasmine zucht nerveus en blijft de
hele tijd haar aandacht op de deur gericht houden. Ze haalt iets
tevoorschijn. Sigaretten. Ze steekt er een op. Dan zie ik haar
gezicht. Ze is erg zwart rond haar ogen. Wat ze op haar wimpers
had is tijdens de nacht uitgelopen. Haar haar zit uit model.

'Ik heb een dochtertje thuis ...'

Ik probeer haar over te halen samen menselijk te worden. Yasmine antwoordt niet. Ze rookt geconcentreerd en bij elke trek
wordt haar gezicht een beetje verlicht. Ze ziet er verschrikkelijk
nerveus uit. Bang.

Dat ben ik ook. Ik wil niet geloven dat Kalle is neergeschoten. Ik
wil nog steeds geloven dat het een vergissing is. Dat ze terug zullen
komen en chagrijnig zijn omdat ze voor niets wakker zijn gemaakt.
En dat hun opluchting ervoor zal zorgen dat ze milder worden en
mij in de volgende fase van de vlucht zullen laten gaan.

'Mijn dochter heet Kerstin,' ga ik verder, 'maar we noemen
haar altijd Kleintje. Ik kan het niet laten ... ik denk elke seconde
aan haar ...'

'Wat zit je daar nu te praten', sist Yasmine en ze kijkt snel een keer mijn kant op. 'Kun je niet gewoon een poosje stil zijn?'

Plotseling klinkt er buiten een luide schreeuw. Yasmine staat vlug op, en ik ook, ook al sta ik te wankelen op mijn benen. De deur wordt opengerukt en het licht van de dageraad stroomt naar binnen. En ik voel het meteen … Ik geloof dat het de geur is. Van angst? Van bloed? Ik weet het niet, maar in een fractie van een seconde is het duidelijk dat er nog meer verschrikkelijke dingen zijn gebeurd. Het andere meisje klinkt nog hysterischer.

'Zo verdomde nutteloos', schreeuwt ze. 'Wat heeft het voor zin! Wat schieten we ermee op? Wordt het nu beter? Nog meer smerissen achter ons aan wanneer de oude man wordt gevonden! Kalle wordt er niet levend van!'

Ze laten de deur op een kier staan waardoor je kunt zien wat er in de garage gebeurt. Ik laat me weer zakken. Omwikkel mijn voeten. Ze moeten warm worden. Ik dwing mezelf om beter mijn best te doen. Als ik plotseling wil vluchten en snel wil wegrennen, moeten mijn voeten het wel doen. Ik zal alles doen opdat ze me zullen vergeten. Denk dat ze dat misschien wel doen als ik maar geen enkel geluid maak.

De adrenaline pompt door de ruimte. Niemand staat stil. Het duurt niet lang voordat ik begrijp wat er is gebeurd. Osmo vertelt het Yasmine, die steeds maar weer vragen stelt. Alsof het te onwaarschijnlijk voor haar is om te bevatten. Ronnie probeert zijn armen om het andere hysterische meisje heen te slaan. Ze is te veel in paniek om stil te blijven staan. Ik hoor dat hij haar Olga noemt.

'We hadden een deal met die idioot', vertelt Osmo Yasmine. 'Dat heeft Olga je toch wel verteld? Wat, niet? Die oude man kreeg poen om uit de buurt te blijven. Olga kende hem, of zoiets. Ze kenden elkaar immers! Voor zover je iemand die niet kan praten en horen kunt kennen. In elk geval – Olga en Kalle gaan het huis in om een nummertje te maken. En plotseling duikt die vent op. Wordt gek en schiet Kalle neer. Snap dat dan! Schiet hem gewoon neer! Kalle ligt daar dan in een plas bloed. Die oude zit naast hem en zijn broek zit onder het bloed, godverdomme, hij zit zelf helemaal onder het bloed. Kaj pakt hem beet en trekt aan hem. Dus … trekt alleen maar. Hij wil dat die klootzak opstaat. De knieën van de man knikken als het ware en hij wil niet staan. Of kan niet. Maar in elk geval … Hij kan immers niet praten. Eerst probeert Kaj iets zinnigs uit hem te krijgen. Hij staat als een gek op hem te bonken. Alsof dat zou helpen. Maar je begrijpt wel waarom, het was zijn broer die is doodgeschoten. Maar de man zegt uiteraard niets. Ik zeg tegen Kaj dat hij hem pen en papier moet geven. Hij kan toch niet praten, idioot. Kaj hoort het niet. Je had hem moeten zien. Hij huilde zelfs. "Vuile moordenaar", bleef hij maar zeggen. En de oude man leek helemaal gebroken. Hij schudde alleen maar zijn hoofd en gorgelde of wat het dan ook maar was. Wees steeds maar weer naar Olga en kreunde iets. Oké, ik ga zelf op zoek naar pen en papier in dat bouwvallige huis. Nergens iets te vinden. Maar dan hoor ik het schot. Pang. En de man is doodgeschoten. Ronnie en Olga hadden even een andere kant op gekeken. En … pang. Kaj schoot hem neer. Het ging allemaal zo verdomde snel. Kaj is daar nog. Hij wil bij Kalle zitten. Mijn hemel, wat een puinhoop. En het ergste, godverdomme, het ergste … je kunt je wel voorstellen hoe het met Bobby zal gaan … en hoe het met de poen zal gaan. Gódverdomme!'

Osmo schreeuwt het uit terwijl hij tegelijkertijd met zijn ene vuist tegen de deurpost slaat. Yasmine schudt de hele tijd haar hoofd, ze wil ontkennen wat ze hoort.

'Maar hoezo, waarom moest hij die oude man doodschieten?'

'Weet ik veel. Hij draaide gewoon door. Maar Kalle … Godverdomme. Oh!'

Osmo legt zijn hoofd op Yasmines schoot en ze lijkt eerst niet goed te weten wat ze ermee moet. Alsof ze een vreemde vrucht of een vreemd ding op haar schoot heeft gekregen en niet weet of ze die wel willen hebben. Daarna aait ze hem een beetje onhandig over zijn haarstoppels.

Plotseling word ik misselijk. Ik heb, op de koffie en de drank van gisteravond na, niets in mijn maag gekregen. Ik heb een droge mond en wat Osmo Yasmine vertelde doet me walgen, ik ben erdoor geschokt en het maakt me bang. Een aantal remmen zijn losgeraakt, er zijn mensen gedood en ik moet hier weg.

Kleintje en Anders, ik moet hier weg.

De deur gaat weer open en daar is Kaj. Wanneer ik hem zie moet ik denken aan een koud en grijs standbeeld. Hij heeft een soort stijfheid in zich die niet echt menselijk is.

'We kunnen naar het huis gaan', zegt hij met een zware, donkere stem. 'Als iedereen maar bij de ramen wegblijft als we binnen zijn.'

Yasmine lijkt opgelucht dat ze overeind mag komen en voorzichtig tilt ze Osmo's hoofd op. Hij gaat ook staan en wrijft met zijn harde vuisten in zijn ogen. Olga is gestopt met snikken en ziet er apathisch uit. Afwezig begeeft ze zich naar de deur. Wisselt een blik van verstandhouding met Yasmine.

'Vergeet het vreten niet', zegt Osmo met hese stem. 'Horen jullie wat ik zeg, meisjes? Neem het vreten uit de auto mee.'

Plotseling ontdekt Osmo mij. Hij fronst zijn wenkbrauwen in zijn rode en gezwollen gezicht. Hij zucht diep, waarmee hij zoiets wil zeggen als: o nee, zij ja, haar was ik vergeten. Ik haal diep adem. Maak een soort gebaar met mijn hand. Het betekent zoiets als: jullie hoeven je over mij niet druk te maken. Ik kan proberen hiervandaan te komen, zelf, op een of andere manier. Osmo pakt mijn arm beet en trekt me mee naar de deur.

'We gaan het huis in', zegt hij kortaf, hij veegt zijn neus af aan de binnenkant van de mouw van zijn trui. 'Daar is het warmer.'

Ik loop terug naar de plek waar ik eerder heb gezeten. Buk me en zoek tastend de slippers, vindt ze en stap erin. Osmo ademt zwaar en vermoeid als hij op me wacht. Eigenlijk wil hij me laten gaan. Dat denk ik. Alles om hem heen stort in elkaar en hij wil zich niet ook nog eens om mij druk hoeven maken.

'Wacht even', zegt hij en hij loopt weg en praat zachtjes met

Ronnie. Het is iets wat ik niet mag horen. Osmo buigt zich naar Ronnies tengere gestalte. Ronnie werpt zijn hoofd snel en schokkerig in mijn richting. Ik hoor niet wat ze zeggen, hoor alleen het einde van Ronnies zin. 'Joost mag het weten', zegt hij terwijl hij zijn schouders ophaalt.

Osmo loopt naar me toe en trekt aan mijn arm. Ik moet mijn ogen een beetje dichtknijpen als ik in het licht van de dageraad kijk, dat scherp is omdat ik zo lang in het donker heb gezeten. Het erf is grijs en somber. Kaj staat in de deuropening van het woonhuis. Hij maakt een geïrriteerd gebaar. Alsof we treuzelen en ons niet snel genoeg bewegen. Yasmine en Olga zeulen ieder met een zware boodschappentas vol eten. Beiden zien er bleek en angstig uit. Osmo houdt me de hele tijd onder mijn arm vast. Zijn adem ruikt naar oude dronkenschap.

'Ik kan … ik hoef niet …'

Ik weet eigenlijk niet wat ik wil zeggen. Wil gewoon dat ze me laten gaan. Wil alleen maar naar huis, naar jullie toe. Anders, ligt Kleintje op je arm, nu het nog niet echt ochtend is geworden? Zoekt ze me? Probeer je het uit te leggen?

Ik kan niet een huis binnengaan waarin zich twee vermoorde mensen bevinden. Ik wil niet kijken, wil er niet bij zijn. Ik ben zo bang. Bang voor waar ik gedwongen getuige van zal zijn. Mijn gezicht verstrakt, ik voel het. Ik buk me als het ware, verwacht weer een schot te horen. Hoelang duurt het voordat je sterft? Hoe snel is het voor Kalle en de oude man gegaan? Konden ze nog denken? Konden ze nog pijn voelen?

'Ik moet naar huis …'

'Jaja', zegt Osmo. 'Binnenkort. We moeten eerst dit verdomde kutland uit zien te komen. Maar hou op met zeuren nu. Het is allemaal zo'n verdomd zootje geworden.'

'Maar ik …'

Hulpeloos. Terwijl ik deze onwerkelijke, koude, wankele stappen in de sneeuw zet met mijn Birkenstock-slippers aan, die ik vorig jaar van mijn moeder als kerstcadeau heb gekregen – 'ziet er niet uit, maar ze zijn wel goed om op je werk te hebben' – kregen de woorden een letterlijke betekenis. Ik hoef niet om hulp te vragen, hoef er niet eens op te hopen. Als ik mezelf maar zou kunnen helpen. Niemand anders kan dat. Niet hier, niet nu.

Binnen in het huis is het warm, maar het ruikt er bedompt. Naar schimmel. Naar oude man. Op de vloer van de hal ligt krantenpapier. Een paar grote, modderige rubberen laarzen naast de ingang. Op een haak hangt een jas. Van blauw bevernylon met een zwarte pluizige kraag. FRITIDSKLÄDER staat er op een van de mouwen. Het vuil ligt als een grijze waas over het felle blauw. Een kaal peertje aan het plafond.

Ik kijk om me heen op zoek naar tekens. Weifelend zoek ik met mijn blik, ik wil weten waar de doden zijn en wil ze eigenlijk ook niet hoeven zien. Maar hierbeneden in het huis zie ik van geen van beiden ook maar een spoor.

Het is duidelijk dat hier een eenzame oudere man woont. Of woonde. Iemand die het niet kan schelen. Nauwelijks het allernoodzakelijkste, het meest voor de hand liggende. Hij heeft gedacht dat de vloer weleens nat kon worden en er krantenpapier op uitgelegd. Hij had een plek nodig om zijn jas op te hangen, en heeft als haakje een spijker in de muur geslagen. Dingen hebben een functie gehad, verder niets. Osmo duwt me zachtjes de keuken in en zegt dat ik Yasmine en Olga moet helpen om wat te bikken klaar te maken. Dat zijn zijn woorden, 'bikken'. En ik loop de keuken in, licht voorovergebogen aangezien ik buikpijn heb. Daar staan Olga en Yasmine etenswaren uit de grote papieren tassen te halen. Ze zien er bleek en behuild uit, maar verbeten gaan ze praktisch te werk. ICA MATMÄSTER staat op de zakken, ik strijk met een bibberige wijsvinger langs de rand van een van de tassen. Die heeft de papiergeur van thuis en ik slik mijn tranen in, slik en slik, maar het helpt niet. Het detail, de zak, de groet van het leven hierbuiten, zorgt ervoor dat het gewoon in me opwelt. Ik vraag me af waar de dode mannen zijn. Durf niet om me heen te kijken. Wil alleen maar de zak zien, de geur van de zak ruiken.

Yasmine werpt me een korte blik toe, maar zegt niets. Ze legt even een hand op Olga's arm en Olga kijkt vlug mijn richting uit. Ze wisselen een paar korte blikken uit. Ze duwt een zak in mijn hand.

'Hier. Bak ze op. Er is vast wel ergens een of andere koekepan. En hou op met janken. Het helpt in elk geval niets.'

Ze praat met vette klanken, een accent dat volgens mij uit voormalig Joegoslavië komt. Het klinkt hard, wat ze zegt, maar eigenlijk zegt ze het niet onvriendelijk. Ik vraag me af wat voor relatie ze met Osmo en de anderen heeft. Osmo is duidelijk haar vriend. Maar op welke voorwaarden? En op wiens voorwaarden? En wat zijn hun plannen?

En waar zijn de dode mannen?

Ik loop naar het fornuis. Dat plakt van het vuil en in de koekepan liggen twee halfverbrande schijfjes worst. Voordat de doofstomme stierf heeft hij worst gegeten. Of heeft het daar nog langer gelegen? Olga zei dat hij opeens opdook. Ik ruik voorzichtig aan de stukken worst en ze stinken naar ranzig vet. Bovendien lijkt het langgeleden dat de koekepan is afgewassen. Zelfs het handvat plakt. Ik draag hem naar de gootsteen, maar de koekepan is zo zwaar en mijn greep is verzwakt. Hij valt met een hoop lawaai op de vloer. Olga begint te schreeuwen, haar zenuwen zijn tot het uiterste gespannen.

'Kijk toch uit, onhandig stom wijf', schreeuwt ze tegen me en de tranen springen in haar ogen. 'Je kunt toch wel uitkijken! Godverdomme! Alsof je nog niet genoeg hebt ...'

Ze leunt tegen het aanrecht en droogt met bevende handen haar tranen. Ik zeg sorry en leg een hand op haar arm. Ze laat het toe. Yasmine gaat verder met zakken, pakken en blikken. In en uit de voorraadkast en in en uit de koelkast. Tussen het puntje van haar duim en wijsvinger tilt ze spullen uit de koelkast. Ze haalt haar neus op en propt de oude etenswaren in een zak die ze met een stevige knoop dichtmaakt. Olga kijkt naar me. Ze is een stoere meid, dat begrijp je wanneer je haar blik ontmoet. Niet iemand die bij het minste of geringste in elkaar stort. Maar nu is het haar te veel geworden.

Wanneer ze door haar trillende vingers heen naar me kijkt, vergeet ze even haar stoere kant. De koekepan die op de grond is gevallen, lijkt haar te hebben wakker geschud.

'Sorry. Ik wilde alleen maar ... het werd zo ...'

Olga friemelt met een haarlok en staart leeg voor zich uit.

'Jij bent dominee', vervolgt ze. 'Denk je dat Kalle me vergeeft?'

Ze veegt vlug haar neus af en wacht gespannen op mijn antwoord.

Ik laat me op een stoel zakken, maar hou daarbij mijn ogen op Olga gericht.

'Wat vergeeft?'

Olga haalt haar schouders op. Draait zich van me af en mompelt dat ze zich schuldig voelt. Hoewel ze niet wist dat 'die halve gare' zou opduiken.

'Hij had betaald gekregen om weg te blijven, hen daar met rust te laten', vervolgt ze, snel en mompelend, als het ware tegen zichzelf. 'Maar toch. Toen hij daar alleen maar stond, toen ...'

Yasmine komt erbij en zegt tegen Olga dat ze rustig moet blijven. Ze kijkt me gehaast en waakzaam aan, ze wil niet dat Olga te veel gaat praten. Olga zwijgt en strooit bevroren patat in een ovenschaal. Ik pak de koekepan op en laat er water overheen stromen. Er komt alleen maar koud water uit de keukenkraan. Er hangt een boiler naast, maar daar komt alleen maar een merkwaardig geluid uit, meer niet. Het ijskoude water in de koekepan lijkt niets uit te halen. Ik haal er een vettige afwasborstel doorheen, maar er lijkt ook niets los te gaan. Er komt alleen maar nog meer stank vrij.

'Ik weet niet of dit veel beter wordt ...'

'Wat maakt het ook uit. Leg die gehaktballetjes er maar in en bak ze gewoon op', zegt Yasmine.

Ik doe zoals ze zegt en de koekepan walmt als hij warm begint te worden. De geur van ranzig vet verspreidt zich. Ik hou mijn handen gestrekt boven de pan. De warmte is goed voelbaar, ik laat mijn handen steeds verder zakken tot ze net boven de pan hangen en de warmte bijna pijn doet. En alweer dat onwerkelijke.

Anders, alweer dat onwerkelijke.

Ik kijk om me heen in de keuken, zie Kaj haastig over het erf voorbij lopen, hoor Yasmine en Olga met elkaar mompelen en denk: dit gebeurt mij niet. Ik ben hier niet, bij hen.

Ik ben thuis bij jullie.

Even kijken, het is ochtend, we sloffen wat rond, zo noemen we dat altijd. Rondsloffen. Dan scharrelen we wat door het huis en zijn we doodmoe wakker geworden, Kleintje is een ochtendmens. We proberen elkaar wel af te wisselen met het slapen, maar weet je, ik vind dat we daar niet goed in zijn. In het verdelen. Om een of andere reden lopen we allebei een beetje chagrijnig rond met de krant en de koffiekopjes en zijn we als het ware te moe om alles handig te organiseren. Zo is het om kleine kinderen te hebben, zeggen de mensen altijd. Je bent altijd moe.

Ik zou er alles voor willen geven om samen met jullie moe en een beetje chagrijnig te zijn. Alle dingen die er gezegd worden en waarvan je later pas begrijpt hoe waar ze zijn. Dat soort dingen die zo duidelijk zijn dat ze clichés zijn geworden. Het kleine te waarderen. Het achteraf te waarderen. En er niet in te slagen in het hier en nu te zijn.

Daar, met Olga en Yasmine in de smerige keuken van een zojuist vermoorde oude man, met het lichaam van een zojuist doodgeschoten gedetineerde, probeer ik op dit moment bij jullie te zijn. En vreemd genoeg werkt het. Ik ervaar dat moment. Hoe de koffie smaakt. Hoe Kleintje ruikt. En jij. Jouw ochtendjas. Badstof. Die zacht is en me qua buitenkant, qua structuur aan zacht babyspeelgoed doet denken. Aan zo'n ding dat Kleintje heeft. Een geel konijn met opgenaaide ogen en neus. En ik ervaar het gevoel, het gevoel dat er is als het goed is. Wanneer we ons koesteren in gezelligheid en elkaar tegenkomen in warme blikken.

Het andere, dat hier is, dringt niet door. Hoort niet bij de werkelijkheid. Precies zoals wanneer je leest over rampen en ongelukken in de krant.

Ik schud de koekepan met de gehaktballetjes heen en weer en zie hoe Yasmine de spullen van de tafel afduwt. Ze schuift ze gewoon weg, tegen de muur. Olga zet boter, ham en brood op tafel. Geeft me eieren en zegt dat ik die ook moet bakken. Ze pakt de koekepan en laat de gehaktballetjes in een schaal glijden. Ik haal adem om te zeggen dat ze nauwelijks warm zijn, maar raak de draad kwijt. Voor wie maak ik me er eigenlijk druk over?

Gebakken eieren. Anders, jij bent altijd zo bang dat er nog stukjes eierschaal in zijn blijven zitten. Iemand heeft eens tegen je gezegd dat die zich in de urinebuis kunnen gaan vastzetten en een ondraaglijke pijn kunnen veroorzaken. En weet je, wanneer ik een klein stukje eierschaal vind in het ei dat uitloopt in de smerige koekepan, heb ik de neiging om het eruit te halen. Zoals ik dat voor jou altijd doe. Maar ik haal het er niet uit.

En op het moment dat ik dat besluit, draai ik me om en blijft mijn blik haken aan die van Osmo. Hij staat in de deuropening van de keuken naar me te kijken. Mijn hart vliegt naar mijn keel. Hij kijkt me onderzoekend aan of verbeeld ik me dat? Hoe dan ook, ik verhard. Kijk ferm terug.

'Jullie moeten me gauw loslaten', zeg ik met een dunne stem. Ik probeer resoluut te klinken. Dringend. Maar de angst geeft mijn stem iets zieligs …

Osmo reageert niet. Zijn blik glijdt verder. Hij is bezorgd. Kaj en Ronnie komen binnen en gaan bij de keukentafel zitten. Osmo trekt de gordijnen dicht. Yasmine en Olga slaan met de deuren van de keukenkastjes op zoek naar glazen en borden. Alsof we een gezin zijn en het etenstijd is.

'Verdomme, wat is alles hier toch goor', zegt Yasmine. 'En er zijn uiteraard maar drie borden en twee glazen.'

Ze spoelt de twee glazen om en droogt ze snel af met haar eigen trui. Zet ze voor Ronnie en Osmo neer. Kaj staart voor zich uit. Hij heeft bloedspetters op zijn jas.

'Weg met die glazen', zegt Osmo. 'Waarom zo aanstellerig doen?'

Hij pakt blikjes bier uit een sixpack en zet ze op tafel. Ronnies manische ogen schieten heen en weer door de keuken. Hij duwt Kaj licht tegen zijn schouder. Alsof hij hem wil opmonteren.

'Rot op', zegt Kaj met een dikke stem.

Zijn grote schouders hangen en hij maakt een veel zieliger indruk dan de magere Ronnie. Kaj lijkt een groot verdrietig kind. Eerder onaangenaam dan ontroerend. Ik moet denken aan wat de gevolgen kunnen zijn: snel gekwetst en een lage impulscontrole. En dat samen met de kracht van een volwassen man.

Kajs grote handen zien er vies uit. Hij heeft ze afgespoeld, dat is duidelijk, maar rond zijn nagels en een stukje omhoog, op zijn pols, is het donker en vuil. Bloed. Bloed van een oude man die in dit eenvoudige huis heeft gewoond en die om een of andere reden niet kon horen en niet kon praten.

'Kende jij niet de man die hier woonde?' vraag ik Olga. We staan naast elkaar, ik sta bij de koekepan met de eieren en zij staat ernaast in een keukenla te rommelen.

Olga werpt een snelle blik naar Yasmine alsof ze haar toestemming wil voordat ze met mij praat. Yasmine antwoordt, zonder me aan te kijken, dat Olga de oude man in het gezondheidscentrum heeft ontmoet waar ze schoonmaakwerk deed. En dat hij haar heeft gevraagd hier te komen schoonmaken en zo.

Wanneer ze 'en zo' zegt sluipt er een merkwaardige toon in en ik krijg meteen het idee dat Olga ook andere diensten aanbood.

'Hij had hulp nodig', zegt Olga kort. 'En hij had er niets op tegen om wat extra's te verdienen door zich afzijdig te houden wanneer wij hier moesten zijn.'

'Iedereen heeft geld nodig', zegt Yasmine bits.

Ze knikken naar elkaar, een beetje wijsneuzig. Iedereen heeft geld nodig. Een levenswijsheid die ze delen.

'Waarom kon hij niet praten?'

Olga geeft mompelend antwoord dat hij immers niet praatte, dus hoe moet zij dat weten. Maar Yasmine onderbreekt haar en zegt dat hij zo was. Sinds zijn geboorte. Er was iets met hem gebeurd waardoor hij zijn gehoor was kwijtgeraakt. Dat was gebeurd voordat hij had leren praten, dus dat heeft hij waarschijnlijk nooit gekund.

'Maar hoe praatte jij dan met hem?' vraag ik en ik richt me tot Olga. Ze haalt haar schouders op. Olga wordt ongemakkelijk wanneer je over de dode doofstomme man praat. Ze krijgt dan een bijzondere, rozige gejaagdheid over zich. Werpt enkele nerveuze zijwaartse blikken naar Yasmine. Toch wil Olga praten, er zit stoom in haar en die drukt en moet er sissend uit. Ze haalt diep adem voordat ze vertelt.

'Hij schreef en gaf tekens', antwoordt ze kort. 'Op papiertjes.' Ze knikt naar een schrijfblok dat naast de keukentafel ligt.

De eieren zijn klaar en ik blijf staan met de koekepan in mijn handen. De gedachte komt bij me op dat ik die als wapen zou kunnen gebruiken. Dat ik me naar de vrijheid zou kunnen slaan. Een snelle blik op de twee pistolen die op de keukentafel liggen waar de mannen zitten, maakt dat ik ervan afzie.

Bovendien, ik kan niet anders dan ervan afzien. Ik heb de kracht niet. De moed niet. Ik zet de koekepan op de tafel en doe een paar snelle passen daarvandaan. Ik wil er niet bij zijn. Doe het gewoon, omdat ik ertoe gedwongen word. Ik loer voorzichtig naar het schrijfblok dat Olga aanwees. Op het papiertje bovenaan staat: WIL ALLEEN MAAR AANRAKEN. Blokletters en gewone letters door elkaar, alsof degene die ze heeft geschreven niet heeft geweten wanneer je welke moet gebruiken.

Het gevoel in mijn voeten begint terug te komen. Maar de sokken zijn nat en mijn lichaam schreeuwt om ze uit te trekken. Ik kijk naar mijn grijswitte, vochtige voeten en denk dat ik het eigenlijk zou moeten doen. Als ik dit overleef, lieve Kleintje en lieve Anders, moet ik dingen doen. Zoals me bukken en mijn sokken uitdoen. Zoals naar voren lopen en ze op de verwarming leggen.

Zo gezegd, zo gedaan. En niemand protesteert. Osmo, Kaj en Ronnie zijn aan het eten. Ronnie spuit grote hoeveelheden ketchup over het eten en ik meen Kaj zwijgend te zien staren naar Ronnies bloedrode krullende versieringen over de eieren en de gehaktballetjes. Osmo schuift het eten naar binnen en na elke reuzenhap haalt hij diep adem, alsof hij bezig is zichzelf te verstikken. Kaj legt het bestek naast zich neer en slaat zijn armen over elkaar.

'Nee, ik kan het niet. Hoe kunnen jullie? Hij is immers … het hele zaakje is bezig om naar …'

'Rustig blijven', zegt Osmo met volle mond. 'Het is klote. Maar we moeten ons vermannen. Dat met Bobby voor elkaar krijgen. Daar moeten we ons nu op concentreren. Zonder hem is de hele zaak verloren. Daar moeten we aan denken.'

Osmo trekt een gezicht zoals ik hem nu meerdere malen heb zien doen. Het is een zenuwtrek waaruit blijkt dat hij nerveus is. Hij fronst zijn neus terwijl hij tegelijkertijd zijn bovenlip omhoogtrekt en zijn voorste tanden laat zien. Hij lijkt zich er helemaal niet van bewust te zijn. Maar hij doet me denken aan een nerveuze hond die zijn tanden laat zien.

'Dus nu verzinnen we iets verdomde slims', verduidelijkt hij weer. Kaj kijkt wantrouwend.

'Kalle zou het hebben gewild', gaat Osmo verder. 'Had hij gewild dat jij hier als een huilebalk zou zitten? Dat je de smerissen liet komen en je liet oppakken? Nee, je kunt je broer geen betere eer bewijzen dan over een week of zo op een of ander strand te zitten met een te gek drankje. Of niet? En dat gaat je lukken. Dus eten, zeg ik. En denk.'

Kaj krijgt iets in zichzelf gekeerds over zich. Ik denk dat hij toch het strand ziet. Hij pakt zijn bestek op en begint te eten.

'Twee dagen', zegt Ronnie terwijl hij fanatiek kauwt. 'Twee

dagen zeg ik. Daarna is het weer rustig geworden. Zo lang blijven we hier. Daarna rijden we naar Bobby en dan ...'

'Ach wat, godverdomme', zegt Osmo. 'Nog één dag. Daarna denken ze dat we hier niet meer zijn. Zitten we te lang op dezelfde plek, dan gebeurt er uiteindelijk toch iets. Iemand ziet ons. Nooit van mijn leven. In dat geval mogen jullie het zelf doen. De volgende nacht vertrek ik. En met die twee daar in het huis? Nee, ik niet.'

'Ben je nou zo stom of ...? Ten eerste: 's nachts rijden is idioot. Hoe verdacht zijn we wel niet, hè? Elke smeris staat met zijn auto te wachten en ze hebben alle tijd van de wereld. Niemand die stoort. Nee, midden op de dag, in de spits. Zo lang mogelijk door het bos rijden en daarna op ontzettend drukke wegen midden in de ergste spits. Maar na een dag zijn ze nog steeds in de weer ...'

Osmo slaat zijn ogen ten hemel en zet het bierblikje met zo'n harde klap neer dat het schuim uit de opening stroomt. Ronnies ogen schieten vuur en zijn bewegingen, het kauwen en het knipperen met zijn ogen gaan twee keer zo snel.

'Nog één dag. Geen seconde langer, godverdomme!'

Kajs stem is troebel, maar krachtig. Het komt zo plotseling dat Ronnie en Osmo van hun stuk raken. Olga en Yasmine staan bij de koelkast en zeggen niets. Yasmine heeft een lok van haar zwarte haar in haar mond en Olga perst haar lippen hard op elkaar.

'Ik moet naar de wc', mompel ik en ik trek me terug in de richting van de hal. Ronnie, die het dichtst bij de plek zit waar ik stond, staat snel op en pakt mijn arm beet. Zijn hand is hard en knokig.

'Waar ga jij naartoe? Je kunt niet zomaar weggaan, dat snap je toch zeker wel.'

'Wc ...'

'Daar.' Ronnie wijst. 'Laat het maar lopen.'

Mijn blote voeten op de vloer, die zo smerig is dat je amper de kleur van het linoleum ziet. Er ligt wat grind en het is modderig.

Ik kijk naar mijn voeten. De nagels van mijn grote tenen hebben rouwrandjes. De wc is weerzinwekkend. De stank is bijna niet te harden. Het is daar kouder dan in de rest van het huis. Er is ook geen papier. Ik ben blij dat ik de papieren zakdoekjes in mijn broekzak heb bewaard.

WIL ALLEEN MAAR AANRAKEN stond er op het briefje. Wat wilde de man aanraken?

Wanneer ik uit de wc kom staat Ronnie te roken terwijl hij de keuken in kijkt. Ongeduldig tikt hij steeds maar weer op de sigaret, hoewel er geen as is om af te tikken, en in plaats daarvan belanden de brandende stukjes ernaast.

'Rij dan ook maar na een dag', schreeuwt hij de keuken in terwijl hij de sigaret oppakt en begint te vloeken als het brandende stuk eraf valt en op de vloer belandt. Hij ontdekt mij en trekt mij hardhandig terug de keuken in zonder me echt te zien. Zijn aandacht is volledig gericht op Osmo en Kaj.

'Hoewel, Bobby zal hier moeilijk over gaan doen', moppert Ronnie in zichzelf. 'Hij zal zijn kans grijpen, die rotzak.'

Yasmine en Olga lijken zich nog verder van de tafel te hebben teruggetrokken. Ze staan dicht tegen elkaar aan. Olga heeft grijsbruin haar, terwijl Yasmines zwarte lange haar in het daglicht neigt naar mahonierood. Yasmine heeft een grovere neus en markante trekken. Olga is bleker, als het ware wat fletser in haar voorkomen. Ze dragen beiden uitdagende kleding onder hun dikke donsjassen, die ze nog steeds aanhebben. Yasmine draagt een strakke jeans met glimmende stipjes langs de zakken en een glanzend, felgeel overhemd dat kiert bij haar buik en zo ver is open geknoopt dat je de kanten rand van een bh ziet. Olga heeft ook een nauwsluitende jeans aan waarvan de pijpen in de cowboylaarzen zijn gestopt en een strak jeansoverhemd, ook open geknoopt, maar zonder de uitdagende boezem die Yasmine laat zien. Ze staan tegen elkaar aangedrukt en hun gedrag heeft iets symbiotisch.

Ze volgen het gesprek aan tafel en knipperen nerveus met hun wimpers terwijl het gesprek heen en weer gaat. Ik ga een eindje van hen af staan op mijn blote voeten en trek aan mijn dunne trui. Ik denk aan de dikke jas van de dode man die in de hal hangt, en aan de grote laarzen. Zal ik vragen of ik ze mag pakken?

Wat kan het ook schelen, als ik maar overleef.

In de hal heb ik alleen een vieze bruine trap gezien. De dode mannen moeten daarboven zijn.

Hield Olga van Kalle? Zoals ik van jou hou, Anders? De gedachte dat hij daarboven ligt terwijl zij hier staat te zwijgen, is bizar. Is het wel tot haar doorgedrongen?

Ze ziet er zielig uit. Gebroken.

'Hoelang kende je Kalle?'

Olga schrikt op wanneer ik haar de vraag stel en wederom kijkt ze vlug controlerend naar Yasmine voordat ze antwoordt. Yasmine knipoogt: oké, praat maar.

'We hebben elkaar ontmoet in Sint-Petersburg', zegt Olga. 'Hij kende mijn broer. Dat was zeven jaar geleden. Ik was net vijftien jaar geworden. Kalle was een prima kerel. Zoop niet en sloeg nooit iemand. Ik ging met hem mee. En hij … hij zorgde goed voor me … We woonden in Rotebro en hij was als een grote broer voor me hoewel we …'

Olga praat zachtjes en haar stem wordt dikker wanneer ze over Kalle praat. Ik denk aan mijn eerste beeld van Olga. Toen ze daar in het vage donker zat met haar cowboyhoed op, en grof in de mond was en lachte. Vlak voordat ze met Kalle wegging. Het is alsof er twee personen zijn. Nu is ze bleek en leeg. De cowboylaarzen en het overhemd lijken wel van iemand anders te zijn.

'Hoelang was het geleden dat je Kalle voor het laatst had gezien. Dus tot … tot vannacht.'

Olga antwoordt niet meteen. Ze is ver weg met haar gedachten. Ik denk aan wie ze nu heeft, wie er nu voor haar zorgt. Iets in Olga's gestalte vraagt daarom. Is het Yasmine?

'Waar is je broer nu, trouwens? Is hij ook meegegaan?'

Ze kijkt me weer aan. Yasmine werpt haar snelle, oplettende blikken toe. Olga ziet haar en ik krijg het gevoel dat ze met elkaar praten zonder iets te zeggen. Ze hebben een afspraak. Over wat? Yasmine droogt haar hand af aan een broekspijp voordat ze die op Olga's schouder legt.

'Schatje …'

'Mijn broer is thuisgebleven. Hij komt later.'

Yasmine werpt me een strenge blik toe. Vindt ze dat ik te veel wil weten? Ik trek me niets van haar aan, maar blijf aandachtig luisteren naar Olga. Ze laat haar hoofd een beetje hangen en kijkt naar de punten van haar laarzen. Ik zie dat ze achter in haar nek een slangentatoeage heeft, dun, blauw geaderd.

'Kalle, hij …' mompelt Olga. 'Hij zag er zo eng uit. Ik zie het de hele tijd voor me. Hij was zo sterk. Had nooit gedacht dat hij zou kunnen … niet zo gemakkelijk. Zomaar in één keer. Hij heeft het vast zelf ook niet gedacht. Toen … de oude man … toen hij op hem richtte, zag ik dat Kalle niet geloofde dat hem zoiets zou kunnen overkomen. Maar hij viel gewoon. Recht naar beneden. Zijn hoofd sloeg op de vloer. Zijn neus … die moet gebroken zijn. Geen enkele neus … hij viel er recht op.'

'Rustig maar, schatje.'

Yasmine spreidt haar armen en Olga leunt tegen haar borst. Ze draait haar gezicht weg aangezien de donsjas van Yasmine dik is en Olga er bijna in stikt. Olga haalt een paar keer diep adem. Kaj staat haastig op, de stoel schraapt hard over de vloer en ik zie Ronnies observerende blik terwijl Kaj ons nadert. Kaj pakt mijn arm vast.

'Wil je iets zeggen … Hij is daarboven. Kun je … We zullen hem nooit kunnen begraven. Niet nu. Dat zou hij begrijpen. Maar je zou misschien wel iets kunnen zeggen.'

Ik kijk in Kajs grauwe gezicht en zeg 'natuurlijk', als een plicht-matige reflex. Maar ik volg hem met angst en beven. Weet dat ik eigenlijk niet wil kijken. Dat ik bang ben voor wat ik te zien zal krijgen. De situatie is absurd. Ik kijk naar mijn blote voeten en denk dat het er respectloos uitziet dat ik blootsvoets ben. Yasmine ziet het ongeveer op hetzelfde moment als ik en zegt dat ik moet wachten, dat dit zo niet kan. 'Ik heb wel een paar extra sokken voor je.'

We blijven staan. Kaj kijkt naar het plafond. Ik krijg een paar thermosokken van Yasmine en die zijn zo heerlijk aan mijn voeten dat de tranen achter mijn oogleden branden en Kleintje, wacht, mijn lief. Wacht op me. Dit zal mama lukken. Mama komt terug.

God, mijn God, help mij hier doorheen.

De trap kraakt behoorlijk wanneer Kaj op de traptreden stapt. Hij weegt zeker over de honderd kilo en moet bukken als hij naar boven gaat. Ik kom hem aarzelend achterna en reageer opnieuw op de geur.

Het ruikt echt naar bloed.

Achter mij hoor ik Olga. Ze is gaan huilen en ik hoor hoe ze verzucht dat ze het niet kan. Yasmine zegt dat ze het dan moet laten voor wat het is. Kaj draait zich om, kijkt over zijn schouder en zegt scherp dat ze er helemaal niet onderuit komt. Niemand komt eronderuit. Iedereen moet Kalle de laatste eer bewijzen.

Het is schemerig op de bovenverdieping. Er staat een deur half open. Er zitten twee zichtbare vingerafdrukken op de deur, twee bloedige afdrukken. Kaj opent de deur met zijn ene voet en wanneer de deur opengaat, begint hij te hijgen, alsof de aanblik hem overvalt, hoewel hij het al eerder heeft gezien. Ik sleep mezelf de trap op, houd mijn handen stevig in elkaar gevouwen, wring ze, knijp erin en hoop dat de pijn de indruk van wat ik spoedig te zien zal krijgen, verzacht.

Kalle ligt op zijn zij en ik zie, precies zoals Olga het heeft verteld, dat hij gewond is aan zijn gezicht doordat hij hard gevallen is. Het ziet er rood en opgezwollen uit, bloederig, dik en zijn hele trui en jas zijn donker van het bloed. Hij moet in zijn buik geraakt zijn. Kaj gaat naast hem zitten en hij streelt met zijn ene hand over Kalles gezicht. Ik ga ook zitten. Het andere lichaam ligt er een eindje vanaf. Olga snikt geschokt, ik hoor haar wanneer ze haar gezicht tegen de schouder van Yasmine drukt. Ik hoor ook de ademhaling van Osmo en Ronnie. Ze staan in de deuropening en het is helemaal stil. Er wordt geen woord gezegd.

Ik kijk op en ik zie alleen maar het achterhoofd van de doofstomme man. Hij en Kalle liggen naast elkaar, maar hun gezichten kijken elk een andere kant op. Kalle ligt naar ons toegekeerd. De doofstomme naar de muur. Zijn zijn ogen open? Het haar van de man is bruin en dun. Het lijkt nat, of het is vettig. Het krult in de nek, de krullen liggen op de kraag van zijn geruite overhemd en ik zie dat hij met zijn ene hand naar zijn hals heeft gegrepen. Voordat hij stierf moet hij zich daar stevig hebben vastgegrepen.

'Geen woord tegen hem', zegt Kaj.

Zijn gezicht is vol haat wanneer hij naar me kijkt. Alsof hij me waarschuwt om het niet te wagen om zelfs maar een of andere zegening voor de man te dénken. Ik kijk in Kajs ogen, hij kijkt mij aan en ik denk dat hij moet wijken voor de dood. Dat voor de dood iedereen gelijk is. Ik kan als mens niet beoordelen wie Gods zegening moet krijgen. Dat is niet mijn opdracht. Kaj ziet mijn aarzeling.

'Hij heeft mijn broer gedood. Hij moet naar de hel en daarmee is de kous af.'

Kaj duwt met zijn laarzen tegen het lichaam van de man, drukt het tegen de wand. De hand waarmee de man zijn hals vasthield laat los en zijn hoofd valt naar achteren, volgt het lichaam wanneer Kaj het tegen de wand drukt. Ik zie het achterovergevallen voorhoofd van de man, het ziet er grauw en bleek uit.

De gedachte komt niet bij me op om de andere man buiten te sluiten. Ik vouw mijn handen en concentreer me. Zoek in mijn geheugen naar een geschikte, algemene grafrede.

Osmo vouwt ook zijn handen en ik zie dat hij vermijdt te kijken. Ook Ronnies blik glijdt weg, ik zie dat hij zijn neus tegen de binnenkant van de kraag van zijn jas houdt terwijl hij ongeduldig van het ene op het andere been gaat staan.

Kaj zegt niets, maar knikt kort naar mij. Ik hou mijn grafrede, zeg de woorden die ik altijd gebruik in de kerk. Ik heb het koud en voel me niet goed, de woorden komen er hortend en stotend uit en ik raak buiten adem, moet diep ademhalen.

Ronnies lichaam ontspant zich even wanneer ik aan het einde van mijn grafrede ben gekomen, hij weet dat het nu voorbij is en hij wil daar weg. Zelfs Yasmine en Olga begeven zich naar de deur.

'Kun je nog even blijven, alleen met mij?' vraagt Kaj en hij strijkt met zijn hand over zijn kortgeknipte haar. 'Ik zou graag zelf nog iets willen zeggen.'

De anderen blijven staan. Onrust en verbazing verspreiden zich, ze denken waarschijnlijk dat er ook iets van hen wordt verwacht. Het is voelbaar dat de anderen weg willen, alleen Kaj wil nog blijven. Olga opent haar mond om iets te zeggen, maar doet hem weer dicht. Yasmine zegt dat ze beneden wachten. Ik hoor ze op de trap praten, hoe Yasmine Olga troost en zegt dat Kalle vast wel heeft begrepen hoe ze zich voelt. 'Niet schuldig voelen, Olga. Niets is jouw fout.'

'Het is daar gewoon niet te harden', vervolgt Yasmine. 'Het is te walgelijk. Mijn god. Wat een geur.'

Ik weet niet of Kaj het ook hoort, maar hij ziet er grimmig en verbeten uit, hij en ik blijven achter. Er is iets geknapt, dat heb ik wel gezien, er is iets geknapt in de relatie met de anderen. Kaj loopt naar het raam en trekt aan de dikke gordijnen die daar hangen. Hij trekt hard. De gordijnstang geeft mee aan de ene kant, hij trekt weer en dan laat de stang aan de andere kant ook los. Kaj trekt hem weg, er hangen schroeven aan de uiteinden en ik begin te hoesten. Het stof dwarrelt van het gordijn en een verstikkende vuile lucht gaat in mijn neusgaten zitten. Kaj trekt de gordijnen los en legt ze over de doofstomme heen.

Daarna gaat hij op zijn hurken naast Kalle zitten. Legt zijn hand op Kalles schouder. Een snelle blik naar mij.

'Waar is hij nu?'

Ik haal diep adem om te vertellen wat ik denk, maar Kaj is me voor en geeft antwoord op zijn eigen vraag.

'Hij is bij moeder. Ze zijn op een of andere warme plek. Ze mag zo veel borrels drinken als ze wil en wordt er gewoon vrolijk van. Helemaal niet ruziezoekend. En geen saai werk, geen gedoe. En Kalle, hij houdt haar gezelschap. Ze zitten daar waarschijnlijk wat te mijmeren en zo. Praten over diepzinnige zaken zonder dat het te moeilijk wordt. Het soort dingen waarover je kunt piekeren, maar dan op een mooie manier.'

Ik zit stil naast Kaj en luister. Terwijl hij praat, houdt hij het koord vast dat bij Kalles jas hoort. Hij friemelt wat met het koord, blijft er strak naar kijken. Ik daarentegen kijk naar Kalle. Hoe zijn blonde haarlokken op de vloer uitlopen, ik krijg even de neiging om ze mooi rond Kalles hoofd te draperen, aangezien hij er zo overdreven pietluttig mee was tijdens zijn leven. Maar ik hou me in.

'Kalle was maar een paar jaar jonger dan ik', gaat Kaj verder. 'Toch moest ik als het ware voor hem zorgen. Merkwaardig dat het op die manier gaat. Je wordt een grote broer, hoe klein het verschil ook is. Gaat het bij de meesten niet zo? Zelfs bij de broers en zussen die misschien niet zo veel op elkaar hoeven te passen? Zoals wij dat moesten, dus. En als ik er nog aan denk … ik had er niet altijd de puf voor. Zo veel ouder was ik immers niet. Verdomme, ik kon hem soms wel een pak op zijn donder geven. Hij hing voortdurend aan me en soms gewoon …'

Kaj laat het koord van de jas los en pakt Kalles hand vast. Ik pak Kalles hand ook vast en Kajs hand. Zo blijven we een tijdje zitten. Kalles hand is koud en slap.

'Is hij nu bij moeder?' vraagt hij.

Ik antwoord dat ik denk van wel.

'Doe moeder de groeten', zegt Kaj tegen zijn dode broer. Hij zegt het luid, alsof hij over de dood heen kan roepen. 'Doe moeder de groeten. Zeg haar dat ik later kom, na jullie. Wanneer ik de poen heb opgehaald. Het gaat je ...'

Kaj onderbreekt zichzelf plotseling en kijkt me aan, alsof hij hulp wil hebben. Maar daarna voegt hij er stilletjes 'goed' aan toe voor zichzelf, staat op en veegt met de mouw van zijn trui zijn neus af. Hij draait zich abrupt om en stampt de deur uit. Ik maak een lichte buiging voor de lichamen.

Vanuit mijn ooghoek zie ik een telefoon. Een grote, zwarte bakelieten telefoon op een tafeltje bij de deur. Ik hoor Kajs zware voetstappen op de trap. Als ik langs de telefoon loop stoot ik ertegenaan zodat de hoorn van de haak valt. Ik wil horen of hij werkt, maar durf hem niet op te pakken en doe alsof het gewoon gebeurde. Maar mijn bewegingen zijn spastisch en onhandig. De hoorn valt met een knal op de vloer. Ik sta stokstijf, doodsbang dat de anderen naar boven komen stormen. De kiestoon van de telefoon klinkt luid. Wat moest de man met een telefoon als hij doof was? Ik ga op mijn hurken zitten en pak voorzichtig de hoorn op. Mijn vingers beven. Ik hou de hoorn tegen mijn oor en de toon die aangeeft dat er gebeld kan worden, dreunt in mijn oor. Vermoedelijk kon de oude man toch iets horen.

De toon in de telefoon is magisch. Geluid van buiten. Een uitnodiging om te bellen. Een uitnodiging om contact op te nemen. Hoeveel tijd van je vandaan? Twintig seconden? 'Anders'. Zou je zo opnemen, op de gewone manier? Nee, er moet aan je te horen zijn dat er iets is veranderd. Je hijgt misschien alleen maar een ongeduldig, onrustig 'ja' of 'hallo'.

Ik druk de hoorn nog harder tegen mijn oor alsof iets in de toon me daarover wat meer zou kunnen vertellen. Wat zou ik tegen je zeggen? Gedachten aan jou en aan Kleintje doen me opstaan en mijn mond openen. Ik fluister voor mezelf: 'Hoi, ik ben het, ik leef, wees niet ongerust.' Wat kan ik nog meer zeggen? Ik weet immers niet waar we zijn.

Mijn tong is vormloos en ruw in mijn mond, een dikke, droge klomp die in de weg zit en heel even betwijfel ik of ik een zinnig woord zou kunnen uitbrengen. Een snelle blik op de deur, niemand daar. Vanaf de benedenverdieping klinken stemmen. Ik kijk als betoverd naar de nummerschijf.

Anders … Heel kort staar ik naar het plafond en denk aan het telefoonnummer. Je weet hoe dat gaat in films. Mensen zijn zo rationeel. Maar ik … Op dat moment realiseer ik me hoe geschokt en bang ik werkelijk ben. Dat ik me moet herpakken om me een telefoonnummer te herinneren. Mijn gedachten haperen, lopen als het ware vast. 0708 … 0708 … En daarna …

De hand die plotseling op de telefoon wordt gelegd is mager en bedekt met zwarte haren. Ik kijk op en daar staat Ronnie, woedend. Hij geeft me een duw. Met volle kracht. Ik val en neem in de val de telefoon mee. Hij komt op de vloer terecht en door het harde geluid schreeuw ik van de schrik. Osmo staat in de deuropening. Hij buigt naar voren en vraagt wat er in vredesnaam aan de hand is.

'Wel godverdomme … ze wilde gaan bellen …'

Ronnie sist Osmo de woorden toe. Osmo kijkt me scheef en vreemd glimlachend aan. Zulke glimlachjes duiken op als hij zijn nervositeit wil verbergen. Hij kijkt geamuseerd, maar er zit een schittering van angst in zijn ooghoek. Ronnie trekt het snoer uit de contactdoos. Hij bukt zich en geeft een ruk aan het snoer van de hoorn. Die hou ik nog steeds vast, krampachtig, maar Ronnie rukt hem uit mijn handen. Hij trekt er hard aan zodat het snoer van de hoorn losschiet. Daarna gooit hij de hoorn terug naar mij. Hard. Ik kan nog net mijn handen omhoog doen om mijn gezicht te beschermen. De hoorn raakt mijn voorhoofd.

'Ik wilde alleen maar kijken of hij het deed!'

Ik schreeuw het in paniek, maar hoor zelf hoe dom het klinkt. Osmo heeft een spottend glimlachje om zijn mondhoeken wanneer hij het hoort. Ook al ben ik dan niet gewond door de hoorn, toch ben ik doodsbang omdat Ronnie hem eigenlijk met volle kracht naar me toe heeft gegooid. Ik had hem op mijn ogen kunnen krijgen. Op mijn neus. Hij had me echt goed pijn kunnen doen.

'Maar nu doet hij het niet meer', zegt Ronnie en hij trekt zelfs het snoer los dat aan de telefoon vastzit.

Ronnie pakt de telefoon en smijt hem tegen de muur. Uit frustratie dat alles misgaat, moet de telefoon het ontgelden. De telefoon – en ik.

Osmo zegt tegen mij dat ik naar beneden moet gaan. 'En dan hou je je verdomme rustig', voegt hij eraan toe. Ik wrijf over mijn hand. Hij klopt en is helemaal beurs. Ik hink naar de deur, verdoofd door de val en de schrik nadat ik plotseling oog in oog met Ronnie stond, en hem niet had horen aankomen. Dat moment zal ik nooit vergeten. Ik weet dat zodra ik mijn eigen ogen sluit, zijn ogen terugkomen, of eigenlijk op elk willekeurig moment.

Ik ben in shock, zeg ik tegen mezelf op een zakelijke toon. Ik ben in shock. Dan heb je een deken nodig en mensen die kalmerend tegen je praten. Wanneer ik de trap af loop, hou ik me stevig aan de leuning vast omdat ik duizelig ben. Onderaan de trap staan Yasmine en Olga. Ze werpen me vlug een blik toe, maar zoeken daarna met hun ogen naar Osmo of Ronnie.

'Wat is er gebeurd? Wat maakte zo veel lawaai?' vraagt Yasmine.

'Ze probeerde te bellen. Er stond daarboven een telefoon. Ik kwam net op tijd', antwoordt Ronnie grimmig.

Yasmine ziet er teleurgesteld uit. Alsof ze op mijn loyaliteit had gerekend. Ik laat een hijgend geluid horen. Als het begin van gehuil dat niet wil starten. Ik wil huilen omdat er te veel in mij zit dat eruit wil. En zelfs om de anderen milder te stemmen. Dat ze me zullen … Misschien niet troosten, maar ten minste met rust laten.

'Sluit haar op', zegt Kaj, zonder me aan te kijken.

Dan komt het huilen los. Ik snik en zeg alsjeblieft, nee, doe dat niet. Doe het niet, dat kan ik niet aan. Osmo zucht diep en opent de andere deur die in de keuken uitkomt. Hij werpt een korte blik naar binnen en knikt naar me dat ik erin kan. En wat kan ik anders doen dan gehoorzamen?

De kamer is klein. Er staat een smal bed en een nachtkastje. Een smalle boekenkast met misschien tien boeken en een kleine tv met een hoge, dunne, sprieterige antenne. Osmo zegt tegen mij dat ik op bed moet gaan zitten. Hij trekt de stekker uit de tv en zegt tegelijkertijd 'sorry' tegen me. Hij draagt de tv de kamer uit en ik hoor Yasmine zeggen: 'O, wat goed.' Ik ga op het bed zitten en kijk om me heen in de schemerige kamer. Het bed is zorgvuldig opgemaakt, maar ruikt zo vies dat ik er niet in wil kruipen. Er ligt een dikke deken aan het voeteneinde en die trek ik naar me toe. Alles stinkt. Ik stink.

'Ik sluit je hier op', zegt Osmo.

Opnieuw snik ik luid, het is allemaal zo ellendig, onaangenaam en onwerkelijk. Ik hoor Olga zeggen dat hij even moet wachten, dat hij mij ten minste wat te eten moet geven. Osmo zegt: 'Oké, zoek dan iets.' En ik hoor hoe Olga wat dingen pakt. Ze geeft me daarna twee bevroren pasteitjes in een papieren verpakking en drie bananen.

'Ze ontdooien snel, de pasteitjes', zegt ze.

Ik vraag om water en Olga komt terug met een hoog glas water. Wanneer ik zie hoe de streep licht die door de deur valt versmalt wanneer ze bezig is die dicht te doen, vraag ik haar of ik naar de wc mag. Ik raak in paniek en het is het enige wat ik kan verzinnen. Ik hoor hoe Olga fluisterend iets tegen Osmo zegt. Hij gromt iets als antwoord en Olga komt terug met een emmer. Ze zet hem op de vloer zonder naar me te kijken en zegt een nauwelijks hoorbaar sorry terwijl ze de deur op slot doet. Het licht verdwijnt en het is bijna donker in de kamer. De geur van het bed en de kamer wordt meteen intenser. Weer denk ik: een oudemannengeur. Welke bestanddelen zitten er in deze geur? Vuil? Zweet? Urine? Worst? Of gebraden vlees?

Ik breng mijn hand naar mijn neus en ruik eraan. Die ruikt net zo. En nog steeds een beetje de geur van de oploskoffie van gisteren. Ik zoek in mijn zak naar de zakdoekjes. Anderhalf zakdoekje heb ik nog. Eigenlijk hoef ik niet naar de wc. Ik wil alleen niet opgesloten worden. Nu hoor ik dat Osmo of iemand anders iets voor de deur schuift. Een stoel onder de deurkruk. Ik sta langzaam op en kijk door het raam. Het is misschien twee meter naar de grond. Voorzichtig pruts ik wat aan de sluiting en duw zachtjes mijn hand tegen het raam om het te openen. Het raam zit vast. Misschien zou het lukken als ik het goed beetpakte, maar ik durf het niet. Ik denk dat ik ermee wacht tot de anderen slapen. Ze moeten vannacht ooit een keer in slaap vallen en dan kan ik uit alle macht duwen. Ik kijk weer naar de grond. Grind en een wagen met oude troep. Oud brandhout. Oude planken. Spijkers? Iets puntigs.

Durf ik daar naar beneden te springen? In het donker bovendien. En waar zou ik dan naartoe gaan? Op de sokken van Yasmine?

Als ik hier ooit uit kom, Anders, ga je me vragen waarom ik niet zus deed of zo? Was er echt geen manier voor jou om te vluchten, Ingrid? Kon je niet van de gelegenheid gebruikmaken toen het nacht was? Of toen de anderen niet keken?

Terwijl ik hier in het donker zit, schreeuwen dat soort gedachten door mijn hoofd. Dringen aan en maken lawaai. Anders, ik ben zo waardeloos. En ik haat mezelf omdat ik me zo waardeloos voel. Word waardeloos omdat ik me waardeloos voel. En eigenlijk wil ik dit jou niet vertellen. Zelfs dan niet. Ik weet hoe geïrriteerd je dan wordt. Hoe geïrriteerd iedereen wordt. Het is zo'n opdringerige en egocentrische eigenschap, te geloven dat je waardeloos bent. Je zit daar stilletjes met je gevoel dat je waardeloos bent en probeert er niemand mee lastig te vallen. Maar je merkt het toch. Die smekende vertraging. De blik van beneden. Een keer siste je naar me of ik dacht dat de wereld om mij draaide. Of ik werkelijk dacht dat iedereen druk bezig was met het beoordelen van hoe ik op de mensen overkwam.

Wat schaamde ik me toen. Ik heb je toen meteen gelijk gegeven en je onmiddellijk mijn excuses aangeboden.

Eigenlijk weet ik dat het allemaal woede is die achter mijn

onderdanigheid en twijfels verborgen zit. Dat ik om de woede heenloop, ertussenuit knijp en hem wegstop. Ik kan alleen maar omgaan met mijn gecastreerde kant. Die kruiperige kant van mij die mij vastzuigt in de overtuiging dat ik niet deug. En ik leg het bij jou neer, Anders, en bij alle anderen.

Jullie moeten mij dat bevestigen, alsjeblieft. Jullie moeten zeggen dat ik deug. Ik achtervolg jullie met mijn stille, nederige smeekbede.

En wanneer ik boos op je word, Anders. Wanneer het toch barst. Dan kan het door hele kleine dingen exploderen. Onder bepaalde omstandigheden ben ik licht ontvlambaar. En dan is het in de eerste plaats mijn eigen onvermogen waar ik boos op word. Mijn onvermogen om op een gezonde en normale manier boos te worden. Alles staat scheef. Niets krijgt gezonde proporties.

Weet je, nu denk ik dat het mijn fout is dat ze mij als gijzelaar hebben genomen.

Dat ik niet vluchtte en Markus wel.

Dat ik nu niet ontsnap. Brutaal iets terugzeg, terugsla.

Dat ik in elkaar zak op een bed van een vermoorde oude man en mij überhaupt bezighoud met de vraag of het aan mij zou kunnen liggen.

Er is duidelijk iets mis met mij. In mijn manier om fouten bij mezelf te zoeken. Ik bijt mezelf in de staart met een bek vol weerhaken in plaats van tanden en kan niet loslaten.

Hoofdstuk vijf

Was ik al onderdanig voordat ik jou ontmoette, of ben ik zo geworden?

In het begin was het prettig, dat moet ik niet vergeten. Ik wilde het. Het heeft een heel bijzondere spanning, gestuurd te worden. Mijn leven was daarvoor zo zonder richting. Ik voelde me altijd onzeker. Johannes vertelde dat ik van alles was en ik bleef al snel hangen aan de afhankelijkheid ervan.

Ingrid, jij bent een fatsoenlijk meisje dat van rokken en blouses houdt, toch? En ik raakte eerst in verwarring, was ik dat? En zo werd ik. Ik kleedde me als een schoolmeisje en beeldde me in dat Johannes iets bij me had gezien.

Je houdt van die dikke Engelse romans, toch? Zo'n type ben je. En ik ging snel naar de bibliotheek. De gezusters Brontë en Jane Austen.

Jij bent zo iemand die van katten houdt en niet van honden. O ... ja, waarschijnlijk klopt dat wel.

Die van kaneelbroodjes houdt, jij snoeper. Ik bloosde. Ja.

Die absoluut geen maat kan houden als je probeert te dansen. Ik bloosde. Zal nooit meer proberen te dansen.

Die onontwikkeld is. Sorry! Ik zal blokken, lezen en denken.

Die als een aangeschoten kraai zingt. Ik bloosde.

Probeer het maar niet, Ingrid, ik ga van mijn stokje. Ik bloosde en zweeg.

Die dik begint te worden en een beetje gelig in het gezicht is. Een beetje walgelijk. Rottranen.

Nee, sorry, heb ik je verdrietig gemaakt? Maar er bestaat make-up die dat soort dingen kan regelen.

Wanneer werden de opmerkingen verwoestend en kwetsend? Dat gebeurde heel langzaam en ik vatte het op als een waarheid die als het ware laagje voor laagje naar boven kwam. Dat ik in het uur van de waarheid mijn ware gezicht liet zien. En Johannes troostte mij vriendelijk. Er waren make-up, afslankmethoden, cursussen. Ik was niet hopeloos verloren. Hij leidde me een soort van verlichtingsfase in. Daarvandaan konden we gemeenschappelijke zaken en dingen voor elkaar krijgen zodat ze op de beste manier werden geregeld. Voor mij het beste.

Waarom ging ik erin mee? Waarom ging ik er niet gewoon vandoor?

Ik trek de deken om me heen. Misschien werkt de lamp aan het plafond, maar ik heb het liever schemerig in de kamer. Jij bent verstandig, Ingrid, troost ik mezelf. Jij bent niet mislukt als je je niet door dat raam naar buiten stort. De mensen die overleven zijn altijd de taaie, afwachtende mensen. Die stormen en aanvallen doorstaan door zich gedeisd te houden met een meegaande houding.

Hou op jezelf zielig te vinden, Ingrid, zeg ik streng tegen mezelf, en vertrouw op je verstand. Je moet nog een tijdje doen wat ze zeggen. Wil je in opstand komen, dan moet je een heldin zijn, wachten.

Het zou dom zijn om me door het raam naar buiten te storten. Ik zou me in de val kunnen verwonden, ik kom nergens zonder schoenen, ik weet niet waar ik ben. Vermoedelijk bevind ik me heel ver in het bos en zou ik doodvriezen voordat ik ergens hulp had kunnen krijgen.

Vragen ze dingen over mij, Anders? Doen ze dat? Doe ik meestal het ene of het andere? Hoe denk je dat ik in zo'n situatie zal reageren? Wat antwoord je dan?

Natuurlijk volgen de kranten het drama. De voortvluchtigen en ik staan op de aanplakbiljetten van de kranten. Bellen ze jou en papa en mama?

INGRID, WAAR BEN JE? staat er misschien op, met een foto van mij of van jou en Kleintje, Anders. Mijn wangen beginnen koortsachtig rood te worden bij de gedachte aan de belangstelling die er voor mij en mijn persoon is. Hoe kom ik over?

Als een slachtoffer, uiteraard. Arme Ingrid. En ik weet dat jij en mijn ouders de kidnappers zouden smeken: 'Alsjeblieft, Ingrid heeft nog nooit een vlieg kwaad gedaan ... Ze is volkomen onschuldig.'

Als ik nu sterf, zul je later als je volwassen bent naar de oude krantenknipsels zoeken en probeer je door ze te lezen erachter te komen wie ik was. Zul je lezen over je moeder die het slachtoffer werd van verschrikkelijke omstandigheden. Over wat mij overkwam, hier, nu.

Jij bent immers nog zo klein. Je zult je mij niet meer herinneren ...

Hier moet ik even stoppen met denken. Moet ik me in mijn lip bijten, maar wat helpt het. De tranen vloeien, weer.

Jij bent immers zo klein ...

Nee, ik kan de gedachte nauwelijks helemaal afmaken. Zo klein. Ik weet niet wie ik ...

Ik ga in de foetushouding liggen. Mijn armen over mijn buik. De buik waar jij in hebt gelegen, waar ik je heb gevoeld. Ik voel aan mijn buik, knijp erin. Die is nu slapper nadat jij daar in hebt gezeten. Ik hou zo veel van die slapheid. Het heeft iets zachts en moois. Het is een groet van jou, de strakheid die mijn lichaam heeft verlaten. En wanneer ik knijp in die lubberige huid van mijn buik, schrijnt het gemis. Ik weet niet wanneer ik je weer zal zien, óf ik je weer zal zien. Tegelijkertijd denk ik dat er misschien altijd een klein beetje gemis zal zijn, wat er ook gebeurt. Vanaf het moment dat je mijn buik verliet. Of vanaf het moment dat je van mijn borst af ging. Alle stapjes die je hebt gezet bij mij vandaan.

Kleintje. Ik kerm zacht, draai mijn gezicht in het stinkende kussen. Ik kom terug. Ik kom terug. Daar zal mama voor zorgen. Mama zal het voor elkaar krijgen.

Hoelang zal het duren voordat je een nieuwe vrouw hebt gevonden als ik dood ga, Anders? Een nieuwe mama voor Kleintje? Hoe snel zal ik een figuur uit een ver verleden worden, een foto, een verhaal dat nadat het zo vaak is opgedreund, onwerkelijk wordt voor Kleintje. Misschien zal ze, wanneer ze wat groter is, het vertellen als een spannende anekdote.

Mama gegijzeld. Mama vermoord. Dat is iets waarmee je kunt aankomen. Het zal bijna alles verslaan, eigenlijk.

Het is merkwaardig dat ik zo gemakkelijk in slaap val. Ik val weer in slaap. Het is genade, ik kan het niet anders zien. Ik doe mijn ogen dicht, voel de schrik, de angst die in mijn haarwortels prikt. Ik val in slaap. Eventjes ertussenuit gaan. Goede God, eventjes mocht ik dit alles verlaten.

Of verzonk ik in een droomtoestand? Ik weet het niet. Weet alleen dat ik half in een roeiboot lag. Kleintje zat naast me. Jij roeide, Anders, wat vreemd, dat heb ik je nog nooit eerder zien doen. Je roeide als een echte kerel. Sorry dat ik het zeg, maar fysieke krachtproeven zijn nu eenmaal nooit iets voor jou geweest. Nu pakte je behoorlijk aan, de zon scheen zo sterk dat het bijna onaangenaam was. Je roeide met ontbloot bovenlijf en – moet je zoiets hier vertellen? Ja, ik weet immers toch niet of het jou bereikt – het was eigenlijk meer Osmo's lichaam dan dat van jou. Ik zit rechtop en kijk naar je, vragend, benieuwd, maar je glimlacht en zegt iets kalmerends. Ik kan niet horen wat. Maar het is goed zo, vind je, dat je het lichaam van Osmo hebt wanneer je aan het roeien bent.

Stemmen achter de dichte deur onderbreken de droom. Een snelle blik naar het raam en ik zie dat het buiten begint te schemeren, het moet laat in de namiddag zijn. Ik hoor Ronnies stem en hij klinkt boos.

'Waarom zouden we Kalles deel niet verdelen. Hij heeft het immers voor ons allemaal in het honderd laten lopen. Het kan me geen donder schelen dat hij ruzie met die ouwe had en dat het zo afliep. Verdomme, wat kon hij toch dom zijn. Had die oude vent hem niet neergeschoten dan had ik het zelf kunnen doen, vroeger of later …'

'Zwijg, idioot', hoor ik Kaj zeggen. 'Nog één woord over Kalle en ik sla je dood. En ik moet Kalles deel hebben, hij is mijn broer. Als erfenis.'

Er volgt een klap. Gooide hij een stoel op de grond? Ronnie lacht, alsof de stoel of wat er op de grond neerkwam iets grappigs is.

'Maar Kalle is de hele tijd zo dom geweest. Hoe kon hij de vent in Halland erbij betrekken? Hè? Kletsen over waar alle poen was. Oud wijf.'

En weer klinkt Ronnies eigenaardige, sarcastische lach.

'Maar Kalle vertrouwde deze kerel', zegt Kaj. 'En dat doe ik ook. Bobby snapt het. Kalle heeft niets verknald.'

Ik hoor elk woord wat er gezegd wordt. De kier onder de deur is zeker een centimeter groot. Ik ruik de sigaretten, de drank, de walm van gebakken eten.

'Ik vertrouw die vent ook en ik heb ook wat met hem gepraat', vervolgt Kaj. 'Bovendien hebben noch ik noch Kalle ronduit gezegd waar de poen was. Inderdaad alleen maar waar het ongeveer is, zodat hij een paspoort en tickets zou kunnen regelen. En Bobby houdt een oogje in het zeil wie …'

'Maar hij kent mij immers! Hij kan het zo uitrekenen … Oh, ik word hier toch zo moe van. Dat je met zulke leeghoofden als jullie twee moet samenwerken. Kalle hij … en jij … jullie denken met koeiehersens …'

Geschraap van een stoel en een soort gorgelend gereutel. Dat moet Kaj zijn die zich op Ronnie heeft geworpen. Ik hoor hoe Ronnie schreeuwt: 'Sla me dan, oude trut. Sla me dan, Kajsa! Dat is ook wel het slimste wat je kunt bedenken. Gewoon met iemand op de vuist gaan.'

Dan hoor ik Osmo. Hij brult ook, en zijn stem is schor, alsof hij gedronken heeft.

'Nu moeten jullie allebei die stekels intrekken. Begrepen? Jullie zijn godverdomme geen van tweeën goed wijs. Stelletje kleuters. Ga zitten, anders geef ik jullie allebei een oplawaai.'

'Nog een Einstein die wil meppen.'

74

Ronnie ademt heftig.

'Zijn broer was al bezig een stommiteit te begaan en hij heeft het vast aan zichzelf te wijten dat hij daarboven dood ligt samen met die ouwe. Wat had hij daar ook te zoeken?'

Opnieuw hoor ik geluiden van waarschijnlijk een gevecht. Glazen vallen kapot. Yasmine of Olga? Ik denk dat het Yasmine is die schreeuwt dat ze allemaal gestoord zijn en nu moeten ophouden. En dan het geluid van een harde klap. In de korte stilte die daarop volgt begrijp ik dat er iemand goed te grazen is genomen.

'Maar wat doe je nu, je maakt hem dood!' Yasmines stem verbreekt de stilte. 'Hou op! Hóú op!'

Weer een korte, onheilszwangere stilte. Dan iemand die huilt. Of lacht? Het is Ronnie.

'Net goed! Idioot. Bedankt, Osmo. Een beetje rondlopen en ondertussen hier en daar wat loslaten. Stelletje kletskousen. Hij en zijn broer. Zo verdomde gestoord.'

'Blijf je dit soort dingen zeggen waar Olga bij is of ...' De stem van Yasmine weer.

'Maar ze hoort het toch niet! Ze is compleet van de wereld met die hoeveelheid drank en pillen en andere troep die ze naar binnen heeft weten te werken.'

Ik ga rechtop in bed zitten en sluip voorzichtig naar het sleutelgat. Maar ik zie niet veel. Alleen maar iemands rug en elleboog. Ik geloof dat het die van Osmo zijn.

'Ronnie, jij gaat hier weg en slaapt in de garage', zegt Osmo. 'Wanneer Kaj wakker wordt, zal hij je dood willen slaan. Dan moet jij hier niet zijn. Ik praat wel met hem, maar je moet je aanpassen. Je weet dat hij er nog een tijdje bij moet zijn. Dus bekvecht niet zo verdomde veel.'

Ik bons op de deur en vraag of ik naar de wc mag. Osmo praat onduidelijk, hij moet echt goed dronken zijn, en ik versta: 'Je hebt een emmer gekregen. Gebruik die.' Ik bons weer en zeg: 'Alsjeblieft. Laat me gaan.' Ik heb het gevoel dat ik het gewoon moet zien, moet weten hoe het daar is. Het is een opwelling, het gaat vanzelf, ik bons, denk dat het misschien niet zo slim is, maar doe het toch. Osmo verwijdert het meubelstuk dat de deur vastzet. Hij trekt de deur open, zijn ogen zijn roodomrand en hij is woedend.

'Kom dan maar. Maar doe het snel.'

Ronnie zit aan de keukentafel. Hij bloedt bij zijn mond en zijn piekerige haar staat alle kanten op. Kaj ligt tegen de muur geleund. De gelijkenis met de dode Kalle is angstaanjagend.

'Hij komt wel weer bij', zegt Osmo lijzig als hij mijn blik ziet. Yasmine zit op een van de keukenstoelen met haar benen op een andere stoel. Ze ziet er moe en dronken uit.

Ik loop naar de wc en niemand volgt me. Er komt nauwelijks iets en ik realiseer me dat ik een lange tijd niet heb gedronken. Ik moet minstens een half glas water drinken en een van de pasteitjes eten wanneer ik weer in de kamer terug ben. Misschien verdwijnt de matheid dan ook een beetje.

In de hal blijf ik even staan en ik kijk naar de voordeur. Zal ik wegsluipen? Ik doe een voorzichtige stap naar de deur. De houten planken onder mijn voeten beginnen te kraken. Er gebeurt niets. Ik hoor hoe Ronnie stug doorgaat over hoe dom het van Kaj was om met anderen over het geld te praten. Osmo zucht diep en zegt: 'Jaja, maar het is nu niet anders. Bobby moet het regelen.' Nog een stap. Ik kijk naar mijn voeten, die nu warm zijn in de nieuwe sokken. Voorzichtig kijk ik om me heen. De klompen van de oude man. Die staan daar, naast de voordeur.

Ik loer naar de keukendeur en op het moment dat ik dat doe, kijk ik in Ronnies bebloede gezicht, hij heeft zich – opnieuw geruisloos – in de deuropening opgesteld. Een van zijn voortanden lijkt te zijn afgebroken, het gedeelte van de tand dat nog in zijn mond zit, ziet er scherp en puntig uit.

'Wat was jij nu van plan?'

Hij klinkt vermoeid. Ik antwoord niet, maar loop terug de keuken in.

'Ze was van plan ervandoor te gaan', zegt Ronnie kort tegen

Osmo en Yasmine. Ze reageren niet, maar Osmo staat op en duwt me terug de kamer in. Ik hoor hoe hij de deur weer dichtdoet, met boze, heftige bewegingen. Hoe hij de stoel die de deur vastzet, stevig aandrukt.

'Ik kan er niet meer tegen dat ze de hele tijd probeert te ontsnappen', zeurt een lallende Yasmine. 'Het is gewoon te lastig. Kunnen we niet … Moet ze erbij zijn …'

'Voorlopig', antwoordt Osmo bits.

'Maar waarom? Zolang wij haar meeslepen zitten ze alleen maar meer achter ons aan.'

'Ze zitten toch wel achter ons aan. Ze is mee voor het geval we ons met bedreigingen eruit moeten redden. Dus hou op erover te zeuren.'

Er klinkt een gesteun dat van Kaj afkomstig moet zijn.

'Ai, godverdomme …'

Een schuifelend geluid. Staat hij op?

'Hallo daar. Rustig maar.'

Het komt van Osmo en het klinkt bijna meelevend. Yasmine valt bij.

'Ga zitten op de stoel. Zo. Hoe is het? Moet ik iets te drinken halen? Hoe voelt het? Je hoofd? Oké?'

Kajs antwoord is niet te onderscheiden, hij klinkt als een dier, een zeehond, een stier, iets groots dat brult.

'Ronnie is hier', zegt Osmo met een stem die door de gedemptheid klinkt als de stem van een juf in een kinderdagverblijf. 'Hij staat hier, oké? En hij wil je zijn excuses aanbieden. Ja toch? We gaan hier nu geen ruzie meer maken. Niemand zegt nog iets doms. Geen geluid. Hè, Ronnie?'

'Sorry dat ik zei dat jij en Kalle gestoord waren', hoor ik Ronnie zeggen. 'Ik begrijp niet hoe ik daarbij kwam', voegt hij eraan toe.

Het geluid van porren. Yasmine die zeurderig zegt: 'Maar wel godverdomme …' Ronnie zegt tegen iemand – Osmo? – rustig te blijven.

'Rustig maar, ik hou mijn mond. Oké. Ik ben rustig. Hebben we het nu begrepen? Sorry Kaj, echt. Zo. Kalm en netjes? Ik ook.'

Ik hoor Kaj niets zeggen of doen. In plaats daarvan klinkt er geritsel van papier. Osmo zegt: 'Oké, we vertrekken morgenvroeg. En als we de weg nemen langs ...'

Hij zwijgt plotseling en ik hoor hoe hij naar mijn deur loopt en de stoel wegtrekt. Wanneer hij in mijn kamer staat reikt hij me twee pilletjes aan. Ik had graag gewild dat je hem kon zien, Anders. Of wil ik het niet? Je zou zo ongerust worden. Zijn kale hoofd. De ring in zijn wenkbrauw, de ringen in zijn oren. De tatoeages die tot in zijn hals lopen. Dat je kon zien hoe groot hij is. Dat hij een manier van bewegen, van praten heeft, een manier van je aankijken die zegt dat je op moet passen. Wanneer hij twee pillen aanreikt en zegt dat je die moet nemen, dan doe je dat. Eerst zeg ik: 'Nee, bedankt, die hoef ik niet.' Maar hij reikt ze me nog een keer aan. Zegt niets, maar zijn blik eist van mij dat ik de pillen aanneem, wat ik vervolgens doe.

'Wat is het? Wat zit erin?'

Mijn stem klinkt dun. Ik heb de kracht niet om een antwoord te eisen. Osmo laat mensen gehoorzamen alleen al door zijn aanwezigheid. Begrijp je dat? Ik had uiteraard graag gewild dat ik zo iemand was die resoluut weigert. Dat als ik pillen inneem, ik op z'n minst wil weten wat erin zit. En als ze iets bevatten wat ik absoluut niet wil hebben, ik mijn mond stijf dichthou. Of de pillen heel sluw onder mijn tong verberg.

Maar ik pak ze aan en slik ze door. Osmo geeft geen antwoord op mijn vraag wat er in de pillen zit. Een kwartiertje nadat ik ze heb ingenomen, gaat het licht bij me uit en ik val zo heerlijk in slaap. Ik voel dat ik wegglij, weet dat ik denk dat ze me waarschijnlijk een of ander verdovend middel hebben gegeven, maar dat ik me er niet druk over kan maken. Het is zo heerlijk om niet te hoeven. Niet bang te hoeven zijn, me niet druk hoef te maken. Niet aan jullie hoef te denken ...

Nee, sorry, zo bedoelde ik het niet. Ik hou nooit op met aan jullie te denken. Maar ik hoef niet te denken en tegelijkertijd bang te zijn. Door de pillen gebeurt er iets met mij. Ik heb weer het volste vertrouwen, ik ben bij jullie, jullie drijven samen met mij op de golf van welbehagen die ik voel.

Mijn gedachten zijn licht en luchtig en ik denk dat ik droom en dat het een mooie droom is. Intens beleef ik jou, Kleintje, jouw geur, jouw lijnen, jouw gestalte. Mijn hand op jouw lichaam en een bedwelmende bevestiging dat je leeft. Dat er zo veel leven in je huist. Jij voelt altijd een beetje warmer dan ik. De warmte in jouw kleine lijfje zit vol explosieve energie. Jij bent gewoon een kleine reactor, heel simpel.

Ik glimlach bij de gedachte aan jou als een reactor. Als een kleine kerncentrale, een liefdeskrachtcentrale. En op dit punt realiseer ik me dat ik gedrogeerd ben. De gedachten die opduiken zijn opmerkelijk, maar mooi. Ik snik en denk dat ik midden in de roos heb geschoten. Kleintje, een liefdeskrachtcentrale. En jij, Anders? Hoe moet ik jou noemen? Jouw lichaam is ook warm, maar meer als een door de zon verwarmde boom. Zo'n boom die bij een strand staat en door de wind is gegeseld ... Want dat ben je natuurlijk, door de wind gegeseld.

Ik ben gedrogeerd. En zonder dat ik de juiste woorden heb gevonden voor jou, val ik weer in slaap. Ik val zo waanzinnig lekker in slaap.

Hoofdstuk zes

Ik kijk lang in de ogen van Osmo en probeer het te begrijpen. Daarna kijk ik in de ogen van Yasmine en probeer nogmaals het te begrijpen. Dat gaat beter. Ze wil dat ik opsta en meega. Ik doe een poging, maar zak weer terug in het kussen.

'Wat heb je haar gegeven, ze is helemaal van de wereld', vraagt Yasmine Osmo, die antwoordt dat het niets bijzonders was.

'Ik wilde gewoon niet dat ze zulke grote oren zou hebben. En dat ze zich rustig zou houden', voegt hij eraan toe.

Met een zwakke, bevende hand vind ik mijn ene oor en ik denk: zo bijzonder groot is het toch niet? Hoezo niet zulke grote oren? En de angst slaat me om het hart. Wat heeft hij met mijn oren gedaan?

Ik dwing mezelf mijn ogen te openen en ik zie opnieuw Yasmine. Ze buigt zich naar me toe en zegt: 'Je moet je nu concentreren, Ingrid. We vertrekken. Hallo! Nu! We gaan nu vertrekken!'

'Mijn oor?'

Het is het enige wat ik uit kan brengen. Het oor. Is het weg, is het te klein, te groot?

'Ze is zo stoned als een garnaal', hoor ik Yasmine zeggen en ik kijk naar mijn handen, naar mijn lichaam en probeer te begrijpen wat ze bedoelt. Maar er begint iets te dagen. Een straal helderheid bereikt me, als een vlaag frisse lucht. Ik hoor mezelf in mijn hoofd met een strenge stem zeggen: Ingrid, jij bent gedrogeerd en je denkt merkwaardig. Ze willen dat je opstaat en meegaat. Doe wat ze zeggen.

En ik ga rechtop in bed zitten. Het wordt even zwart voor mijn ogen, maar ik ben er snel weer bij. Mijn benen voelen erg wankel en ik strek me uit naar de twee pakjes met pasteitjes, want ik heb ineens een vreselijke honger. De pasteitjes zijn ontdooid, dat voel ik. En drinken? Mijn mond voelt helemaal droog aan.

'Je moet schoenen aanhebben', zegt Yasmine en ze buigt naar me toe terwijl ze met nadruk vraagt: 'Waar zijn je schoenen, Ingrid? Je moet je schoenen aanhebben.' Het enige waaraan ik kan denken, is water. Ik sta nu slingerend met de pasteitjes in mijn ene hand en het lege glas uitgestoken naar Yasmine in mijn andere hand.

'Ik moet water hebben. Alsjeblieft, water.'

Yasmine zucht luid en geïrriteerd en komt terug met een glas water. Ik plof weer op het bed en drink met gulzige slokken en denk dat dit het lekkerste is wat ik ooit heb gedronken. Ik zal altijd water drinken, iets beters bestaat er niet. Ik wil het tegen Yasmine zeggen, open mijn mond, maar hou me in. Weer een beetje helderheid: het was een onder invloed van de drugs heftige en merkwaardige impuls.

'Nu moet je me helpen', zegt Yasmine scherp. Ze begint boos te worden. 'Ga goed rechtop zitten. Mooi. Dan ga je nu staan, kom op.'

Een lichte aarzeling van mij doet haar haar zelfbeheersing verliezen. Mijn neiging om weer in elkaar te zakken. Ze slaat me in mijn gezicht. Anders, ik ben het zo zat dat mensen me in mijn gezicht slaan. Plotseling is er niets meer wat me tegenhoudt. Ik geef haar een harde stomp. Ik stomp zo hard ik kan en ik voel me beresterk.

'Sla me niet, je slaat me niet weer, hoor je, ik wil niet dat jullie me ooit nog weer slaan.'

Het gutst uit me, dampend en sissend. Niemand slaat me ooit weer. Hebben jullie dat gehoord! Nadat ik het heb uitgebruld en een aantal keren met gebalde vuisten op haar lichaam heb gebonkt, word ik echt wakker. Zie je me al voor je? Yasmine duwt tegen me aan, maar nu sta ik stevig.

Ik ontdek de pasteitjes in mijn hand, die ik de hele tijd heb vastgehouden, ik heb ze fijngeknepen. De ogen van Yasmine zijn smal, ze is boos en geschokt.

'Je bent niet goed wijs. Pak de laarzen van de oude man. Hou mijn sokken maar aan, maar daarna blijf je uit mijn buurt, hoor je dat? Als ik het voor het zeggen had, zou je hier wegrotten. Ik begrijp niet wat ze met je willen. Het is vast en zeker voor als ze zich ergens uit moeten schieten.'

Terwijl ze dat laatste zegt, kijkt ze erg gemeen. Ze wil het me betaald zetten omdat ik haar duwde. En ze weet dat ze bij de meerderheid hoort en dat ik alleen sta.

Het wakker worden doet pijn. Die gedrogeerde slaap was zo heerlijk. Het is grijs en koud. Ik steek mijn voeten in de ijskoude laarzen van de oude man. Ze zijn veel te groot en ik moet mijn tenen aanspannen zodat ze aan mijn voeten blijven zitten. Als we bij de voordeur zijn gekomen en ik voel hoe verrekte koud het buiten is, vraag ik of ik de jas van de oude man ook mag pakken. Die heeft een warme, wollige voering, maar ruikt weerzinwekkend. Yasmine zegt oké en ik sla hem om me heen. Twee auto's staan startklaar. In beide brandt licht en het ziet er gezellig uit. Net twee warmtebronnen. Opnieuw kraam ik in gedachten onzin uit onder invloed van de drugs. Oh, licht in de auto's. Gezellig.

En ik heb geslagen. Van me afgebeten.

Het is akelig koud. De werkelijkheid is kil en zet zijn tanden in me tijdens de korte wandeling naar de auto. Ik moet in een auto met Osmo en Kaj zitten. Yasmine werpt me een woedende blik toe als ze in de andere auto moet zitten met Olga en Ronnie. Opeens krijgt ze een inval en ze loopt naar onze auto. Ze opent het portier en kust Osmo met een demonstratieve … ja, wat zal ik zeggen … schunnigheid. Ze steekt haar tong uit en drukt die in zijn mond. Hij lacht en zegt: 'Hé serpent, rustig blijven. Wat heb je?'

Maar ze doet het niet voor hem. Ze doet het voor mij. Om me ongemakkelijk te laten voelen, om me te kleineren. Ik geloof niet dat Osmo dat begrijpt. Hij ziet er tevreden uit wanneer hij na de kus van Yasmine het portier dichtslaat en ik vraag me af wat Yas-

mine voor hem voelt. Écht voor hem voelt. Hij is duidelijk verliefd, zwaait naar haar door het autoraampje als ze met wiegende
heupen terugloopt naar de andere auto. Ze zwaait ook, glimlachend, maar daarna kijkt ze naar mij en haar glimlach dooft en
ze wil dat ik me ongemakkelijk voel door haar kille blik.

Het kan me eigenlijk niets schelen. Ik ben gesterkt door mijn
woede-uitbarsting. Osmo bindt mijn polsen met iets aan elkaar.
Kan het een ceintuur van een ochtendjas zijn? Ik weet het niet,
maar het is in elk geval geen stevig stuk touw. Hij bindt mijn
handen op mijn rug en daarna trekt hij de veiligheidsriem over
mijn borst. Het is uiteraard niet prettig en ondertussen kijk ik
minachtend naar hem. Dat is wat ik voel. En het helpt tegen de
angst. Toe maar, sukkel. Ik ben van plan terug te komen bij mijn
man en mijn dochter, vroeg of laat. Jullie kunnen me daar niet
van weerhouden. Niet op de lange duur. Niemand van jullie.
Dan zullen jullie me moeten doden en ik geloof niet dat jullie
dat durven.

Denk ik niet.

Ik slik hard.

Osmo laat Kaj alleen voorin zitten en gaat naast mij zitten.
Het is verschrikkelijk onaangenaam om in een auto te zitten terwijl je handen op je rug vastgebonden zijn. In een auto. Ik leun
naar voren, laat mijn hoofd rusten tegen de lege stoel voor me.
Osmo kijkt naar me. Ik draai mijn hoofd weg en kijk in plaats
daarvan door het raampje naar buiten. Het is nog steeds donker.
Aangezien ik heb gehoord dat we 's ochtends verder zouden gaan,
neem ik aan dat het erg vroeg in de ochtend is.

De weg is hobbelig en ik geef het op om mijn hoofd tegen de
stoel te laten leunen. Ik probeer rechtop te zitten, maar schom-
mel heen en weer. Een kuil, en mijn hoofd slaat tegen het raampje naast me. Met mijn handen op mijn rug heb ik geen enkele
kans om de bewegingen op te vangen.

'Maar dit gaat niet!'

Ik schreeuw naar Osmo. De drugs hebben mijn voorzichtige

ik buitenspel gezet. Mijn hoofd doet pijn, ik ben vrij hard met mijn hoofd tegen het raam aan gekomen. Om te voorkomen dat ik me weer pijn doe, ben ik gedwongen tegen Osmo aan te leunen. Ik ruik zijn geur, zo dichtbij is hij. Een of andere aftershave naast de sterkedrank, de sigaretten en het vuil. Is het vanwege Yasmine dat hij probeert lekker te ruiken? Osmo leunt de andere kant op. Ik ruik naar stinkdier.

'Je moet mijn handen losmaken. Ik kan mezelf wel verwonden.'

Ik zeg het kalm en beslist. En hij doet wat ik zeg. Ziet in dat ik nu op dit moment niet zonder handen kan. Zelfs Osmo heeft er moeite mee om in de hobbelende auto zijn bewegingen onder controle te houden. Hij leunt voorover om de knoop los te maken waarmee hij zonet mijn polsen heeft vastgebonden, maar hij verliest de greep en stoot zelf zijn hoofd. Kaj rijdt hard, het is een rally door het bos.

'Maar verdomme, rustig aan', zegt Osmo. 'Snap je niet dat we gemakkelijker ontdekt worden wanneer je rijdt als een autodief.'

Kaj antwoordt niet, maar blijft net zo hard doorrijden. Hij werpt een blik naar Ronnies auto achter hem.

'Hij denkt dat we bij hem weg rijden', zegt Kaj. 'Snappen jullie dat? Hij denkt dat we bij hem weg rijden. Ik zweer het je. En eigenlijk zouden we dat ook moeten doen. Die spichtige rotzak. Was Bobby niet zijn kameraad geweest dan had ik ...'

Osmo laat mijn polsen los en kijkt ook achterom. Zijn gezicht wordt verlicht door de koplampen van de auto erachter. Osmo legt een hand op Kajs schouder.

'Nu hou je op. Snap je niet dat we bij elkaar moeten blijven? Hè? Als je dat niet snapt dan moeten we van plaats verwisselen.'

Kaj mindert snelheid en Osmo leunt even opgelucht achterover voordat hij weer aan mijn polsen begint te frunniken.

Wanneer mijn handen los zijn zegt hij dat hij hoopt dat ik één ding heb begrepen: bij het minste of geringste gedoe van mijn kant slaat hij me dood.

'Weet dat ik het doe, met gemak. Want ik ben je toch zo zat. Je hebt een paar keer te vaak zitten kletsen. Begrepen?'

Osmo's adem ruikt nog steeds naar drank en ik zie plotseling hoe moe en afgepeigerd hij eruitziet. Ik knik als antwoord en heb wrede gedachten. Ik haat Osmo, ik haat Kaj. En het is heerlijk om te haten. Bevrijdend. Daardoor voel ik me niet meer waardeloos. En niet omdat ik iets dóé. Nog steeds zit ik gehoorzaam stil. Doe ik wat me opgedragen wordt. Maar in mijn gedachten ben ik opgestaan. In mijn fantasie geef ik ze een grote mond terug. Ik adem voorzichtig. Alsof ik bang ben dat mijn pas verworven dapperheid ervandoor kan gaan als ik te diep ademhaal.

'Weet je waar je nu moet afslaan?' vraagt Osmo.

Ik hoor niet goed hoe de plaats heet die Kaj als antwoord mompelt, maar Osmo werpt me een snelle blik toe wanneer Kaj de plaatsnaam zegt. Ik geloof dat hij denkt dat ik te veel zal horen.

'Als jullie mij laten gaan, zal ik nooit een woord zeggen over waar we geweest zijn of waar jullie naartoe gaan', zeg ik. 'Het kan me niet schelen. Ik wil naar huis, naar mijn man en mijn dochter. Laat me vrij, waar ook en ik zal nooit ... Mijn dochter ...'

Ik kan het bijna niet zeggen. Mijn dochter. De pijn snijdt door de stoerheid heen.

'Helaas.'

Osmo schudt langzaam zijn hoofd.

'Later.'

'Maar kan ik niet gewoon even bellen en zeggen ... Mijn dochter ...'

'Hou toch op met dat vreselijke gezeur!'

Osmo duwt me tegen mijn schouder. Ik zie hoe Kaj in de achteruitkijkspiegel probeert ons te zien, en ik zie aan zijn ogen dat ook hij geïrriteerd is.

Osmo staart door de voorruit en knippert haastig met zijn wimpers.

'Je moet het ons maar niet kwalijk nemen, maar we geven geen ene moer om jou en je kind, Ingrid', zegt hij. 'Begrijp je wat er voor ons op het spel staat? Kun je dat begrijpen? Heb je er ooit weleens aan gedacht wat voor kloteleven we achter ons laten? Hè? Retourtje gevangenis? 's Zondags rosbief om naar uit te kijken. Hè? Denk maar niet dat iemand van ons dat ooit gewild heeft. Nu moeten we weg, begrijp je? Echt weg. Ver weg. We hebben de poen en we hebben dit hier ...'

Osmo wijst met zijn wijsvinger naar zijn slaap. Ik vraag me af of hij bedoelt dat ze wapens hebben of dat hij bedoelt dat ze slim zijn, dat ze een plan in hun hoofd hebben. Ik vraag het niet. In plaats daarvan voel ik de moed in mijn schoenen zakken. Die zakt zo dramatisch dat ik mijn hoofd laat hangen en niet wil kijken. Osmo niet wil zien, Kaj niet, de auto niet.

Ik hoor Osmo zeggen: 'Denk aan het strand, Kaj, denk aan het strand. Verkloot het nu niet. De palmbomen, het bier. Binnenkort zijn we er, Kaj, denk eraan. Concentreer je.'

Kleintje, ben je al wakker nu? Op deze ochtend is het waarschijnlijk niet moeilijk Anders wakker te krijgen, als hij al ooit heeft geslapen. Heeft hij dat? Kan hij dat?

Wat zegt hij als je naar mama vraagt? Ik weet dat je dat doet. Je doet dat altijd als ik niet in bed lig. Het is ongeveer het enige wat je tot nu toe kunt zeggen. 'Mama?' zeg je op een vragende toon. En Anders, jij moet iets antwoorden.

Mama komt. Ze komt gauw. Ze komt later.

Ik geloof dat je daar genoegen mee neemt, Kleintje. Je gaat iets anders doen. Je bent zo in het hier en nu. Alleen af en toe wil je iets weten en dan is het antwoord: komt later, komt gauw. Maar meestal ben je in het hier en nu, de hele tijd.

Ik kan me voorstellen dat je in de keukenlaatjes staat te rommelen. Je bent er altijd vroeg bij. Half zes 's ochtends en je werkt keihard: oude plastic bakjes, deegrollers en kaarsstompjes, uit de kastjes op het vloerkleed. Met je mond halfopen en je bent zo druk bezig, zo vreselijk geconcentreerd. En jij, Anders. Vandaag, op deze ochtend, zit je vast niet zoals gewoonlijk krakend te geeuwen terwijl je je slaperige ogen doelloos over de krantenpagina's laat glijden.

Je bent hier al, bij mij. In de gedachten ben je dat. Ik voel het. Alsof ik jouw onrust zou kunnen wegnemen.

Ik blijf mijn ogen dichthouden, probeer jou te zien. Maar ik ontdek dat er iets in de weg zit. Dat besef voelt als een koude hand op mijn gezicht. Je verbleekt en vervaagt. De andere werkelijkheid, die met Osmo en zijn bende, neemt het over, overwint mijn gemoed. Ik ben gevangen. Op alle manieren. Angst, vermoeidheid en honger zijn bezig om degene die ik ben samen met jou en Kleintje uit te wissen.

Of hebben de gedachten aan Johannes jou en mij uitgewist, Anders? Door hem voor jou geheim te houden heb ik jullie beiden nooit tegelijkertijd in mijn hoofd gehad. Stel je voor hoe ik hem in al deze jaren zo heb weten te verdringen. Ik herinner me een seminarium over vrouwenmishandeling. Maatschappelijk werkers, dominees en politiemensen zouden geïnformeerd worden. 'Sommigen van jullie zijn waarschijnlijk zelf ooit weleens slachtoffer van mishandeling geweest', zei de seminariumleider en ik weet dat ik mijn hoofd schudde. Een reflex van ontkenning. Je zat toen naast me, Anders. Toen loog ik. Ik weet nog dat ik dacht: hierna kan ik niet meer over Johannes vertellen. Plotseling was ik gaan liegen tegen je, Anders.

Ik heb nooit gedacht dat de leugen als een storend element tussen ons in zou komen te staan. Maar nu, nu die oude, ingekapselde angst weer oplaait, weet ik dat het wel zo is. Die staat daar als een muur. En wanneer je mij irriteert, is het die muur die me frustreert en me op een irrationele, onaangename manier laat reageren.

Het duurde lang voordat Johannes me sloeg. Een jaar. Ik was net zeventien geworden. We waren een stel en dat maakte me minder, maar tegelijkertijd ook meer eenzaam. Ik had Johannes bij wie ik kon zijn. Maar tegelijkertijd zorgde onze relatie ervoor dat ik buiten hem nooit iemand anders ontmoette. Als iemand anders een poging deed om met mij om te gaan, was Johannes er altijd bij. Lotta, een meisje met wie ik eerder af en toe koffie had gedronken, vroeg mij om een keertje samen naar de bioscoop te gaan. Toen ik dat aan Johannes vertelde, zei hij meteen dat hij die film ook wilde zien. We waren toch niet bang voor een paar mannenbacillen?

Ik kon het niet opbrengen iets tegen Lotta te zeggen. Het voelde dom. Het kwam er gewoon niet van. Ik stak mijn kop in het zand en wanneer ik denk aan de verwarring op haar gezicht toen ik in de bioscoop opdook met Johannes in mijn kielzog, worden mijn wangen nog steeds rood van schaamte. Ik stamelde dat Johannes ook graag naar de bioscoop ging. Lotta was teleurgesteld, dat zag ik meteen. Ze was vaak eenzaam, net als ik voordat ik Johannes had. Ze verlangde naar een hartsvriendin, net als ik eigenlijk.

Het was een lange film met een pauze. Johannes was de hele tijd aan het woord. Lotta zei bijna niets en ik ook niet. Na de film zei Lotta vlug dat ze naar huis moest. Toen ze haastig wegliep, zei Johannes dat hij vond dat ze niet helemaal goed wijs leek.

'Ze zei immers niets. Staarde alleen maar wat dom voor zich uit. Ik bedoel, je kunt toch denken, ook als je verder niet veel kunt. Maar zij, zij leek volstrekt hopeloos.'

Ik deed daarna alles met Johannes. Hij had een paar kameraden met wie hij omging. Eén keer in de week hadden ze een pokeravond in het huis van zijn ouders. Dan was ik thuis en zat voornamelijk tv te kijken. En ik herinner me hoe rustig ik me voelde als Johannes er niet bij was.

Je hebt het me een keer gevraagd, Anders, hoe het was toen ik mijn maagdelijkheid verloor? Ik zei een beetje vaag dat het niet zoveel bijzonders was. Het was met mijn liefde van de middelbare school – heb je trouwens gemerkt dat ik een beetje aarzelde toen ik hem 'mijn liefde' noemde – maar dat ik me niet zoveel meer van de gebeurtenis herinnerde?

Je keek verbaasd. Zoiets vergeet je toch niet zomaar?

Natuurlijk niet. Je bent zo fijngevoelig. Je had er verder op in kunnen gaan, meer vragen kunnen stellen.

Het duurde ongeveer een jaar voordat Johannes en ik probeerden met elkaar naar bed te gaan. We raakten elkaar niet zoveel aan. Op een keer kusten we elkaar en belanden we op een groene, kriebelige wollen bank die in de tv-kamer van de familie stond. Maar toen we elkaar een tijdje hadden gekust, toen we er een beetje rood en wat verfomfaaid uitzagen, toen ik Johannes' stijve vermoedde, maar hem daar niet durfde aan te raken, trok hij zich terug. Hij had met zijn hand wat rondjes om mijn ene borst gedraaid, maar meer niet.

'Ach, we wachten daarmee', zei hij toen hij zich van me afwendde.

Nu ik volwassen ben en wat meer ervaring heb, denk ik dat Johannes een of andere seksuele neurose had. Misschien in combinatie met het verlangen naar homoseksuele contacten. Hij barstte namelijk altijd uit in lange hatelijke tirades over rothomo's en dat is meestal een duidelijke indicatie.

Toen we het na ongeveer een jaar nog een keer zouden proberen, meer omdat Johannes het maar gedaan wilde hebben – ik denk dat zijn vrienden erop aandrongen – toen ging het eerst helemaal niet. Johannes' lid lag als een reep huid op zijn bovenbeen en ik durfde hem niet vast te pakken. In mijn hoofd heerste chaos. Men zegt dat jonge mannen hem voortdurend in de aanslag houden. Dus wat betekende dit?

Opnieuw dacht ik dat er iets mis was met mij. En Johannes keek naar me alsof hij dat vermoeden ook had. 'Maar doe dan iets', zei hij geïrriteerd en ik legde een paar koude, nerveuze vingers op zijn slappe lid en probeerde het te strelen, maar wist niet hoe. Toen sloeg hij me. Niet erg hard, maar toch. Hij sloeg. Met de vlakke hand, recht in mijn gezicht. De eerste keer.

'Godverdomme, kun je dan ook niets goed doen? Jij bent zo verdomde hopeloos!'

We komen op een grotere weg en het is niet zo hobbelig meer. Daarentegen is het glad. Het moet 's nachts gevroren hebben, want de auto slipt en glijdt verder.

'Doe verdomme voorzichtig', zegt Osmo tegen Kaj. 'Als we hier van de weg af rijden zijn we er geweest, dat snap je toch zeker wel hè?'

Ik zie Kaj in de achteruitkijkspiegel, zijn voorhoofd, zijn wenkbrauwen en zijn ogen. Die rusten op de weg, maar zijn eigenlijk ver weg. Is hij in gedachten bij zijn broer en zijn moeder? Wat ziet hij? De doden of de levenden op de plek waarover hij heeft gefantaseerd, met zon en drankjes waar je alleen maar vrolijk van wordt?

Kaj ziet er verbeten uit en het is moeilijk voor te stellen dat hij dezelfde man is als die de avond daarvoor in de garage zat. Toen lag er een brede grijns over zijn gezicht. Hij en Kalle. Ze gaven de indruk dat ze heer en meester waren over hun eigen leven. Met een vonk wraakzucht in hen. Het was hun al gelukt, ze zaten al ergens anders met hun verstopte buit van een overval en zonder retourticket naar huis.

Nu zit Kaj achter het stuur met het verdriet en de mislukking die op zijn hele gezicht is af te lezen. Hij mindert een beetje vaart, rijdt wat voorzichtiger. Maar als ons een truck met oplegger tegemoetkomt, denk ik dat hij ook net zo goed het stuur kan omgooien en er frontaal tegenaan kan rijden. Ik zie het aan hem. Hij denkt: waarom niet? Dat zou ook een oplossing zijn. Zelfs Osmo lijkt dezelfde soort onrust te voelen. Hij kijkt ongerust alle kanten op, schat het risicomoment in. De truck passeert en Osmo's schouders ontspannen een beetje.

'We moeten snel denken', zegt Kaj. Hij schraapt zijn keel en herhaalt het, alsof hij gelooft dat het de eerste keer niet te horen was. Of alsof hij heeft besloten om in deze wereld te blijven en wil dat Osmo en ik dat begrijpen.

'De oude man had nauwelijks nog benzine in de auto. Er zijn waarschijnlijk toch geen mensen bij de tankstations. Er bestaan automaten.'

Er duikt een bord op dat een afrit naar een tankstation aangeeft. Kaj staat bovenop de rem en de auto draait op de weg twee keer om zijn as. Alle lucht wordt uit mijn maag gedrukt, uit mijn longen. Osmo schreeuwt 'shit, shit, shit'. De auto glijdt van de weg. Misschien is het ons grote geluk dat hij eerst draait. Daardoor verliest hij een beetje vaart. Wanneer we de greppel in rijden gaat er een krachtige schok door de auto heen, door mijn lichaam. Ik word naar voren geslingerd, naar achteren geworpen. De veiligheidsriem houdt mij stevig vast en mijn achterhoofd bonkt tegen de neksteun op de stoel. Ik proef bloed … of is het braaksel? Maar ik leef en ik beweeg mijn tenen, mijn handen, ik beweeg alle lichaamsdelen die ik heb, gewoon om te voelen of ze het nog doen. Al vrij snel begrijp ik dat niemand van ons zwaargewond is. Kaj wrijft zich in zijn nek. Osmo probeert zijn portier open te krijgen, maar dat lukt niet omdat er een grote steen voor ligt.

Ik hoor iemand buiten de auto schreeuwen. Ik zie Ronnies bleke, paniekerige gezicht voor het raampje. Hij schreeuwt tegen ons. Wat is er in godsnaam gebeurd? Osmo buigt over me heen en opent het andere portier. Ik zie een andere man, die ik niet herken, baggerend door de sneeuw op ons afkomen.

'Gaat het?' roept de man luid, terwijl hij puffend met grote passen onze kant op blijft komen.

'Verderop is een wegversperring', vervolgt de man buiten adem. 'Ik kan daarnaartoe rijden en hulp halen', roept hij.

Wanneer de man Ronnie van dichtbij ziet, blijft hij staan. Hij loert naar de auto. Daarna draait hij zich abrupt om en baggert weer naar de weg.

'Hij heeft ons herkend! Vlug, we moeten hier weg!' Ronnie schreeuwt. Daarna draait hij zich in de richting van de man en hij brult: 'We hebben de dominee! We hebben Ingrid! Als de smerissen achter ons aan gaan, schieten we haar dood, zeg dat maar! Zonder pardon! Helikopters, honden, smerissen, we schieten meteen! Dan is ze er geweest!'

De man werpt angstige blikken over zijn schouder en rent zo hard hij kan. Hij struikelt op de weg, maar staat op en vervolgt zijn weg met zijn handen tegen zijn oren gedrukt, zonder naar ons te kijken.

'Snel, snel, kom op. Osmo wurmt zich uit de auto terwijl hij mij voor zich uit duwt. Ik zie Yasmine en Olga uit de andere auto stappen die op de weg staat. Olga buigt voorover en braakt in de sneeuw. Ik hoor het niet, maar het lijkt alsof Yasmine ook naar haar schreeuwt.

'Snel, het bos in, snel, snel.'

Ronnie blijft tegen Osmo schreeuwen en tegen Kaj, die vlug uit de auto is gekomen, maar door de schrik toch een beetje traag is. Osmo trekt aan mijn haar, Anders, het is waar, hij trekt aan mijn haar. Pakt me stevig beet bij mijn haar en zegt: 'Nu schiet je een beetje op.' Het doet ongelooflijk pijn en ik snik wanneer ik door de sneeuw en over de harde sneeuwijslaag ernaast ploeter. Zo kan het niet doorgaan. De politie moet vlak achter ons zitten en Osmo en Ronnie ...

Gaan ze me doodschieten? Zouden ze ... zouden ze dat werkelijk kunnen ...

Bij elke zware stap dreunt die gedachte hard door in mijn bewustzijn.

Yasmine en Olga lopen achter mij, ze steunen en hijgen terwijl ze proberen ons bij te houden. Ronnie rent het snelst, hij rent voor zijn leven. Osmo laat mijn haar los. In plaats daarvan pakt hij mijn arm vast. Ik ren en ren. Ik word gegrepen door de paniek. Het zou mijn redding betekenen als we werden gevonden, maar dat kan ook mijn ondergang worden, mijn dood. Ik ren bij de mensen vandaan die mijn redding zijn, en die onwerkelijkheid, Anders, die onwerkelijkheid.

We volgen een smal paadje. Het voert naar een rood houten huisje met twee grote schuren ernaast. Op de grond ligt een groot bord met daarop: ZELFPLUK VAN AARDBEIEN. We stoppen bij een van de schuren. Zowel Kaj als Osmo heeft zijn wapen tevoorschijn gehaald. Alle anderen ademen luid. Kaj heeft een of andere piep in zijn ademhaling.

Olga ziet bleek en ze buigt voorover terwijl ze met haar handen op haar knieën steunt. Het is nu helemaal licht geworden. We blijven achter de schuur zodat we vanuit het woonhuis niet te zien zijn. Daar brandt geen licht. Zoveel heb ik wel kunnen zien. We staan in een groepje bij elkaar, op deze onwaarschijnlijke februari-ochtend en Ronnie zegt steeds maar weer: 'Watdoenwegodverdommenu, watdoenwegodverdommenu.'

We hebben waarschijnlijk een kwartier lang gerend en het is niet moeilijk ons op te sporen. Osmo zegt dat we stil moeten zijn en doodstil luisteren we even of we de politie horen. Maar we horen niets. Tot dusver. Maar ze moeten onderweg zijn. Op een of andere manier moeten ze onderweg zijn. Ik voel waar Osmo me aan mijn haren heeft getrokken.

'We moeten denken', zegt Osmo. 'We moeten denken, denken, denken …'

Elke keer bij het woord 'denken' slaat hij zichzelf tegen zijn voorhoofd. Kaj leunt tegen de muur van de schuur en staart over het bos met de dood in zijn ogen. Alsof hij een einde ziet. Alsof het een einde is. Ronnie ijsbeert wat rond, kijkt om de hoek. Ik hoor alleen maar het geluid dat wij maken. Ik zie het wapen in Osmo's hand en weet dat hij van plan is mij als schild te gebruiken als dat nodig mocht zijn.

'Waarom moest je godverdomme ook zo nodig bovenop de rem staan?' sist Ronnie tegen Kaj. 'Zo godverdomde achterlijk. Wat was je van plan, hè? Jij bent zo … o …'

Ik meen een helikopter te horen. Ver weg. Maar toch. Osmo heeft het ook gehoord, want hij trekt me naar zich toe en zet opnieuw het pistool tegen mijn slaap. En geblaf. Ergens blaft een hond. Een politiehond?

'We moeten met behulp van Ingrid zien weg te komen. Met z'n hoevelen zullen ze zijn als ze komen? We zijn toch al een eind opgeschoten. Maar ze zullen meer mensen op ons af sturen, ze halen versterking, maar dat duurt even. Heeft iemand gekeken of er hier echt geen auto staat?'

Yasmine en Ronnie lopen het erf op, naar het woonhuis. Ze zijn erg gespannen en ik ben verbaasd dat ik het opmerk. Maar ik zie het en het maakt me nog banger. Vaag stel ik me voor dat het koelbloedige criminele profs zijn en eigenlijk is die gedachte geruststellend. Het zou niet slim zijn om mij dood te schieten. Maar wanneer ik ze zo angstig en impulsief zie, denk ik dat er gemakkelijk iets onvoorziens kan gebeuren.

Yasmine staat midden op het erf en heft haar armen in een verontschuldigend gebaar.

'We rennen verder', zegt Osmo.

Hij schiet zomaar een kogel in de lucht, in de richting van het geblaf.

'Waar is dat in godsnaam goed voor', sist Ronnie.

'Als het de smerissen zijn, dan blijven ze staan en vragen ze om versterking', zegt Osmo. 'Waarschijnlijk zijn ze maar met z'n tweeën en nu durven ze niet verder te gaan. Ik geloof dat ik wel ongeveer weet waar we zijn. We rennen oostwaarts, dan komen we op een parkeerplaats. Daar mogen jullie iets doen, meiden. Kom op nu.'

We baggeren verder door de sneeuw. Goede God, laat dit snel voorbij zijn. Goede God, we kunnen zo niet doorgaan. Momenten dat alles op scherp komt te staan. Momenten dat je omhoogkijkt naar de melkwitte wolken aan de hemel en denkt: nu, hier. Nu kan het zo niet doorgaan, nu gebeurt er iets wat het einde betekent. Hier is het einde van de weg.

God, mijn God, draag mij hier doorheen.

Olga snikt luid. Ik zweet en met elke stap krijg ik vaag de geur van de jas van de oude man in mijn neus. Het is zo vreemd, Anders, het is zo ontzettend vreemd. Ik haast me zo goed en zo kwaad als het gaat door de sneeuw met de veel te grote laarzen aan en werp nerveuze blikken naar achteren. Ren bij de mensen vandaan naar wie ik toe wil en ik voel dat de verwarring iets met me doet. Ik ben een nerveuze vis die de school vissen volgt. Uit angst, omdat ik niet weet hoe het anders moet.

En nog lijken we niet aan het einde van de weg te zijn.

Hoofdstuk zeven

Na een tijdje minderen we snelheid. Kaj leunt tegen een boomstam en moet zo hoesten dat hij bijna stikt. De honger zet zich vast in mijn maag en het is absurd dat ik überhaupt aan eten kan denken. Een paar happen van een pasteitje zijn het enige wat ik sinds het eten eergisteren in de inrichting binnen heb gekregen. De honger giert door mijn maag, niet zoals trek in eten, maar als een kwelling die gelenigd moet worden. De honger die geen verlangen meer is, maar een marteling is geworden.

'Verdomme, ze hebben honden bij zich … We maken geen enkele kans.'

Iedereen verstart door de woorden van Yasmine, maar in de stilte die daarop volgt horen we niets. Toch lijkt niemand daardoor rustiger te worden.

Tranen stromen over Yasmines wangen. Ze vormen zwarte stroompjes op haar vuurrode gezicht en ze lijkt de wanhoop nabij.

'Hou op met janken!' brult Kaj tegen haar. 'Hou godverdomme op met janken, wat heb je om over te janken?!'

Hij geeft haar een duw en ze verliest haar evenwicht. Valt op haar knieën in de sneeuw en gaat door met huilen terwijl ze tegen een steen leunt. Osmo duwt Kaj aan, Kaj wankelt, maar blijft overeind. Osmo hurkt naast Yasmine. Schudt haar aan de schouder.

'Luister eens, baby. Loop maar een andere kant uit', zegt hij tegen Yasmine. 'Olga en jij. Niemand zit achter jullie aan. Ga maar, zeg maar dat jullie aan het paddestoelen plukken zijn. Of zoiets.'

Yasmine kijkt op en geeft hem een hatelijke blik. 'Idioot. Nooit. Het is ook ons geld.'

Ze kijkt beurtelings naar Osmo en Kaj, woedend.

'We doen mee. Olga en ik. Jullie zullen niet krijgen …'

Yasmine droogt haar tranen met haar behandschoende hand en staat op.

Osmo pakt haar polsen beet. Hij kijkt haar kwaad in de ogen.

'Niemand heeft ons nog te pakken gekregen, toch? Er moet daar verderop iets gebeurd zijn, er moet iets zijn waardoor er nog niemand is gekomen. Als we maar ergens een auto kunnen regelen.'

We lopen verder, zwijgend en geconcentreerd. De honger, hoe kan het me zo in beslag nemen? Het beheerst mijn hele lichaam. Ik pak een handvol sneeuw en stop die in mijn mond. De sneeuw is oud, grijs en een beetje ijzig en smaakt muf. Op de gezonde natuur vol afbraak en verrotting!

Het bos wordt dunner en we komen bij een open stuk strand. Osmo slaakt een zucht.

'Godzijdank! Kijk een roeiboot!'

'Die is vastgevroren, er ligt immers ijs, godverdomme wat ben je toch dom.'

Osmo lijkt verpletterd en ik geloof dat hij even was vergeten dat de boot in het ijs vast moest zitten. Ongeveer tweehonderd meter van het strand af staat een klein zomerhuisje met een oude grijze Volvo PV ervoor. Ik tuur naar het huis en meen iets te zien bewegen achter het gordijn. Osmo loopt recht op het huis af, het pistool ternauwernood door de jas bedekt. Wij, de anderen, blijven als een verdwaald groepje achter. Olga stapt heen en weer, ze heeft van ons allemaal de dunste schoenen aan. Kaj staart in de richting van waaruit, vreest hij, de politie waarschijnlijk komt, maar zijn blik is leeg. Gedoofd. Ik geloof niet dat hij nog de hoop koestert dat ze dit klaar zullen spelen. In zijn hoofd wordt hij al verhoord, in zijn hoofd probeert hij zich te verweren voor wat er met Kalle is gebeurd.

Olga's zwijgzame bleekheid. Wat denkt zij? Haar vriend is

doodgeschoten, evenals een man voor wie ze gewerkt heeft. Eigenlijk is het niet vreemd dat ze zo afwezig lijkt. En toch … Er is iets waar ik de vinger niet op kan leggen. Iets wat niet klopt bij haar. Ze kijkt naar Yasmine met iets hulpeloos in haar blik, alsof ze de hele tijd iets van haar gezicht wil aflezen.

Yasmine schraapt haar keel en blaast in haar wanten. Ze kijkt onafgebroken in dezelfde richting als Kaj, naast de korte blikken die ze Osmo over haar schouder toewerpt. Ronnie schraapt zijn keel ook, behoorlijk. Hij spuugt een grote fluim in de sneeuw en ik draai mijn hoofd snel weg om het niet te hoeven zien.

'Zwijn', zegt Yasmine. 'Goor zwijn, moet je hier als een of andere idioot staan te rochelen?'

'Bek dicht jij', komt het rap uit Ronnies mond.

Kaj wordt als het ware wakker en knikt goedkeurend naar Yasmine terwijl hij met afkeer naar Ronnie kijkt.

Ik zie de deur van het huis opengaan en Osmo krachtig naar binnen stappen op een manier die moet betekenen dat hij zich toegang heeft verschaft door bedreiging of met geweld zodra die arme ziel de deur opendeed. Het wachten lijkt een eeuwigheid te duren. Als ik doodstil sta voel ik de honger minder.

Was dat geblaf? Nee, misschien niet. Of?

'Verdomme', zegt Yasmine met een dun stemmetje. 'Wat is hij aan het doen? We staan hier al minstens een half uur.'

Plotseling komt Osmo naar buiten en zwaait naar ons. De honger, de vermoeidheid, de onwerkelijkheid … Ik strompel verder. Na zo'n eind te hebben gerend en gelopen, heb ik het gevoel dat ik de laatste meters in elkaar zal zakken. Alsof ik mezelf van buitenaf bekijk, merk ik dat ik het gezelschap volg zonder moeilijk te doen. Hier had ik misschien een snelle beweging kunnen maken, had ik kunnen wegrennen, de kant op kunnen rennen waar we vandaan zijn gekomen. Maar ik strompel naar het huisje, in de tegenovergestelde richting.

'Yasmine en Olga! Jullie pakken de auto en rijden naar de stad. Laat hem achter op een plek waar veel andere auto's en mensen zijn. Daarna lopen jullie naar de rand van de stad, jullie weten wel, daar bij Rusta. Daar op die plek staat die kutauto die we later nemen. Daarna komen jullie terug en halen ons op. Maar pas als ik heb gebeld en het heb gezegd. Oké? Begrijpen jullie dat? En handschoenen aanhouden in de auto!'

Yasmine knikt en ze fleurt op, lijkt opgelucht. Olga kijkt naar haar alsof ze het niet echt heeft begrepen, maar Yasmine fluistert in haar oor en Olga lijkt verbaasd en knikt. Osmo gooit een paar sleutels naar Yasmine die vervolgens in de PV gaat zitten. Olga neemt plaats op de bijrijdersstoel en ze rijden weg.

Osmo zet de deur van het huis wagenwijd open en zegt tegen ons vlug naar binnen te gaan. Hij ziet er ongeduldig en opgejaagd uit. Ik aarzel omdat ik bang ben. Ik weet niet wat ik te zien zal krijgen en wat ik aankan. Kaj geeft me een duw in mijn rug en opnieuw beweeg ik mechanisch. De hal die we binnenstappen is knus en blauw geverfd. Wat een verschil met de eenvoudige entree van de doofstomme man. Aan de muur hangt een groot olieverfschilderij met een jachtstilleven. Twee dode sneeuwhoenders en een dode vos. Ik zoek naar een teken om te kunnen afleiden hoeveel mensen hier wonen, maar zie alleen maar sporen van een man. Dezelfde maat laarzen, klompen en nog een paar hoge schoenen.

Ik hou mijn blik op de grond gericht, want ik wil niet kijken. Maar wanneer ik toch voorzichtig opkijk, zie ik de man die hier vermoedelijk woont, en ik vind dat hij er eerder verwachtingsvol dan bang uitziet.

'Jullie zullen wel koud zijn … Jullie zullen wel honger hebben …'

De man wrijft in zijn handen en ontmoet Kajs blik. Ik weet niet hoe Kaj kijkt, kan het niet zien vanaf de plek waar ik sta, maar iets zorgt ervoor dat de man haastig zijn ogen op Ronnie en Osmo richt. Iets aan het gedrag van de man klopt niet met wat je zou verwachten van iemand in een dergelijke situatie. Hij heeft een lichte, kruiperige stem en hij gedraagt zich als een gastheer

99

op een wel heel merkwaardig feestje.

'Dat is ze, hè?' zegt hij tegen Osmo en Ronnie, en hij bedoelt mij. 'Dat is zij over wie in de kranten wordt geschreven, toch? De dominee. Wacht, hier, ik zal het je laten zien …'

Osmo pakt hem stevig bij zijn schouder beet. Ronnie grinnikt, alsof hij naar de man wil lachen, maar dat niet echt kan.

'Niet nu', zegt Osmo. 'We gaan naar beneden. Je weet nog wat ik heb gezegd?'

'Jullie pakten de auto. Jullie bedreigden mij. Alleen jullie en de dominee. Jullie hadden geen meisjes bij jullie. En jullie reden die kant op.'

De man wijst naar links.

'Precies. En dan moet je een beetje als Robert de Niro doen, en angstig en opgejaagd lijken en zo. Niet te veel en niet te weinig. Niet overdrijven, anders valt het op.'

De man knikt naar Osmo. In zijn ogen bespeur ik bewondering, hij vindt dat Osmo erg slim denkt.

'Bravo', zegt Ronnie en hij legt een hand op de andere schouder van de man. Ronnie kijkt daarna naar Osmo met een blik van: hoe is het mogelijk dat we zo'n mazzel hebben. Een idioot die aan onze kant lijkt te willen staan.

'En wat krijg je ervoor om dit allemaal te zeggen?'

Osmo vraagt en kijkt voldaan. Hij is tevreden over zichzelf, omdat hij zo snel door heeft gehad hoe gemakkelijk deze man te manipuleren is. Osmo's slimheid zal ons hieruit helpen. Wanneer Osmo voor de man staat, ziet hij eruit als een dompteur. Aandringend en vol verwachting. Klaar om de man het volgende kunstje te laten doen.

Osmo's slimheid zal ons hieruit helpen. Begrijp je hoe vreemd het klinkt als ik zo denk? Ons?

Ik en zij die me gevangenhouden.

Vanuit een reflex voel ik de opluchting over dat 'geholpen' worden. De opluchting dat ik geen heibel, geen bedreigende situaties hoef mee te maken. Niet met geweld geconfronteerd hoef te worden. Ik dacht dat Osmo de in het huis aanwezige man had mishandeld of had neergeschoten. Nu staat hij met die man te praten en lijkt tevreden.

Het is net als wanneer je een film ziet en verleid wordt om de schurk aan te moedigen. Je splitst je op. Een deel van mij is met hen omdat ik niets anders kan. De man knikt enthousiast en herhaalt 'vijfduizend kronen', als een uit het hoofd geleerd lesje. Zijn ogen stralen. Hij vindt het spannend. Hij voelt zich belangrijk. Misschien gevaarlijk ook?

Met enthousiaste bewegingen gaat de man ons voor. Hij laat zijn hand alle kanten op wapperen om dingen aan de muur aan te wijzen. Er hangt een foto, een foto van een man met een grote vis in zijn handen. 'Die rakker heb ik hier verderop in de rivier gevangen.' Hij wijst naar een bar. 'Zulke flessen met een hoed verkochten ze in Torrevieja. Ze noemen het *sombreros*, de hoeden.' Ronnie knikt en begint te grijnzen als hij Kajs blik ontmoet. Ik zie vanuit mijn ooghoek hoe Kaj een fles whiskey uit de bar van de man pakt en in de binnenzak van zijn jas stopt wanneer de man zich omdraait. De man heeft niets gemerkt. Er zit iets overijverigs in de manier waarop hij zijn lichaam beweegt als hij loopt. Als we achter in de hal komen, rolt hij een kleed weg. Daaronder zit een luik dat de man met veel moeite optilt. Het is zwaar, dat zie je. Maar zowel Osmo als Ronnie en Kaj staan er een beetje hulpeloos bij en helpen niet mee. Ze lijken hun ogen niet te geloven. Wanneer de man het kelderluik omhoog heeft gekregen, kijkt hij trots. Hij maakt een gebaar met zijn ene hand.

'Hierbeneden is het. Wat heb ik gezegd? Niemand zal jullie hier vinden. Ik zal wat licht aandoen, dan kunnen jullie het zien.'

'Niet doen', onderbreekt Ronnie hem. 'Zijn er geen ramen ...'

'Natuurlijk, je hebt gelijk. Er zijn twee smalle raampjes.'

De man slaat zijn ogen ten hemel en kijkt naar Ronnie, alsof hij er zelf achter is gekomen hoe onnadenkend het was. Maar Ronnie, Kaj en Osmo kijken geconcentreerd naar de kelder. De man gaat eerst. Ik word tussen Kaj en Osmo in naar beneden gedreven.

'Het is hier schemerig, maar er komt een beetje licht door de raampjes. Zo dus. Hier kunnen jullie wel een tijdje bivakkeren.'

Beneden in de kelder staan een bruine ribfluwelen bank en een fauteuil van dezelfde stof. Het is onduidelijk of ze daar staan omdat ze zijn opgeslagen, of omdat de man echt zijn tv-kamer hierbeneden heeft. Op verschillende planken staan lange rijen tijdschriftenmappen. In het schemerlicht zie ik dat het verschillende motortijdschriften zijn. Alles is met grote zorgvuldigheid gecatalogiseerd. In een hoek staat een tafel met drie kistjes winterappelen. De appels geven een frisse geur af met een lichte ondergeur van verrotting. De honger speelt weer op. Ik kom weer een beetje tot mezelf en reik naar een appel.

'Ja, neem maar. Een beetje zuur, misschien.'

De man pakt een appel die hij me aanreikt. Ik neem hem aan. Eerst breng ik de appel naar mijn neus. Opnieuw de beleving van een ander leven, dat die tastbare werkelijkheid, de wereld waarin ik altijd rondloop, er nog is. Mijn hart doet pijn als ik die geur ruik. En dan ben ik dicht bij jullie, Anders. In de tere blos van de appel zit iets van Kleintje, in de wellust dat ik de appel vlak onder mijn neus heb, zit iets van jou, Anders. Net als de wellust die ik 's avonds voel, als ik tegen jouw rug aankruip en de geur ervan inadem. Van jou. Zo is het om een thuis te hebben, denk ik altijd. Een thuis hebben is dat je iemand hebt van wie je de geur kunt inademen.

De appel is zuur. De maagsappen beginnen te stromen, ik kreun en buig me voorover omdat mijn maag pijn doet.

'Voelt ze zich niet goed?' vraagt de man en hij draait zich om naar Osmo.

'Ach. Het is gewoon een beetje ... druk geweest', zegt Osmo.

'Ik kan wel een paar boterhammen maken. Met ham. Is dat goed?'

'Jij bent een geschikte kerel', zegt Osmo. 'Maar wacht maar

even. Ze kunnen hier elk moment zijn. Je moet voorbereid zijn. Alles hangt nu van jou af, vriend. Hup, in de benen. Opstaan.'

De man glimlacht. Hij lijkt het wel goed te vinden dat hij gecommandeerd wordt. Hij is tevreden met zijn opdracht. Zijn bruine broek zit hoog in de taille en zijn gestreepte trui zit strak over zijn ronde bovenlichaam. Hij doet een wat halfslachtige poging om zijn hakken tegen elkaar te slaan, alsof hij wil zeggen 'ai, ai captain', maar zijn, weliswaar zwakke, verstand weerhoudt hem ervan.

We laten ons zakken op onze zitmeubels. Ik op de bank met Osmo en Ronnie ernaast. Kaj zit in de fauteuil. Hij haalt de fles whiskey tevoorschijn en neemt twee grote slokken. Veegt zijn mond af met zijn hand. Hij laat de fles rondgaan. Osmo en Ronnie nemen ieder een grote slok. Deze keer kan het ze niets schelen en proberen ze mij er niet toe aan te zetten om ook een slok te nemen. Osmo werpt een blik naar het smalle raampje, alsof hij zich ervan wil vergewissen dat we niet te zien zijn, mocht er iemand naar binnen kijken. Maar een van de planken ontneemt het zicht op ons. Ik heb er spijt van dat ik in de zure appel heb gebeten. Ik glimlach in mezelf wanneer ik in mijn gedachten hoor hoe het klinkt.

Kleintje, bijt nooit in zure appels. Ook al verga je van de honger. Probeer te wachten tot je iets anders krijgt. Ik weet eigenlijk niet welke betekenis het heeft, maar ik geloof dat het erom gaat dat je eisen stelt aan hetgeen waar je je tanden in zet.

Terwijl we zitten te wachten op geluiden van de achtervolgers, kronkelen mijn gedachten in vreemde banen verder. Ik word zo gemakkelijk fatalistisch. Al mijn gedachten klinken als zware, met symboliek beladen zinnen en betekenissen.

Ik ben bezig met één van al die duizenden toespraken die ik voor je wil houden, Kleintje. Dagelijks, ja in feite voortdurend, krijg ik dat soort opwellingen. Inzichten waarover ik het met je wil hebben. Zaken waartoe ik je wil aanmoedigen. Andere zaken waar ik je voor wil waarschuwen. En je bent nog maar ruim een jaar oud. Je praat nog niet eens. Kunt nog maar een paar woorden zeggen. Toch meen ik dat je alles begrijpt. Je begrijpt alles op een globale manier. Zoals wanneer je ondertitels leest. Je begrijpt het wezenlijke. Het enige wat eigenlijk iets betekent. Verlies dat vermogen nooit wanneer je woorden begint te gebruiken. Wanneer de woorden het gevaar vormen dat ze alles voor je door elkaar halen.

Kleintje, begin nooit iets met een man als Johannes. Wil je dat niet vergeten? Nooit met iemand die niet aardig is. Je hebt geen idee hoe gemakkelijk het is om jezelf te verliezen als je een liefdesrelatie aanknoopt met iemand die niet aardig is.

Zou ik het zien als je in zo'n soort relatie verzeild raakte? Heeft iemand mij gezien? Heeft mijn vader of mijn moeder mij gezien? Nee, dat hebben ze nooit gedaan. Ik deed alles opdat ze het niet zouden merken. Werkelijk alles. Verborg de blauwe plekken, deed alsof ik vrolijk was.

Ik deed alles opdat ze het niet zouden merken en toch vergeef ik het ze nooit dat ze het niet hebben gemerkt. Dat ze er niet doorheen zagen. Dat ze niet míj konden zien, achter die komedie.

Kleintje, als je maar de tekenen leert herkennen van een man die niet aardig is, voordat het te laat is. Of preciezer gezegd, je moet vertrouwen op wat je ziet. Want wat je ziet, dat doe je. Je moet vertróúwen op wat je ziet. Op dat moment moet je jezelf serieus nemen en weggaan. Beseffen dat je meer waard bent.

Eigenlijk zag ik al in een vroeg stadium wie Johannes was. Heb ik dat al gezegd? Maar ik was zo arm geweest wat aandacht betrof, dat ik dacht dat ik het me niet kon veroorloven naar mezelf te luisteren. Later had ik de moed niet.

Dus Kleintje, vertrouw altijd op je intuïtie. Volg die.

Want Anders, weet je wat het zo moeilijk maakt om te herstellen na zo'n man als Johannes? Je verliest de nuances wanneer je daarna andere mannen ontmoet. Dat is wat er gebeurt. Je kunt ze niet zien. De man met wie ik later, na de middelbare school, samenwoonde is net een schaduw. Soms denk ik dat ik hem niet meer zou herkennen als we elkaar op straat zouden tegenkomen. Ik ging met hem omdat hij zo aardig was. En al vrij snel begon ik mij eraan te ergeren dat hij aardig was. Zo veel zelfverachting had ik verzameld.

Kleintje, bij mannen zoals Johannes verlies je jezelf. Daarom, je moet nooit ...

Kijk eens aan, daar ben ik weer met raad. Kleintje – binnenkort moet ik misschien afleren je zo te noemen. Je heet immers Kerstin. Eerst was ik sceptisch. Anders wilde het. Maar nu heet je Kerstin en ik vind het mooi.

Dat ik je maar Kleintje blijf noemen heeft ermee te maken dat ik me er voortdurend over verbaas dat je zo'n klein mensje bent. Dat klinkt natuurlijk vreemd. Toch zou het nog vreemder zijn als je bij een eenjarige niet aan klein dacht, maar aan iets anders. Maar toch. Wanneer ik je zie. Wanneer ik je zíé. Die kleine schouders. De kleine ronding van je buik, hoe past alles wat erin moet zitten, darmen, lever en nieren, in die kleine, ronde, zachte buik? Die kleine beentjes. Zulke perfecte miniaturen ...

'Kinderen' klinkt zo algemeen, zoals wezens van een andere soort. Ik zie je als een heel uniek en eigen kléín mens.

Ontzettend klein.

Dan begin ik te snikken op de bank en ik krijg een woedende blik van Kaj. Gesterkt door de drank zitten ze met gespannen zenuwen op de bank te wachten en willen niet gestoord worden door mijn emotionele uitbarstingen.

Goede God, de liefde die ik voor je voel, Kleintje, is groter dan de wereld.

'Wel godverdomme ...'

Ik snik nog een keer. Kaj kijkt me streng aan en ik voel haat wanneer ik zijn grote, verwaande gezicht zie.

Zo ver weg van jou, Kleintje. Zo ver weg van jullie, Anders.

Wanneer ik jou voor me zie, Anders, met jouw ruwe huid, jouw wang waar ik altijd mijn hand op wil leggen omdat hij er zo gaaf en droog uitziet, dan word ik ook met liefde vervuld. Dat ik zo mocht voelen. Dat ik het toch mocht beleven. De tijd voor ik jou ontmoette was afgesloten. Dicht. Niemand kon mij bereiken. Met Johannes had ik die deur dichtgedaan. Ik zat vast, in mijzelf, in mijn eigen isolement. Een slachtoffer dat ooit enorm gekwetst was en de armen maar stevig om zichzelf heen geslagen hield. En ik dacht dat het altijd zo zou blijven.

Maar dat gebeurde niet. Jij brak erdoorheen. En nu zit ik hier. En slaag er niet in om deze plek te verlaten.

Ik sluit mijn ogen, maar open ze snel weer, aangezien ik duizelig en misselijk word. Dan hoor ik ze. De stemmen. Hondengeblaf. De schelle stem van de man klinkt erdoorheen. Ik hoor niet wat hij zegt, maar hoor aan de stem hoe zelfingenomen en overdreven hij praat. De andere stemmen zijn donkerder, lager, bondiger.

Nu hoor ik ze in het huis. Ze lopen door het huis en het klinkt alsof ze met velen zijn. De man praat nog steeds luid. Een klikgeluid doet mij mijn hoofd omdraaien. Het is Osmo met het pistool. Ik zie het voor het eerst van dichtbij. Of noem je dit een revolver? Met het draaimechanisme in het midden? Het kan me eigenlijk niet schelen. Schietwapens maken me waanzinnig bang, hoe ze ook genoemd worden. Kaj houdt zijn hand aan de binnenkant van zijn jas. Ronnie ziet er gespannen uit. Hij heeft de kraag van zijn jas opgestoken en ik zie alleen zijn neus en zijn onrustige ogen. De man praat en praat. Een andere stem onderbreekt hem regelmatig.

Na een tijdje, dat aanvoelt als minstens een half uur, horen we hoe de stemmen zich uit het huis verwijderen en horen we ze in plaats daarvan van buiten komen. Iemand start een auto, nog een auto. De schelle, onderdanige stem van de man wordt luider om de auto's te overstemmen. En ze rijden weg. Ze rijden echt weg. Mijn eerste reactie is, als je dit ook kunt begrijpen, Anders, opluchting. Poeh. Geen heibel, geen schotenwisseling, geen pistool tegen mijn hoofd.

Het is de reflex van een kuddedier. Mijn kudde werd bedreigd en heeft uitstel gekregen. En ik denk – wat een vreselijk deprimerende gedachte is dat – dat het in de eerste plaats angst is en de behoefte aan bescherming die ervoor zorgen dat mensen bij elkaar blijven. Dat je gemakkelijk kunt afzakken tot dat niveau. Puur en alleen een reddingsboei – samen. En het geeft niet met wie, als die persoon maar op het beslissende moment in de juiste richting wijst. Ronnie, Kaj en Osmo zijn mijn kudde nu, hoezeer ik ze zo ook haat.

Mijn andere reactie, die vlak na de eerste komt, is een duizelingwekkend gevoel van verraad en verlatenheid.

God, mijn God, waarom hebt u me in de steek gelaten?

In de steek gelaten door de politie, door de hele wereld. In de steek gelaten ook door jou en Kleintje. Achtergebleven met drie naar zweet stinkende mannen, met hun grof taalgebruik, hun opgeblazen krachtpatserij, hun chagrijnig gekibbel. En die bizarre man die nu zo behulpzaam is.

Na een tijdje wordt er op het kelderluik geklopt. Het kloppen klinkt als de eerste maten van een opgewekte melodie. Daarna horen we het gesteun van de man wanneer hij het zware luik weer optilt. Hij komt de trap af. De glimlach waarmee hij naar binnen gluurt is breed en zelfingenomen. Hij heeft een groot bord met boterhammen bij zich. Bruine boterhammen met een dikke laag boter en ham erop.

'Ze leken helemaal niet te vermoeden dat ik jullie in de kelder heb verborgen', zegt de man enthousiast. 'Ze hebben door het hele huis gekeken, maar ik heb gezegd dat maar een van jullie, ik heb jou beschreven,' zegt hij terwijl hij naar Osmo knikt, 'met een revolver wees en zei dat ik de autosleutels moest geven. En dat ik alleen maar heb gezegd "jaja, natuurlijk", op zo'n moment zeg je niet iets brutaals terug. "Waarom hebt u de politie niet gebeld?" En ik heb gezegd dat ik dat wilde gaan doen, maar dat het net gebeurd was. Ze lieten me foto's van jullie zien en ik heb gezegd: "Ja inderdaad, dat waren ze." Zij: "O, en u herkende ze niet, toen ze bij u kwamen?" En ik gewoon: "Ja, ik heb het op de tv gezien. Het was allemaal erg onaangenaam." en zij: "Ja, ze worden gezocht en zijn gevaarlijk en zijn ontsnapt uit een gevangenis." En ik zag er zo bang uit …'

De man trekt even een bang gezicht. Daarna lacht hij hikkend.

'En de honden waren helemaal dol en blaften, het waren er twee, maar de agenten sloten ze weer op in de auto. Ze leken zich niets anders voor te kunnen stellen dan dat ze roken dat jullie hier waren geweest. Niet dat jullie hier nog waren. En het luik naar de kelder hebben ze niet gezien. Maar ze stelden vooral vragen over haar …'

De man wijst naar mij.

'Ik heb gezegd dat zij erbij was. Was dat goed?'

De man probeert angstig het gezicht van Osmo te lezen. Die zegt dat dat wel goed was. Nu gaat de politie hier weg en zoekt verder.

Anders, lieverd, wat moet je ongerust zijn. O, liefste.

De man gaat verder met zijn verhaal. Hij vertelt terloops wat de politie over mij vroeg. Alsof hij vermoedt dat Osmo en Ronnie gekwetst zullen zijn omdat ik de hoofdrol in het verhoor had. Want dat vermoed ik als ik het verhaal van de man hoor. Ze zijn vooral in mij geïnteresseerd. Ik zie het aan de blossen op de wangen van de man als hij naar me kijkt. Hij werpt me snelle, zijwaartse blikken toe, alsof hij niet echt heeft begrepen welke rol ik in het drama speel.

Maar dat wil hij noch aan mij noch aan de anderen toegeven. Misschien niet eens aan zichzelf. Het is alsof dat het leuke zou verstoren. Steeds maar weer beschrijft de man hoe de politie door het huis liep en overal keek. Maar dat ze het luik naar de kelder niet hebben ontdekt.

'Ze konden zich vast niet voorstellen dat jullie zo'n geluk hadden dat jullie zo iemand als ik waren tegengekomen. Dat jullie werkelijk zo veel geluk hadden!'

Osmo knikt instemmend dat ze dat inderdaad hebben, en het lijkt alsof hij het amper zelf durft te geloven.

De man doet na hoe grimmig de agenten eruitzagen, hij is erg tevreden en wil dat we elk detail opzuigen.

Elke keer als de man naar ons kijkt, ontwijkt hij mij. Hij fladdert langs me heen, hij is niet geïnteresseerd in mij. Niet echt. Hij wil bij de grote jongens horen. Ik begin te denken dat hij misschien niet dom is, maar gewoon gestoord. In zijn pogingen om het behulpzame broertje te zijn, zit iets manisch. Steeds maar weer zoekt hij bevestiging, voornamelijk bij Ronnie en Osmo. Vermoedelijk beschouwt hij hen als de leidersfiguren. Kaj heeft na Kalles dood iets afwijzends en in zichzelf gekeerds over zich. Al vanaf het begin negeert Kaj de drammerige pogingen van de man om contact te maken, hij reageert noch met een praatje noch met een glimlach. Ronnie en Osmo reageren met overdreven betrokkenheid op de man, terwijl ze achter zijn rug spottende blikken uitwisselen.

'Ik hou ook niet van smerissen', zegt de man en het woord 'smerissen' past niet bij hem. Hij probeert gemeen te zijn, probeert een manier te vinden om net als de stoere jongens te praten.

'De smerissen moeten zich er altijd mee bemoeien. Of niet? Alsof het verboden is om je eigen drank te stoken. Toch? Is dat wat ze bedoelen met in een vrij land leven, vraag ik me altijd af. Wanneer je niet mag drinken wat je wilt. Wanneer je alleen maar die drank mag drinken waar de staat aan verdient. Moet dat een democratie voorstellen? Dat je alleen maar mag drinken waar anderen voor betaald krijgen. Niet omdat ze de flessen hebben gemaakt of het etiket erop hebben geplakt of de drank naar de winkel hebben gereden. Of de "staatsslijterij" zoals het heet. Nee, ze krijgen alleen maar betaald omdat ze de baas van de anderen mogen zijn.'

Bij het woord 'staatsslijterij' maakt de man een minachtende grimas. Na een pauze, waarin hij wacht op reacties van Osmo en Ronnie, hopend op bewondering, gaat hij verder: 'De staat en de smerissen moeten er alleen maar zijn omdat ze er moeten zijn. Maar ik zeg je dit: als de mensen het voor het zeggen hadden, zouden ze liever geen staat én geen smerissen hebben. Dan zouden ze hun eigen drank met sint-janskruid en zo stoken, zoals Ulf Lundell dat zingt. Ja, jullie weten wel, die man die zo gehecht is aan de vrede en de vrijheid. Laat de mensen toch, zeg ik.'

De man knikt even kort met zijn hoofd, alsof hij bedankt voor de getoonde belangstelling, maar nu is de voordracht afgelopen. Osmo en Ronnie zeggen geen woord. De toespraak die als een waterval uit de mond van de man is gestroomd, is een beetje veel na alles wat we hebben meegemaakt, geloof ik. Kaj zegt niets, maar lijkt ver weg. Hij pakt de fles whiskey uit zijn binnenzak, en ik zie dat de man de gestolen fles opmerkt. Hij schrikt op, maar zegt niets. Kaj neemt een paar slokken zonder zich van iemand iets aan te trekken.

'We kunnen misschien wel een klein feestje bouwen, nu je het zo goed hebt gedaan', zegt Ronnie, die onmiddellijk begrijpt dat de man zich realiseert waar Kajs fles vandaan komt. 'Haal eens wat glazen op. Onze vriend hier heeft wat problemen met zijn zenuwen ...'

'Hou je bek', onderbreekt Kaj hem.

'... maar we hebben nogal wat moeten jakkeren, het was ook wel erg zenuwslopend, zoals je vast wel begrijpt. We moeten nu dus wat ontspannen en waarom doe je niet met ons mee? Hoe heet je ook alweer?'

'Sigge.'

'O ja, Sigge was het. Kom op, we gaan een klein feestje bouwen voordat we de meiden bellen. Wat kun je ons aanbieden?'

Opnieuw maakt Sigge dat onhandige gebaar door op zijn ai ai captain-manier de hakken tegen elkaar te slaan. Maar ik zie dat Kajs gestolen fles whiskey hem stoort. Hij is een man die waarde hecht aan kleine dingen, dat merk je in zijn hele goed geregelde en goed verzorgde bestaan. Osmo gaat naar hem toe en legt beschermend een hand op zijn schouder.

'Ach, Sigge. Je moet het Kaj maar niet kwalijk nemen, zijn broer is net gemold en ...'

'Hou je bek', zegt Kaj opnieuw hard en kort. Hij staart nog steeds glazig voor zich uit en ziet niemand van ons. Nog een grote slok uit de fles.

Sigge knikt naar Osmo, zegt daarmee natuurlijk, denk er maar niet meer aan. Maar ik zie toch aan hem, en ik geloof dat Ronnie dat ook ziet, dat hij zich een tikkeltje gekleineerd voelt.

Wanneer Sigge de trap is opgelopen sist Ronnie naar Kaj of dat nu wel zo slim was. Ze moeten Sigge te vriend houden, snapt hij dat dan niet?

'Hou je bek.'

'Zeg, als je dat intellectuele niveau de hele avond aanhoudt, dan moeten we allemaal maar een woordenboek aanschaffen. Hè? Ik denk dat dat taalkundige niveau ons anders boven de pet gaat. Of niet?'

'Hou je bek!'

Kaj ontwaakt uit zijn droomtoestand, buigt zich voorover naar Ronnie en brult hem recht in zijn gezicht. Ronnie houdt zijn handen voor zijn oren en brult terug: 'Hou zelf je bek, jij akelige analfabeet.' Kaj is bezig om uit zijn stoel omhoog te komen, maar Osmo is sneller. Hij trekt Ronnie weg voordat Kaj hem te pakken kan krijgen.

'Nu heb ik toch zo genoeg van jullie beiden', sist hij, vrij zacht. 'Als jullie nu niet ophouden je als kleine kinderen te gedragen, dan kunnen jullie naar het hele zaakje fluiten. Dan blijven jullie hier maar samen zitten bekvechten. Aan jullie de keus. Blijf maar leuteren of hou je bek en hou je kop erbij ...'

'Alsof jij het allemaal in je eentje zou kunnen ... alsof Bobby zou ...'

'Ik moet misschien de plannen een beetje wijzigen. Maar jullie spelen het zonder mij absoluut niet klaar. Dus hou je bek!'

Osmo richt zich in de eerste plaats tot Kaj. Kaj zakt weer terug in de stoel en neemt nog een slok. Ronnie dampt van woede, hij is tot het uiterste gespannen. Kaj werkt hem steeds meer op de zenuwen. We horen gerinkel en gekraak op de trap. Sigge wordt weer zichtbaar en vraagt wat er aan de hand is terwijl hij nieuwsgierig de kamer rondkijkt. Hij moet het lawaai hebben gehoord en bespeurt verdeeldheid. Ik zie dat hij bereid is zich aan te sluiten aan de kant van Osmo en Ronnie, tegen de whiskeydief.

'O, een beetje gekibbel', zegt Osmo. 'We hebben … ach, je weet wel. Het is me het dagje wel geweest …'

'Deze heb ik dus in Torrevieja gekocht', zegt Sigge. 'Het is tequila. Als jullie naar de bodem kijken zie je daar een worm liggen. Ik weet niet waarom ze wormen in de flessen stoppen. Misschien omdat je moet kunnen zien hoe sterk het is. Ja, de worm is immers dood. In alle flessen van dit merk ligt een worm op de bodem en de dop van de fles bestaat uit een hoed. Ze denken vast dat de toeristen dat leuk vinden …'

'Hoe ze nu op dat idee zijn gekomen', zegt Ronnie terwijl hij breeduit grijnst naar Sigge. Ik geloof niet dat Sigge de ironie begrijpt. In plaats daarvan probeert hij net zo wereldwijs te kijken als Ronnie, wil zijn slimme analyses ook kunnen maken.

'Kom hier met die fles, dan zullen we die worm eens uit die drankprut vissen', zegt Osmo. Hij lacht, maar ik zie aan hem dat hij ernstig bezorgd is over de barst tussen Ronnie en Kaj die steeds moeilijker te hanteren is. Terwijl Sigge de sombrero eraf draait, kijkt Osmo onrustig naar Kaj en Ronnie. Sigge houdt de plastic hoed in zijn hand. Veegt er een beetje stof af. Het heeft even geduurd voordat de fles opening.

'Ja, nu bevrijden we die idiote worm', zegt Sigge en hij schenkt in. Hij lacht ook. Maar zelfs hij zegt ook iets anders. Zijn geforceerde, stoere reactie klinkt vermoeid en ik vermoed dat het voor hem niet zo vanzelfsprekend is om te drinken. Hij wil graag, maar hij is bang.

Ik ben begonnen aan mijn tweede boterham met ham. Ik heb er drie gepakt en op mijn schoot gelegd om me ervan te verzekeren dat die anderen ze niet voor mijn neus wegkapen. Osmo en Ronnie zijn ook aan het smullen, maar Kaj heeft het eten niet aangeraakt. Ik eet gehurkt, prop de boterhammen naar binnen en gruw van de grote klodders boter terwijl ik ze ook lekker vind. Alleen geen drank. Als ze maar niet op het idee komen dat ik de drank moet proeven. Maar tot nu toe hebben ze het te druk met elkaar. Alsof ik er niet ben.

'Ja, op jullie dan.'

Sigge heft zijn glas en Ronnie en Osmo antwoorden door hun glas naar hem te heffen. Kaj is weer weg. Hij kijkt naar de muur, langs ons heen, zijn blik is strak op de plint gericht. De drie mannen legen hun glazen in één keer en er vliegt een lichtrode blos over Sigges gezicht. Hij is het niet gewend om sterkedrank te drinken, zoals blijkt uit die blos. Maar opnieuw wordt het ontroerend duidelijk dat hij bij de grote jongens wil horen.

'Hè. Die zit waar hij hoort te zitten', zegt hij en Osmo en Ronnie barsten in luid gelach uit door zijn manier van praten. Alsof Sigge in een zotte oude speelfilm zit.

'Wat doet een oude gek als jij verder zoal?' vraagt Ronnie. Zijn blik heeft iets onaangenaams gekregen. Net als eerder in de schuur, toen ik werd gedwongen om te drinken. Het stoere gezicht van Sigge wordt onzeker. Maar Osmo voegt er snel aan toe dat Ronnie bedoelt: net zulke oude gekken als zijzelf. Van die gekken die bereid zijn om volstrekt crazy dingen te doen. Dan kalmeert Sigge en hij slaat met zijn handen op een van zijn knieën.

'Ja, ik ben misschien wel een beetje gek, dat klopt ook wel. Maar hoor eens, waarom moet je doen zoals alle anderen? Toch? Ik heb een tijdje niet gewerkt en dat hoef ik ook niet. Bij het arbeidsbureau zeuren ze me de kop gek, je wil niet weten hoe. Ze willen dat ik een cursus ga volgen, enzovoort. Maar ik red mij toch en ik weet niet …'

Sigge kijkt om zich heen. Daarna waagt hij het erop.

'Mijn ouders hebben mij wat nagelaten. Over dat soort dingen kun je beter niet hardop praten. Jullie weten hoe sociaal-democratisch Zweden zich er dan mee gaat bemoeien. Belasting hier en belasting daar. En heel veel vragen. Mijn ouders hadden een bedrijf. Een eigen zaak. En ik weet hoe ze hebben moeten knokken dat ze niet bestolen werden door de mensen die het hier in het land voor het zeggen hebben. Dat ze een gedeelte niet voor de belasting opgaven. Ja, in deze familie zijn we altijd onze eigen bank geweest, om het zo maar te zeggen.'

'Maar waar zijn ze nu dan?'

'Ze zijn overleden, daar in Torrevieja. Daar woonden ze. Ik mocht soms bij hen op bezoek komen. Ze zijn daar al vrij vroeg naartoe verhuisd. Ik was nog maar vijftien jaar oud. Maar ik heb me toch goed gered.'

Ronnie en Osmo wisselen snelle blikken uit. De geur van geld.

'Tuurlijk redde jij je goed', zegt Ronnie. 'Jij bent een man die met beide benen op de grond staat. Zoiets zien wij.'

Ronnie geeft Sigge een schouderklop. Sigge knippert een paar keer met zijn ogen en het is pijnlijk om te zien hoe gelukkig hij wordt.

'Het is niet altijd gemakkelijk geweest', zegt Sigge met een hese stem. 'Het is zwaar geweest, dat klopt. Ik was immers de enige in de klas van wie de ouders niet thuis waren. Er kwamen veel mensen langs en dat wilde ik niet. Ze wilden het alleen maar verstoren. Ik deed de deur op slot en deed alsof ik niet thuis was. Dit moest geen huisje zijn waar je je lekker kon opwarmen, dat had papa gezegd. Maar soms mochten ze komen. Het was hier 's nachts zo ontzettend donker ...'

Ronnie vult de glazen bij en ik zie dat hij het meeste in Sigges glas giet. Hij wil hem dronken hebben, wat al bijna het geval is. Sigge pakt het glas aan met een nederig bedankt, alsof hij is vergeten dat het zijn eigen drank is.

'Ja, maar je ziet het aan jou, zoals ik al zei', vervolgt Ronnie. 'Niet zoals andere huilebalken. Er zit pit in jou, of niet Sigge? Pit, wat zeg jij?'

Sigge bloost diep. Hij wordt donkerrood in zijn gezicht. Veegt zijn handen af aan zijn broekspijpen. Kaj is weer terug bij het gezelschap. Hij haalt zijn neus op en lacht naar Sigge.

'Ja, verdomd veel pit', zegt Kaj met een lijzige stem. 'Je zou er bijna bang van worden.'

Osmo geeft Kaj een dodelijke blik, maar Ronnie trekt zich er niets van aan. Hij gaat verder met het bewerken van Sigge, met het zijn van de aardige en invoelende vriend. Ziet Sigge die kleine, gemene, spottende glimlach niet?

'Sommigen zouden het in hun broek doen', vervolgt Ronnie. 'Maar jij niet, hè? Jij was stoer. Hield je kranig. Beet je tanden op elkaar.'

Sigge neemt een grote slok van de tequila. Nog een teken dat hij drank niet gewend is. Wanneer de eerste schrik voorbij is, slaat hij de drank achterover.

'Nee', zegt Sigge en hij veegt zijn handen af. 'Nee, ik ben altijd een beetje bijzonder geweest. Jullie zijn de enigen die het zo duidelijk zien, maar jullie hebben dat goed gezien. Dat moet ik zeggen. Jullie zien als het ware wat er in iemand zit.'

'Pit!'

Ronnie slaat Sigge op zijn been terwijl hij het zegt, terwijl Sigge zich steeds ongemakkelijker gaat voelen. Hij likt zijn lippen een beetje verward en kijkt wat voor zich uit. Durft niemand aan te kijken.

'Ja. O ja. Dat heb je of je hebt het niet', mompelt Sigge terwijl hij met vuurrode oren verlegen naar zijn schoot kijkt.

Osmo en Ronnie barsten uit in een schaterlach. Zelfs Kaj glimlacht, maar een beetje scheef. Sigge kijkt naar de drie lachende mannen, met een nerveuze blik. Na een korte aarzeling begint Sigge ook te lachen.

'Jij bent me er een', proest Ronnie. 'Verdomme, je bent de meest zieke duivel die ik in jaren ben tegengekomen! Helemaal gestoord!'

Sigge doet iets met zijn mond als hij onzeker wordt. Die gaat naar beneden, trekt op een bepaalde manier. Hij lacht nog steeds mee, maar dat met ziek bevalt hem niet. Ik kijk naar hem, probeer hem te bereiken. Hem te laten voelen dat ik hem zie en dat ik met hem meevoel. Maar hij wil niet dat ik hem zie of met hem te doen heb. Hij ontwijkt mij.

'Maar mooi, of niet Ronnie? Een beste vent.'

Osmo heeft zijn tweede glas drank niet aangeraakt. Hij probeert de controle te houden. Hij kijkt vermanend naar Ronnie. Probeert ervoor te zorgen dat Ronnie de grenzen niet verder oprekt.

'Een mooie, idiote gek, dat ben je', stelt Osmo vast terwijl hij Sigge stevig bij zijn schouder pakt. 'Of niet, jongens? Proost voor Sigge! De mooiste gek in dit hele klote-Zweden!'

Sigge ontspant weer. Hij slaat het hele glas achterover en kijkt om zich heen op zoek naar nog meer waardering. Nu zal hij die mooie gek zijn over wie ze praten.

'Je hebt als het ware het gevoel dat je dat hele Zweden wel zou kunnen verneuken! Gewoon alles verbrijzelen! Zo voelt het, daarbinnen!'

Sigge verheft zijn stem. Hij stroopt zijn mouwen op en laat zijn onderarmen zien. Dikke tranen biggelen over zijn wangen, toch ziet het er niet uit alsof hij huilt.

'Nee, zoals gezegd', gaat Sigge verder. 'Jullie hebben dat goed gedaan, mannen, dat jullie door mij heen hebben gekeken. Dat jullie zien wie iemand is. Stel je voor, het voelt bijna eng … ik begin er gewoon van te janken. Anderen zien alleen … ja, wat je aan de buitenkant kunt zien. Maar hierbinnen …'

Sigge slaat zich op zijn borst. Hij slaat een beetje te hard, er zit iets onevenwichtigs in het gebaar. Daardoor, en door de tranen maakt Osmo een gebaar naar Ronnie, wat betekent dat ze moeten intomen. Het tempo moeten verlagen.

'Hierbinnen zit een tijgerhart, begrijpen jullie! Diep van binnen ben ik voor niets bang! Je kunt me slaan en op me spugen, maar diep van binnen kan het me geen moer schelen, begrijpen jullie! Ze denken dat ze me hebben geraakt alleen maar omdat ik jank en zo! Maar hierbinnen …'

Opnieuw slaat Sigge zich hard op zijn borst. Osmo pakt zijn hand.

'Luister eens, je moet je ribben wel heel houden. Rustig maar. Een sterke vent als jij …'

'Ja zeg, hieraan ontbreekt het niet …'

Sigge trekt zijn trui nog wat verder omhoog. Hij spant zijn ene armspier. Zijn gezicht blijft rood, zijn wangen nat. Ronnie knijpt een beetje in Sigges arm en zegt: 'Wel verdomme!' Zowel Sigge als Ronnie is op dreef. Ik weet hoe Ronnie wordt als hij een manische bui krijgt, zijn gevoelens blijven doorgaan, hij kan niet meer stoppen. Sigge lijkt al behoorlijk dronken te zijn. Hoeveel glazen tequila heeft hij al naar binnen gegoten? Drie?

Het is alsof er een grote golf over hem heen rolt. Er breekt een dam door, en verdriet, woede en het verlangen naar genoegdoening stromen naar buiten. Osmo doet een paar stappen terug, hij realiseert zich dat de stroom oncontroleerbaar kan worden. Kaj kijkt geamuseerd, alsof hij getuige is van een instorting en de aanblik wel amusant vindt. En dat hij graag een handje meehelpt. Ronnie wordt door Sigge geprikkeld. Hij wil de schroef in Sigge nog wel wat verder aandraaien, zien hoever hij kan gaan.

'Je hebt er door de jaren heen vast wel een paar in elkaar geslagen', zegt Ronnie. 'Ja toch? Of niet, jij zieke idioot? Hè? Met die pit van je. Je hebt vast wel een paar keer met je armen om je heen gemaaid.'

Als antwoord gaat Sigge staan en maakt een paar boksbewegingen in de lucht. Het ziet er vreemd uit. Zijn ronde lichaam beeft van de ongewone bewegingen. Hij kreunt luid.

'Misschien moet je maar een ronde tegen Kaj boksen', zegt Ronnie. 'Wat zeg je, Kajsa. Dit is toch wel een man van jouw klasse? Hè?'

Kaj gaat rechtop zitten in zijn stoel. Zijn enorme bovenlichaam zorgt ervoor dat Sigge midden in zijn boksbewegingen stopt. Maar Kaj is boos op Ronnie.

'Wat zei je daar godverdomme, jij magere hansworst!'

Kaj kijkt Ronnie strak aan, maar Ronnie lijkt uit te zijn op een zelfmoordpoging. Wat wil hij eigenlijk? Ik zie dat Osmo ook bang wordt. De zelfdestructie bij zowel Ronnie als Kaj kent op dat moment geen enkele remming. Sigge raakt in verwarring, hij zet zijn handen in zijn zij, doet een stap naar achteren. Op het moment dat Kaj rechtop in de stoel gaat zitten, leunt Ronnie achterover. Hij legt zijn ene been over het andere en zijn handen legt hij ineengestrengeld achter zijn hoofd. Glimlacht breeduit naar Kaj.

'Tja, ik had wel gedacht dat we hier een spannend gevecht te zien zouden krijgen. Jullie zien eruit alsof jullie aan elkaar gewaagd zijn. Ik zou eigenlijk niet weten wie er zou winnen.'

Osmo gaat staan en slaat Ronnie recht in zijn gezicht. De klap is hard, het geluid onaangenaam. Ronnies lip barst. Eerst kijkt hij verbaasd. Het bloed drupt op zijn kin. Daarna glimlacht hij met een bebloede mond.

'Nu hou je godverdomme op', schreeuwt Osmo tegen hem, recht in zijn gezicht. 'Nu hou je je rustig, gesnopen! Wat is er godverdomme met je? Ben je ziek of zo? Hè?'

Ik kijk van opzij naar Ronnie, ik zit immers naast hem op de bank. Ik haal mijn hand over mijn eigen gezicht op zoek naar bloedspetters. Kijk naar mijn hand en zie niets. Anders, als iemand – ik weet dat ik hierover aan het zeuren ben – maar als iemand deze onwerkelijkheid zou kunnen begrijpen, dan ben ik het. Ik kan de mishandeling van Ronnie, het bloed, het zweet, de adrenaline, ruiken. En het geluid. Het geluid van de klap, zo veel stiller dan het in de film altijd klinkt. Er klinkt meer, wat zal ik zeggen, de dood in door.

Sigge houdt zijn handen voor zijn oren. Hij doet nog een paar stappen naar achteren en stoot tegen de tafel met de winterappels. Een paar appels vallen met een bons op de vloer. Osmo trekt Ronnie omhoog van de bank. Wanneer Osmo opstaat en

Ronnie in zijn armen houdt, zie je dat hij bijna een kop groter is dan Ronnie, en bovendien sterker.

'Of je houdt je bek, of ik sla je ook in elkaar zodat we een poosje van je verlost zijn. Nu is het ernst. Het is geen crèche meer. Godverdomme!'

Osmo gooit Ronnie weer op de bank. De bank schudt ervan. Ik klauter van de bank af, loop naar een van de hoeken en ga op de grond zitten. Mijn benen trillen en ik voel me niet goed. Ik hou het niet meer uit bij hen. De angst, zowel om mij als om Sigge, is ondraaglijk. Het enige wat ik kan bedenken is proberen me te verstoppen. Aan de kant gaan. Maar plotseling ben ik zichtbaar. Ze lijken er lange tijd niet aan gedacht te hebben dat ik er nog ben.

'Kom terug en ga zitten!' schreeuwt Osmo. 'Jij moet hier zijn.'

'Maar ik kan niet met …'

Mijn stem klinkt erg snotterig. Hoelang heb ik gehuild? Het is alsof ik ben opgehouden te bestaan in de wereld daarbuiten. Alsof ik bij jou ben, Anders, en alleen maar registreer wat er gebeurt, zonder daar, écht daar te zijn.

'Kan me niet schelen. Jij gaat ook niet nog eens moeilijk doen. Godverdomme, wat is iedereen lastig!'

Osmo pakt een appel en smijt hem hard tegen de muur. Sigge loopt voorzichtig langs de muur in de richting van de trap. Osmo doet een paar snelle stappen naar hem toe en trekt hem aan zijn arm.

'En jij blijft ook hier. Wel godverdomme, waarom zit iedereen zo te klieren?'

Osmo trekt Sigge mee naar de bank. Hij duwt hem naar beneden en Sigge gaat gehoorzaam naast Ronnie zitten. Daarna loopt Osmo naar mij toe en trekt ook mij mee naar de bank. Kaj zit nog in de stoel met een bijna lege whiskeyfles op zijn schoot. Nadat Osmo ons op de bank heeft geplant, staat hij naar ons te kijken. Nu hoor ik mezelf snikken. Ronnie ademt luid, hij houdt zijn hand op de plek waar hij is geslagen. De vingers van die hand zitten onder het bloed. Sigges voorhoofd glanst en hij ziet bleek.

'Ik voel me niet … ik ben een beetje misselijk', zegt hij en zijn stem is dun. 'Wilde alleen maar naar boven gaan voor een beetje frisse lucht.'

Sigge kijkt beurtelings smekend naar Osmo en naar Ronnie, naar zijn, tot een moment geleden, beste vrienden. Hij wil dat ze dat nog steeds zijn.

'Jullie kennen dat wel, een beetje te veel drank', gaat hij verder en hij doet een onhandige poging om te lachen.

Ronnie zegt niets. Hij glimlacht alleen maar, glimlacht breed met zijn bloederige mond en zijn duivelse gelaatsuitdrukking. Hij zit in het midden, met mij huilend aan de ene kant en een doodsbange Sigge aan de andere kant. Kaj, in de stoel, ziet er erg sloom uit. Ik denk dat hij ladderzat is.

Osmo gaat op zijn hurken voor Sigge zitten. Hij kijkt hem recht in de ogen. Ik zie Osmo alsof ik van een afstandje kijk, met nieuwe ogen. Zoals ik hem misschien zou zien als ik Sigge was en we elkaar net hadden ontmoet. Die ruwe baardstoppels, van dezelfde lengte als die op zijn hoofd, zijn ogen, die zo onaangenaam dwingend naar iemand kijken. Dat hij die macht heeft, om een punt te zetten, om een einde te maken aan wat ook, om af te remmen en af te breken wat hij wil. Je doet nooit moeilijk met Osmo. Je doet gewoon wat hij zegt.

'Het zit zo, Sigge, we moeten hieruit zien te komen', zegt Osmo. 'Snap je? We moeten langs de smerissen zien te komen, ervandoor, naar een warmer oord. En jij moet ons helpen. Dat begrijp je toch, hè? Je hebt ons al zo mooi geholpen, en bent immers, zoals gezegd, een stoere vent …'

Kaj en Ronnie barsten in lachen uit. Ze vinden elkaar in de lach, een toevallige wapenstilstand in de gedeelde hoon over Sigge.

Deze keer is de boodschap duidelijk voor Sigge. Ik merk dat aan de manier waarop hij in elkaar zakt. Nu weet hij dat ze met hem hebben gespeeld. Osmo buigt zich over hem heen en zoekt zijn neergeslagen blik.

'Luister. Je moet die idioten je niet laten vernederen. Ik meen het, echt. Vergeet niet dat jij de smerissen met een smoes hebt weg gekregen. Ja, toch? Denk je dat een van deze idioten dat voor elkaar had gekregen? Nee, ze weten alleen maar hoe ze er een zwijnenboel van kunnen maken. Daar zijn ze verdomde goed in, zoals je misschien wel hebt gemerkt. Maar jij, jij hebt hier iets ...'

Osmo wijst met zijn vinger naar zijn slaap. Sigge knikt met halfopen mond en een ernstig gezicht naar Osmo. Bereid om een nieuw soort bevestiging op te zuigen.

'En dat is wat telt. Vechten kan elke idioot. Maar iemand zoals jij? Nee toch? Je maakt meer gebruik van wat je van binnen hebt. Heb je niet heel vaak gevoeld dat de rest van wereld alleen maar uit brullende idioten bestaat, maar dat jij de enige bent die een beetje nadenkt?'

Voordat Sigge antwoord geeft, gluurt hij eerst nerveus naar Ronnie en Kaj. Hij weet niet precies wat voor gevolg het heeft als hij de kant van Osmo kiest tegen die twee.

'Ja', antwoordt hij aarzelend. 'Ja, dat is precies wat ik erg vaak heb gedacht. Alsof de wereld gek is. Dat ik de enige ben ... ja, en misschien jij en nog een paar ... de enigen zijn die denken. Die ... wat zal ik zeggen ... dingen doorzien.'

Osmo aait Sigge over zijn knie, alsof hij met nadruk wil zeggen dat Sigge het tot op de komma goed heeft gezegd.

'Precies, zo zit het. Jij bent de enige die denkt en de rest is een stelletje idioten', zegt Osmo terwijl hij gaat staan en hatelijk naar Ronnie en Kaj kijkt. 'Een stelletje echte halve garen', voegt hij eraan toe. Ronnie blijft grijnzen. Kaj staat op het punt in zijn roes weg te glijden, hij probeert hier te blijven, maar je ziet dat zijn ogen wegzakken. Het is te betwijfelen of het aankomt wat Osmo zegt. Kajs oogleden gaan op en neer. Hij probeert te focussen op Osmo, maar hij staat op het punt om in zijn eigen nevelige gedachten te verdwijnen of in slaap te vallen.

'Mooi, een kameraad die denkt', zegt Osmo en hij kruist zijn armen voor zijn borst. 'Want dat zijn jij en ik, of niet, Sigge? Wij hebben onze zaakjes onder controle.'

Sigge knikt. Zijn lichaam is nu ontspannen en hij zakt dieper weg in de bank. Het is voor hem gemakkelijker om proberen te voldoen aan de rol van een slimme, dan aan de rol van een gewelddadige, zieke en gekke idioot. Hij denkt dat hij de weg naar huis heeft gevonden. Osmo kijkt Ronnie recht in de ogen. Ronnies manische toestand neemt af. De duivelse glimlach dooft en hij erkent in Osmo zijn meerdere.

'Ik moet even mijn mond spoelen', zegt Ronnie. 'Waar doe je dat?'

'Ik kan het je laten …'

Sigge staat gedienstig half op, maar Osmo houdt hem tegen met een niet mis te verstane hand.

'Blijf zitten. Zeg maar waar hij moet zijn.'

Sigge gaat meteen zitten en beschrijft voor Ronnie de weg naar de badkamer. Ook hier toont hij gedienstigheid; daar liggen schone handdoeken, daar kan hij de zeep vinden.

'En je blijft bij het raam weg', roept Osmo Ronnie achterna terwijl hij de trap oploopt.

Wanneer Ronnie weg is zegt Osmo tegen Sigge dat je die stomkoppen ook alles moet vertellen. Als Ronnie Osmo niet had gehad om op hem te letten, had hij allang verslagen bij de politie gezeten.

Sigge knikt enthousiast als reactie op wat Osmo zegt.

'Je moet nadenken als het om smerissen gaat', zegt Sigge. 'Zoals ik deed toen ze hier waren. Wees gewoon ijskoud, zei ik tegen mezelf. Je moet, wat zal ik zeggen, slimmer zijn dan zij. Een stap vooruit denken.'

'Ik wist wel dat je het klaar zou spelen', zegt Osmo. 'Zodra ik je zag, wist ik het. Die vent heeft iets tussen zijn oren, dacht ik. Hij kan de zaakjes naar zijn hand zetten. En dat gebeurde ook.

Wat een mazzel dat we jou tegenkwamen.'

Ronnie komt de trap weer af lopen. Hij heeft zijn gezicht afgespoeld, maar hij heeft een behoorlijk bloederige onderlip. Hij kijkt hatelijk naar Osmo. Waarschijnlijk is hij erg geschrokken toen hij zichzelf in de spiegel zag.

'Ik heb dit meegenomen. Hoop dat je het goedvindt', zegt hij met ingehouden woede tegen Sigge.

Ronnie houdt een tros bananen omhoog en een grote, ongeopende doos bonbons. De bananen lijken Sigge niet zoveel te kunnen schelen, die gunt hij amper een blik. Maar de doos chocolade stoort hem. Ik vermoed dat hij iemand is die het liefst dat soort dingen bewaart.

'Ja, die daar. Die heb ik een paar weken geleden in de stad gekocht. Eigenlijk was ik van plan om er mee te wachten tot zich een … Ach wat ook, nu is het ook een bijzondere gelegenheid, of niet?'

'Ja, echt', stelt Ronnie vast. 'Het is nu allemaal erg bijzonder, alles.'

Ronnie verwijdert het cellofaan van de doos. Wanneer hij de doos opent, pakt hij er snel vijf, zes bonbons voor zichzelf uit. Daarna geeft hij de doos aan Sigge. Eerst kijkt Sigge naar de bonbons in Ronnies hand, alsof hij probeert uit te zoeken welke hij eruit heeft gepakt. Daarna pakt hij een bonbon voor zichzelf.

Kaj is in de stoel in slaap gevallen. Hij slaapt diep, met zijn hoofd opzijgeleund. Osmo schudt zijn hoofd wanneer Sigge hem de doos aanreikt. Pas na ongeveer een halve minuut realiseert Sigge zich dat ik er ook nog ben. Hij reikt mij de doos aan en ik pak twee bonbons, die ik in mijn mond stop, tegelijk. Ik zuig erop, maar mijn mond is zo droog dat de chocolade als een droge, plakkerige korst in mijn mond vastplakt.

'Wat je daarnet zei over poen', zegt Osmo en hij kijkt Sigge strak aan. Osmo glimlacht niet, maar is bloedserieus en priemt zijn ogen in die van Sigge.

'Het klinkt interessant', vervolgt hij. 'Je begrijpt wel, we hebben wat nodig om verder te komen. En nu dacht ik, als we het nu eens van jou leenden. Jij bent waarschijnlijk zo slim geweest om een groot deel ervan te verstoppen.'

Osmo kijkt Sigge diep in de ogen en ik weet hoe klein je je kunt voelen als hij dat doet. Sigge kijkt naar zijn schoot, hij kijkt op, maar slaat zijn ogen snel weer neer, alsof hij zich brandt als hij naar Osmo kijkt.

'Want dat is toch zo, of niet? Je bent de hele tijd slim geweest. Niemand heeft het geweten. Kameraden zijn hier geweest en hebben spullen gejat, of niet?'

Sigge knikt met zijn blik neergeslagen.

'Ja …'

Osmo zegt even niets, laat Sigge met zijn ogen niet los. maar kijkt gespannen naar hem. Sigge laat zijn hoofd een beetje hangen.

'Maar je wilt je slimheid wel met mij delen, hè?'

Sigge zucht diep. De drank en de psychische stress, ik geloof dat het meer is dan hij aankan. Maar tegelijkertijd, dat met die slimheid. Hij kan dat niet loslaten. Hij wil zo graag. Ik zie het aan hem. Ronnie laat plotseling een luide, ongeduldige zucht ontsnappen.

'Ach, ik geloof er helemaal niets van', zegt Ronnie. Hij wuift afwerend met zijn hand in Sigges richting en buigt zich weer naar de doos met bonbons. Hij pakt verschillende bonbons en glimlacht honend naar Sigge terwijl hij ze in zijn mond stopt.

'Voornamelijk geklets', gaat Ronnie verder. 'Holle vaten klinken het hardst of hoe dat dan ook heet. Je hebt helemaal geen geld. Je bent zo arm dat je alleen al gestrest raakt als iemand jouw chocolade opeet.'

'Maar dat is niet zo', protesteert Sigge. 'Ik hou er alleen niet van dat men spullen van mij pakt, gewoon zomaar, zonder zich er iets van aan te trekken wat ik vind.'

'Nee, dat is ook niet netjes', zegt Osmo en hij knikt heftig zijn hoofd. 'Dat vind ik ook. Ben ik met je eens, Sigge. En ik zou ook looit geld van jou pakken. Dat zou echt niet fair zijn. Maar we hebben het nu over een lening. Zo ben ik.'

'Maar hij heeft immers geen poen! Snap je dat dan nog niet!' Ronnie lacht luid en spottend.

Heeft Sigge door dat Ronnie met zijn opmerkingen probeert te manipuleren? Diep van binnen wel. Maar hij kan het niet loslaten. Hij houdt vast aan dat die zogenaamde slimheid tot zijn knokkels wit worden.

'Ik heb minstens negentigduizend kronen hier in het huis verborgen. Geloof me. Ik ben niet iemand die opschept over niets. Nee, wat ik zeg is waar. Jullie mogen het wel zien als jullie me niet geloven.'

Een korte stilte.

'Laat het dan maar zien', zegt Ronnie.

Sigge kijkt smekend naar Osmo, alsof hij hoopt dat Osmo zal zeggen dat hij het niet hoeft te doen. Hoopt? Hij ziet er eerder gelaten uit. Hij weet wat er gaat gebeuren.

'Nu moeten we Ronnie stil zien te krijgen, die idioot', zegt Osmo. 'Of niet Sigge? Nu snoeren we die mond van Ronnie omdat hij niet ziet wat ik zie. Dat hij niet ziet dat je natuurlijk een slimme vent bent die zijn geld kan vasthouden. Kom op. Laat het hem zien. Doe het nu maar.'

Anders, ik weet wat je wilt zeggen als je dit hoort. Ik voel jouw ogen die zien wat ik zie en ik voel jouw handen die mij opjutten. Doe iets. Dat is wat jouw handen willen.

En ik word razend op jou. Kwaad wanneer ik hoor hoe jij probeert in te breken in mijn verhaal. Dat je je als toeschouwer niet gewoon wat meer kunt stilhouden. En dat je per se vindt dat ik geen toeschouwer meer moet zijn.

Jij vindt dat ik ze moet stoppen? Dat ik Sigge moet beschermen, aan zijn kant moet gaan staan? Denk je dat ik dat niet wil? Denk je dat ik niet lijd wanneer ik zie hoe ontgoocheld Sigge is als hij opstaat om Ronnie en Osmo het geld te laten zien? Ho<

hij al weet dat hij het geld kwijt zal raken. En hij weet dat geen enkele slimheid hem nu kan helpen. Plotseling weet hij dat hij in de ogen van Ronnie en Osmo een arme, gemakkelijk om de tuin te leiden man is. Niets meer en niets minder.

Denk je dat ik me er niet over schaam dat ik niets doe?

Maar zo gemakkelijk is het niet. Ik wil ... het wel uitbrullen ter verdediging. Verdomde Anders, het is zo gemakkelijk om zo te denken, van een afstand. Die beste-stuurlui-staan-aan-wal-mentaliteit van het mensdom. Iedereen weet precies wat voor helden ze zouden zijn, zo van een afstand. Achteraf.

Het doet me pijn dat ik aan Sigge zie dat hij het heeft opgegeven. Hij weet dat hij zijn geld kwijtraakt, maar hij weet geen manier om eronderuit te kunnen. En het is niet het geweld waar hij het bangst voor is. Nee, ik geloof dat hij vooral bang is dat Osmo het hardop zal zeggen. Hoe dom hij is. Hoe zielig het van hem was om iets anders te geloven.

Dus wat moet ik doen? De betovering verbreken? Sigge erop wijzen wat er op het punt staat te gebeuren? Aantonen hoe hol alle woorden waren die gezegd zijn.

Ik doe niets. Ik durf niet. Ik zit met half gesmolten bonbons in mijn mond en verdwijn in mijn eigen schaamte. Dat is wat angst met mij doet. Zo word ik dan. Apathisch.

Het is niet verkeerd om bang te worden. Niemand kan het tegen je gebruiken dat je emoties hebt. Maar wel dat je eraan toegeeft. Dat je, alleen maar omdat je bang bent, een stille getuige wordt van het kwaad. Wie zou je het meest haten als je zou worden blootgesteld aan een brute overtreding? De martelaars? Of zij die ernaar keken, zonder iets te zeggen? Zonder te protesteren? De stomme getuigen?

Wanneer ze alle drie gaan staan, Ronnie, Osmo en Sigge, om het geld te gaan halen, sta ik ook op, en ik zeg half gesmoord: 'Maar ...' Een vaag protest.

Osmo zegt bruusk tegen mij daar te blijven. En ik blijf. En zwijg.

Hoofdstuk acht

Toen ik begon met het bezoeken van gevangenissen, merkte ik dat ik rustig werd van de ontmoetingen met gevaarlijke misdadigers. Door de confrontaties met gevaarlijke mensen werd ik rustig. Door bij hen in de buurt te zijn, in een veilige en bewaakte situatie. Dat gaf me een gevoel van controle.

Net als, realiseer ik me nu, toen ik aan het eind van de relatie met Johannes dacht dat ik bij hem zou blijven, omdat ik in zijn nabijheid het gevoel had dat hij onder controle te houden was.

Nu ik hier zo met Osmo, Ronnie en Kaj buiten de gevangenis ben, zonder bescherming en zonder controle, ben ik zwak door angst. Ik haal diep adem en probeer kracht te verzamelen om überhaupt rechtop te kunnen blijven zitten.

En als je me ooit zegt dat ik laf ben, Anders, wanneer ik vertel wat de angst met mij deed toen ik bij hen was, als ik vertel over de dingen die ik niet deed, niet eens probéérde te doen, omdat ik zo doodsbang was, zal ik je dat nooit vergeven.

Ik zucht nog een keer en probeer kracht te vinden. Een heel, heel klein beetje moed te vinden. Ik hoor de anderen boven mij rondlopen. Ik kijk naar Kaj, hij snurkt, hij ligt diep te slapen in de stoel. Zijn trui is wat omhooggeschoven over zijn buik, die bleek is met veel kleine zwarte haartjes erop. Zijn buik gaat op en neer, is onbeschermd, zou me dat niet een of andere impuls moeten geven?

Wat doen ze in de films? Slaan ze er met een vuist op? Steken ze er iets scherps in? Hoe kun je dat doen? In de buik van een ander mens? De gedachte lijkt absurd.

Boven me hoor ik nog steeds het geluid van dingen die worden verschoven. Ik zak weg in een fantasie over hoe ik, wanneer dit voorbij is, Sigge zal opzoeken. Hem zal troosten, hem zal vertellen dat hij zeker een goed en waardevol mens is. Hij moet nooit meer zijn waarde als mens laten bepalen door mensen als Ronnie, Osmo en Kaj. In mijn fantasie zie ik mezelf Sigge zelfs helpen om zijn geld terug te krijgen. Ik probeer mezelf uit mijn hopeloze, treurige nu op te tillen door een daadkrachtig, helend later bij elkaar te fantaseren.

Met dat gevoel wil ik Sigge immuun maken wanneer hij met een grauw gezicht de kelder weer binnenkomt.

'Ik moest hierbeneden wachten', zegt hij zacht en hij gaat naast me zitten.

'Wat doen ze daarboven?'

Hij haalt zijn schouders op, alsof het hem niets meer kan schelen.

'Je weet dat ik gijzelaar ben', fluister ik en mijn hart bonst. Kaj schrikt op, kijkt even met zijn ogen open naar ons, maar hij slaapt nog en ziet niets. Hij zakt weer in elkaar.

'Ik heb het in de krant gelezen', zegt Sigge met een dunne stem. 'Jij bent dominee en je hebt een dochtertje. Dat stond erin. Jouw man smeekt de gijzelnemers om jou te laten gaan.'

Van binnen stroom ik vol, het doet pijn en knalt uit elkaar. Mijn naasten. Mijn gezin! Ik krijg weer kracht.

'Je weet dat wat Ronnie en Osmo doen niet goed is. Ze pakken je geld, ze houden mij tegen mijn wil vast, ze ontlopen hun straf ...'

'Ze hebben gezegd dat ik het terug zou krijgen ...'

'Denk je dat echt? Als je er goed over nadenkt, dan begrijp je heel goed dat er geen enkele kans is dat je ook maar een öre terugkrijgt ...'

Op de trap klinken voetstappen, Osmo en Ronnie komen naar beneden. Ze zijn in een overwinningsroes. Osmo houdt een dikke stapel bankbiljetten in zijn hand. Ronnie schopt Kaj tegen zijn voet.

'Wakker worden, Kajsa, dan kun je het zien! Dit hadden we

nooit gedacht, dat we zo'n verdomde mazzel zouden hebben! De man is een goudmijntje!'

'Als we nu in een kroeg hadden gezeten, dan zouden we champagne besteld hebben', gaat Ronnie verder zonder zich nog druk te maken over Kaj, die blijft slapen. 'Wat heb je op je lever, Sigge?'

'Zij zegt dat ik mijn geld niet terugkrijg', zegt Sigge en hij wijst naar mij, naast hem op de bank. 'Ze zegt dat jullie me voor de gek houden …'

De manier waarop Osmo naar me kijkt! Zijn dwingende manier …

'O, ja?'

'Maar ik heb het niet precies zo gezegd …'

'Nee, hoe heb je het dan gezegd? Geloof je het niet, dat ik en Ronnie en Kaj elke öre aan onze vriend Sigge terug zullen betalen? Denk je zo over ons? Zeg, dominee? Denk je zo over jouw medemens?'

Ik schud mijn hoofd terwijl hij praat. Ontken alles, ontken vooral deel uit te maken van dit duivelse spel, waarbij Osmo wil dat ik doe alsof ik in zijn eerlijkheid geloof. Als hij me nu dwingt om dat te doen, verlies ik mijn houvast.

'Ik dacht alleen dat …'

Daar sterft mijn stem, verder kom ik niet. Ik kijk naar Osmo's barse gezicht en ik kan niets meer uitbrengen. Osmo fronst zijn wenkbrauwen en ik begrijp niet waarom hij doorgaat met dat toneelstukje dat hij absoluut niet van plan is om het geld te stelen.

Maar zeg dat dan tegen hem, zeg dat hij moet ophouden met liegen. Zeg dat tegen Sigge. Zeg dat hij liegt over dat je dat hebt gezegd. Kom op. Nu. Je houdt er toch niet van dat mensen leugens over je vertellen, Ingrid?

'Of dat Sigge hier zo slecht over Osmo en mij denkt? Hè? Dan zou je toch ingrijpen en protesteren?'

Hier onderbreekt Ronnie hem. Hij doet alsof hij verontwaardigd is, maar hij kan het niet laten om er een grijns doorheen te laten schemeren. Sigge laat zijn hoofd hangen en hij schudt het langzaam heen en weer. Kaj is wakker geworden, maar het is te betwijfelen of hij erbij is. Hij staart met rode ogen naar de muur. Osmo en Ronnie draaien allebei op volle toeren.

'Ik suggereerde dat jullie niet terug zullen betalen', zeg ik zacht. 'Of preciezer gezegd ...' hoor ik mezelf zeggen – want zelf heb ik mijn lichaam verlaten en hou ik me ergens anders schuil, bagger ik langs de wegen op de laarzen van de doofstomme. Alleen mijn lichaam zit nog op de bruine bank in de bedompte kelder waar een geur hangt van angst en zweet.

Osmo haalt diep adem, maar zegt niets. Ronnies glimlach breekt door, hij kijkt me hoofdschuddend aan, zegt: 'Maar Ingrid toch, hoe kun je ons nu allemaal zo voorliegen?'

Osmo kijkt me plotseling ernstig aan. Sigge huilt stilletjes terwijl zijn hoofd op zijn borst hangt. De tranen druppelen op zijn knieën. Ik geloof dat ook hij ergens anders is. Maar waar? In Torrevieja? Zijn zijn ouders daar begraven? Heeft hij naast hen nog iemand anders?

'Een dominee die liegt. Wat moeten we met jou doen?'

Ronnie weer. Waarom? Wat is er met hem? Hij kijkt me in mijn ogen en ik zie dat hij wil dat er iets gebeurt. Er moet iemand geslagen worden, misschien moet er iemand sterven. Hij heeft het nodig, iets staat op het punt in hem te exploderen en zijn pijnlijke en ontploffende borst schreeuwt om leniging. Osmo legt een hand op de smalle schouder van Ronnie. Ik geloof dat hij Ronnies verlangen naar dramatiek voelt en dat hij wil meedoen en de controle wil hebben.

'Nou, nou. Ingrid heeft vast en zeker haar redenen. Wat zeg jij, Sigge? Waarom denk jij dat Ingrid zulke verschrikkelijke en gemene dingen over ons zegt?'

Sigge kijkt op en zegt met een breekbare stem dat hij het niet weet. Hij doet geen moeite om zijn huilen te verbergen, maakt geen aanstalten om zijn wangen, die nat van de tranen zijn, droog te maken.

Ronnie tikt hem even aan met de punt van zijn schoen.

'Maar kom op. Jíj hebt toch niets gedaan, wel? We zijn niet boos op jou. We zijn boos op haar hier, de dominee, die onzin heeft zitten verkondigen. Nee, je hebt er goed aan gedaan om het te vertellen. Want jij gelooft dat toch niet, hè?'

Sigge schudt zijn hoofd. Ronnie zucht ongeduldig en tikt hem weer even aan met zijn schoen, nu een beetje harder.

'Ja toch? Tuurlijk weet je dat ze onzin praat.'

Sigge knikt en vermijdt mij aan te kijken.

'Hé, ben je je tong verloren? Kun je zo ineens niets meer zeggen?'

'Ja', zegt Sigge snel en stilletjes.

'Luider!'

'Ja, dat doet ze!'

Ronnie klopt Sigge op zijn schouder. Hij ontmoet Osmo's blik en ik volg angstvallig het spel. Osmo lijkt tegen Ronnie te willen zeggen: oké, nog even dan. Maar dat hij degene is die uiteindelijk beslist.

'Dus wat vind jij dat we met Ingrid moeten doen, Sigge? Hè? Je kunt toch geen dominees hebben die allemaal leugens vertellen? Ze moet daar toch wel voor gestraft worden. Wat vind jij?'

Sigge loert snel naar mij en kijkt daarna weer naar zijn knieën. Hij schudt zijn hoofd weer, een beetje opgelucht. Kaj is wakker geworden en kijkt naar ons. Maar hij lijkt niet erg nuchter.

'Laat Sigge met rust', zeg ik. 'Ik heb tegen hem gezegd dat hij waarschijnlijk zijn geld niet terugkrijgt omdat ik dat dacht', hoor ik mezelf opnieuw zeggen, met die onwerkelijke stem. De stem die bij mijn achtergebleven lichaam hoort. Want in mijn hoofd heb ik de snelweg bereikt, waar het heerlijk waait en ben ik net opgepikt door een auto met normale mensen, die geen sadistische spelletjes spelen en me tegen mijn wil vasthouden. Mijn stem is stevig, want alleen mijn lichaam is daar, zonder die weggelopen ziel, en het heeft als het ware niets meer te verliezen.

'Ik had medelijden met Sigge en was bang dat hij zijn geld

kwijt zou raken. Laat hem nu. Als jullie nu met dit sadistische spelletje door willen gaan, hou je dan met mij bezig en laat hem met rust.'

Mijn stem breekt bijna als ik de woorden 'sadistische spelletje' uitspreek. Want dat is het. Het gaat uiteindelijk om mij. Ronnie smakt vermanend met zijn lippen.

'We zijn niet van plan geweest om ook maar een haar op zijn hoofd te krenken. Weet je Ingrid, je denkt de hele tijd zo slecht over ons. Sigge, zeg op, kom op. Wat vind jij?'

'Jullie moeten haar maar een beetje slaan', zegt Sigge met een half gesmoorde stem. En zoals hij daar zit, ineengedoken, zie ik hem zoals hij waarschijnlijk vaak heeft gezeten. Verwikkeld geraakt in onaangename situaties met vernederende en kwetsende gasten. Hoe oud kan hij zijn? Nog geen dertig. Toch gaat hij gekleed als een oude man.

Ronnie lacht ruw. Zelfs Kaj barst in lachen uit als Sigge zegt dat ze mij een beetje moeten slaan.

'Hoe …' Ronnie moet naar lucht happen, tussen de lachaanvallen door krijgt hij de woorden er anders niet uit. 'En hoeveel moeten we haar slaan?'

Osmo vermant zich.

'Ach. We houden hiermee op. Yasmine en Olga pikken ons op bij het tankstation. We moeten ervandoor. Onze spullen pakken.'

Ronnie lijkt Osmo niet te horen. Hij houdt zijn blik strak gericht op Sigge.

'Haar een beetje slaan, tja, dat klinkt niet goed, vind ik. Denk je dat het zou helpen, echt?'

'Verkracht haar dan', zegt Sigge zacht. Een paar seconden is het doodstil. Daarna heft Ronnie zijn vuist en geeft Sigge een harde stomp in zijn maag.

'Jij zieke idioot. Jij zieke, zieke idioot. Je bent niet goed wijs.'

'Ik maak alleen maar een grapje', gorgelt Sigge. En op dat moment sta ik op van de bank en schreeuw zo luid 'hou op' dat mijn keel pijn doet. Ik geef Ronnie een duw en schreeuw een paar keer achter elkaar 'hou op'.

'Ik hou het niet meer vol, jullie moeten ophouden, ik word gek!'

Ik proef hoe de chocoladesmaak zich in mijn mond vermengt met oprispingen. Ik wil overgeven, maar kan het niet, ik blijf slikken. Sigge pakt een van de bankkussens en hij houdt die als een schild voor zich.

'Ik bedoelde niet ...'

Osmo hoeft alleen maar naar hem te kijken of Sigge tilt het kussen op. Osmo doet een paar stappen naar hem toe en Sigge gaat op zijn hurken zitten met het kussen voor zijn hoofd.

'Het was maar een grapje', klinkt Sigges stem achter het bruine ribfluweel. Ronnie loopt ook op Sigge af, die nog verder in elkaar duikt.

'Laat hem maar', zegt Osmo tegen Ronnie. 'Ga naar boven en pak bij elkaar wat je daarboven kunt vinden. Vreten en *booze* en zo.'

Daarna schreeuwt Osmo tegen mij dat ik stil moet zijn.

'Crèche. Een stomme kutcrèche', zegt Kaj en het is het eerste dat hij in lange tijd zegt. Niemand maakt zich druk over Kaj, maar Osmo kijkt hem met een bezorgde uitdrukking aan, alsof hij een vrachtpallet is en Osmo zich afvraagt hoe hij die het beste kan transporteren. Osmo pakt mij weer stevig bij mijn armen beet. Ik kan amper op mijn benen staan. Mijn lichaam is de sturing kwijt, met moeite blijf ik staan en steeds maar weer snotter ik dat ik het niet meer volhou.

'Kun je me niet gewoon laten gaan? Ik zal niets zeggen ... Laat mij gewoon gaan ...'

'Hou je nu eens op te zeuren!'

'Ik wil immers gewoon ...'

'Nog een woord en ik ...'

Osmo balt zijn vuist en ik doe een paar stappen achteruit. Stoot tegen Sigge aan die van de bank is opgestaan en trap hem op zijn tenen. Mijn gehuil en dat van Sigge vermengen zich. Osmo schopt woedend tegen een grote, bruine kartonnen doos en het blad met de appels valt op de grond.

'Mijn god, wat een troep', zegt Kaj en hij houdt de handen voor zijn oren. 'Wat een troep.'

Osmo stampt met zijn voet op een van de appels. Hij loopt een rondje om de tot moes getrapte appel terwijl hij zijn handen tot vuisten balt en daarna zijn vingers weer strekt. Zijn lippen zijn op elkaar geperst van woede, hij schudt zijn hoofd, alsof hij zichzelf met verstandige gedachten probeert te kalmeren. Wanneer hij een beetje gekalmeerd is, zegt Osmo tegen Kaj dat hij even een oogje moet houden op mij en Sigge, want hij moet boven Ronnie helpen met een paar dingen. Kaj zegt tegen mij en Sigge dat we moeten gaan zitten en stil moeten zijn.

'Wat hebben jullie om over te grienen? Stelletje huileballen. Mijn broer is dood. Als er iemand moet zitten jammeren dan ben ik dat.'

Het wordt even stil. Sigge en ik gaan weer op de bank zitten. Of beter gezegd, we laten ons erin ploffen, verslagen, berustend, afgemat. Sigge ontwijkt mij zorgvuldig, voor zover dat mogelijk is als je op dezelfde bank zit. Hij draait zich van mij af.

'Wie zou haar moeten verkrachten dan? Jij?'

Kaj glimlacht gemeen. Het laat hem niet echt los. De wending in het sadistische spelletje is een beetje te verleidelijk. Sigge antwoordt niet, de bank kraakt wanneer hij zich nog wat meer van mij afwendt.

'Kom op, het was toch geen grap? Je wilde toekijken, tuurlijk wilde je dat. Ik denk ook niet dat je het zelf zou klaarspelen. Maar je zou graag willen kijken hoe iemand van ons het deed, of niet? De harde porno, dat ben je niet gewend, toch? Of wel?'

Sigge geeft nog steeds geen antwoord. Ik hoor zijn ademhaling, hoe vermoeid die klinkt. Alsof hij probeert onzichtbaar te zijn, stil. Maar zijn inspanningen lopen op niets uit. Daarvoor ademt hij veel te zwaar.

'Raak haar maar voorzichtig aan. Doe het nu maar. Je mag. Dat kan haar straf wel zijn, dat je haar aanraakt. Raak haar aan. Nu.'

Kaj lalt. De fles whiskey is leeg. Ik meen zijn hand naar zijn kruis te zien gaan. Hij knijpt een beetje met zijn vingers. Sigge antwoordt niet. Zijn ademhaling wordt zwaarder. Hij slaat zijn armen over elkaar en slikt en slikt. Zijn oogleden trillen. Kaj doet een stevige greep in zijn kruis en knijpt en duwt.

'Kalle zou zoiets nooit gedaan hebben. Kalle was een prima mens, had klasse', zeg ik en ik weet dat het een gemene streek is om de dode Kalle hierin te betrekken, maar ik doe alles om de situatie te doorbreken. Mijn hart slaat zo hard dat het pijn doet. Ook ik leg mijn armen stijf voor mijn borst. Sigge en ik zitten ineengekropen en zijn doodsbang.

'Kalle zou tegen je gezegd hebben dat je nu moest ophouden. Kaj, hoor je? Kalle zou tegen je zeggen dat je moest ophouden!'

Kaj houdt op met het gefrunnik aan zijn gulp en de tranen schieten in zijn ogen. Toch vind ik dat hij wantrouwend kijkt, hij vermoedt dat hij gemanipuleerd wordt.

'Kalle is altijd een gentleman tegen me geweest', ga ik verder, en ik meen de juiste toon te hebben gevonden. 'De andere gevangenen konden lomp en bot zijn, maar Kalle nooit. Hij was echt een leuk en aardig mens.'

Ik lieg over iemand die dood is. Goede God, vergeef me, maar ik lieg over Kalle, want hij was echt niet erg aardig en fijngevoelig, absoluut niet. Kaj ziet er wat onzeker uit. Maar hij wil het beste over zijn broer geloven, en bovendien weet hij misschien niet hoe Kalle zich tegenover vrouwen gedroeg.

'Is dat iets wat jullie van je moeder hebben geleerd, om je zo correct tegen vrouwen te gedragen?'

'Ik weet niet …'

Kaj ziet er verward uit en snuit zijn neus aan de binnenkant van zijn elleboog en veegt hem aan de mouw van zijn trui af.

'Mama maakte nooit een groot onderscheid tussen mensen',

135

zegt Kaj. 'Meisjes of jongens, ze vond wel dat iedereen gelijk was. Het was niet zo dat we de stoel voor een meisje moesten aanschuiven en de deur voor haar moesten openhouden.'

'Nee, dat is ook niet wat ik bedoel', zeg ik. 'Het had eerder te maken met respect. Dat je je als vrouw gerespecteerd voelt. Hoe belangrijk dat is. Kalle snapte dat.'

Mijn wangen worden warm. Sorry, God. Maar, Anders, begrijp je? Je tast in wanhoop en als je dan plotseling een stem vindt die gehoord wordt, dan gebruik je die, ook al is die leugenachtig.

Kaj snuift als hij dat over gerespecteerd worden hoort. Hij veegt zijn handen af aan zijn bovenbenen, alsof hij zich afveegt om zichzelf netjes te maken. Hij strijkt zijn haar opzij en moppert dat er veel wordt gezeurd over hoe je je tegenover vrouwen moet gedragen, maar hoe doen zij zelf?

'Mijn moeder was waarschijnlijk … ja, je kon wel op haar vertrouwen en zo. Dat was misschien wat Kalle bedoelde, als hij praatte over vrouwen en hoe je moet zijn. Maar een gentleman …'

Ik slik. Dat gaat moeizaam. Ik moet water drinken, maar er is hierbeneden geen water. Mijn hart klopt snel, het is moeilijk om mijn gedachten onder controle te krijgen. Kajs wantrouwende blik lijkt wel vastgenageld op mijn liegende gezicht.

'Met gentleman bedoel ik een man die je respecteert', ga ik verder en het is merkwaardig, maar ik voel zelf hoe iets in mijn stem de betovering verbreekt. Die klinkt een beetje te moe, een beetje te routineus. Kaj fronst zijn wenkbrauwen.

'Ik geloof dat je een hoop onzin zit te verkondigen', zegt hij plotseling. 'Je probeert mij correct te laten zijn door dingen over Kalle te zeggen …'

'Nee, hij was echt …'

'Hou je bek. Als je nog één woord over Kalle zegt, sla ik je.'

Het wordt weer stil. Kaj is woedend, en met elke minuut lijkt hij bozer te worden. Hij staart me boos aan en ik weet niet waar ik moet kijken. Ik probeer er onbeschaamd uit te zien, alsof ik echt de waarheid heb gesproken.

'Dus daar zijn meisjes, of … Hoe je ook maar heet … hoe heet je, zeg? Mafkees?'

'Sigge.'

Sigge fluistert zijn naam, maar Kaj hoort het niet. Hij is al verder in zijn gedachten.

'Ze denken dat mannen idioot zijn, hè? Meisjes denken dat ze iemand alles kunnen laten doen, alleen maar omdat ze dat tussen hun benen hebben. Ze zitten erop alsof het de kostbaarste schat ter wereld is. Belachelijk. Hè? Zeg? Heb jij er een paar gehad? Heb je al een paar meisjes gehad?'

Sigge antwoordt niet. Kaj staat op en loopt op wankele benen op Sigge af. Sigge en ik duiken instinctief in elkaar. Kaj geeft Sigge een por op zijn schouder.

'Waarom antwoord je niet? Ik praat toch tegen je! Zeg! Dan kun je toch wel antwoord geven.'

'Sorry', zegt Sigge zacht en haastig. Maar opnieuw lijkt het dat Kaj iets anders is ingevallen en hij wankelt naar het andere eind van de kelder. Ik kijk niet wat hij doet, maar het klaterende geluid en de geur die erop volgt spreken duidelijke taal.

'Wat heb ik een hoofdpijn', steunt Kaj. 'Het is niet normaal, zo'n hoofdpijn als ik heb. Als een … o … Heeft iemand … heb jij, jij paljas, iets tegen hoofdpijn? Hè?'

'Boven heb ik paracetamol. Zal ik …'

Sigge veert op bij de mogelijkheid om de kamer te verlaten.

'Nooit van mijn leven.'

Kaj wankelt terug naar de trap die naar het kelderluik leidt. Hij doet een paar stappen en kreunt wanneer hij het luik optilt.

'Hallo', roept hij naar boven. 'Hallo, kunnen jullie kijken of er iets is … O, het doet nog meer pijn als ik praat … Maar ik moet iets hebben, want ik heb zo'n hoofdpijn dat ik mezelf niet kan horen denken.'

Er klinkt gemompel van boven.

'Hallo!'

Kaj schreeuwt luid en ik hoor Ronnie sissen: 'Hou je bek, jij imbeciele idioot.' Kaj wankelt terug naar zijn plek in de stoel. Hij mompelt iets onverstaanbaars en pakt de fles whiskey, maar ontdekt dat die leeg is. Hij laat hem op de grond vallen, hij rinkelt, maar valt niet kapot. Dan richt hij zijn blik op de fles tequila, pakt die en neemt een slok. Hij trekt een grimas en zegt: 'Wat een weerzinwekkend rattengif.'

Daarna kijkt hij op en staart weer naar mij en Sigge. Hij begint te grinniken.

'Jullie zouden jezelf eens moeten zien', zegt hij. 'Jullie zien eruit als twee arme konijnen. Jullie hoeven toch niet in de rats te zitten … Jullie hebben toch …' Kaj pauzeert even om te boeren, '… een prima behandeling gekregen? Niets om over te klagen, toch?'

We geven geen antwoord.

'Nee, binnenkort zijn we hier weg', zegt Kaj. 'En ik zal nooit meer een voet in dit land zetten. Nee, zon en warmte en lieve vrouwen moeten er zijn. Niet van die zeurderige als hier.'

Iemand tilt moeizaam het luik op. Osmo komt naar beneden.

'We moeten nu vertrekken', zegt hij kort.

Kaj staat op, maar verliest zijn evenwicht en moet zich vasthouden aan een boekenplank.

'Je hebt zitten zuipen als een tempelier', zegt Osmo. 'Godverdomme, wat stom. Snap je dan niet dat we minstens een kilometer door een bos moeten lopen, hè? Moet jij dan weer als een of andere ezel lopen waggelen?'

'Maar wat nou, alleen maar omdat ik een beetje struikel', zegt Kaj en hij probeert rechtop te staan. Osmo knikt dwingend naar mij om op te staan. Mijn benen voelen ook onvast. Ik merk dat ik nat ben op mijn rug. Ik heb de hele tijd de jas van de doofstomme man aangehad en heb zonder dat ik het doorhad gezweet. Nu zorgt het vocht ervoor dat ik het koud heb. Het is een nachtmerrie om weer naar buiten te moeten gaan.

'Ik moet iets drinken', zeg ik en opnieuw klinkt mijn stem dun. Sigge zegt niets. Hij zit helemaal weggedoken in de hoek van de bank.

'Jij blijft hier', zegt Osmo en hij wijst met een resolute wijsvinger naar Sigge. Sigge knikt gehoorzaam en maakt aanstalten om van de bank op te staan. Hij ziet er opgelucht uit.

'Ja, hierbeneden dus', zegt Osmo en Sigge laat zich weer zakken.

'Maar ik zal niet zeggen …'

'Geen gezeur.'

Dat komt aan als een zweepslag. Hij drukt Sigge neer op de bank en houdt een autoritaire wijsvinger voor Sigges gezicht.

'Geen gezeur, zeg ik alleen maar. Jij blijft hier en gedraagt je rustig en netjes, begrepen? Je snapt toch dat we je niet zomaar rond kunnen laten lopen?'

Uit zijn jaszak haalt Osmo zilverkleurige, brede tape tevoorschijn. Sigge begint te hyperventileren als hij het ziet.

'Kun je …' begint Osmo Kaj te vragen, maar hij stopt als hij Kaj ziet staan met hangende kin en een afwezige blik.

'Jij mag het doen', zegt Osmo tegen mij en hij reikt mij de rol tape aan. 'Om de benen en de handen achter op de rug. En de mond ook, trouwens. En schiet een beetje op.'

'Nee, nee, dan kan ik niet ademhalen', kermt Sigge. 'Niet doen, alsjeblieft.'

Ik hou mijn armen stijf om mijn lichaam heen geslagen en voordat Osmo halverwege zijn zin is, heb ik mijn hoofd al geschud.

'Nee, ik kan het niet', zeg ik en mijn keel doet pijn, de woorden doen pijn, ik heb ze zo met nadruk gezegd, bijna geschreeuwd, hoewel het niet zo klinkt, ze klinken als gefluister, maar ze doen pijn, ik barst …

'Nee, ik kan niet … Jullie kunnen mij dat niet laten …'

Sigge heeft zijn hand voor zijn mond, ik weet niet of hij dat doet om zichzelf niets te laten zeggen of om zijn mond te beschermen tegen de tape die Osmo mij over zijn mond wil laten plakken.

Osmo pakt me stevig bij mijn arm beet, hij zet zijn harde vingertoppen erin en hij trekt me omhoog, ik moet op mijn tenen staan, hij sist in mijn gezicht dat hij me zal doden als ik niet doe wat hij zegt.

Ik schud nog steeds mijn hoofd, het gaat niet, ik zou geen sturing over mijn vingers hebben, ik kan dat niet doen.

'Oké!'

Osmo schreeuwt. Hij is buiten zichzelf, alles stribbelt tegen, eerst zo veel geluk en nu lijkt niets meer te functioneren. Hij haalt zijn pistool tevoorschijn en zet die tegen het hoofd van Sigge.

'Dan schiet ik hem neer', schreeuwt hij tegen me. 'Hij moet stil zijn en zijn mond houden, snap je? En als je niet met de tape helpt, dan schiet ik hem neer.'

Sigge houdt zijn handen voor zijn oren en hij schreeuwt.

'Ik doe het', snik ik. 'Ik doe het, hou op!'

Osmo duwt Sigge van zich af en hij stopt zijn pistool weer in zijn binnenzak. Hij geeft mij de tape en in zijn ogen zie ik waanzin. Er is iets geknapt in Osmo, hij is nu klaar met ons.

'Over vijf minuten vertrekken we', schreeuwt hij tegen Kaj. 'Blijf dicht bij ons, als je dat tenminste redt, anders is het misschien goed om te weten dat we ons heel goed zonder jou redden. En als Bobby vragen stelt, zal ik zeggen wat er gebeurd is. Kaj werd onderweg zo verschrikkelijk dronken dat hij in een bult sneeuw in elkaar is gezakt.'

Kaj wordt een beetje wakker en met moeizame, trage bewegingen maakt hij zichzelf gereed. Hij haalt een kam tevoorschijn en fatsoeneert zijn haar, maar ziet er ondanks alles verward uit, alsof hij zich afvraagt waar hij het voor doet.

Ik vraag Sigge met een zachte stem om in de stoel te gaan zitten. Hij is bereidwillig, gaat snel zitten, we zijn allebei zo bang voor Osmo's pistool dat we ons gejaagd en nerveus trillend bewegen. Ik moet zijn voeten dichter bij de stoelpoten neerzetten en ik trek aan de tape en draai het er een paar keer omheen. Ik bedenk dat ik er precies zo veel tape omheen moet draaien dat Osmo tevreden is en precies zo weinig dat Sigge zich daarna zal kunnen losmaken. Wanneer ik de tape een paar keer om de benen en de stoelpoten heb gewikkeld, kijk ik hulpeloos naar Kaj omdat ik de tape niet af kan scheuren. Kaj haalt een mes uit zijn binnenzak tevoorschijn en snijdt daarmee de tape doormidden. Zowel Sigge als ik schrikken omdat Kaj zo nonchalant met het mes zwaait.

Ik bind Sigges polsen achter zijn rug vast. Het is niet gemakkelijk, ik moet Sigge vragen om zich ver naar voren te buigen, als het ware dubbel te vouwen, en de tape verfrommelt.

Osmo komt naar beneden en zegt dat ik nog twee minuten heb. Duurt het langer, dan schiet hij Sigge neer. Ik word zo nerveus als ik dat hoor, dat de tape weer verward raakt en eigenlijk wil ik daar alleen maar doodgaan. Het opgeven, op de vloer gaan liggen, schiet dan, schiet Sigge dan dood, schiet mij dan dood.

Maar jij, Anders, jij en Kleintje. Goede God, ik smeek u. Ik moet naar huis.

Ik ontwar een of andere knoop, ik wikkel de tape rond en rond. De tape raakt op en ik hoef Kaj niet weer om hulp te vragen om het af te snijden. Dan zie ik het. Een fruitmes. Het ligt op de grond tussen de appels. Ik kijk ernaar en knik naar Sigge, zo onmerkbaar als ik kan. Een snelle blik op Kaj, hij loopt door de kelder en rommelt hier en daar wat, ik zie dat hij iets bij zich steekt wat hij in een doosje op de boekenplank vindt. Ik buig naar voren en graai het mes naar me toe. Daarna stop ik het aan de binnenkant van de manchet van Sigges overhemd. Zo moet hij het naar beneden kunnen schudden en er op een of andere manier in slagen om daarmee de tape los te krijgen. Ik pak Sigges schouders beet en duw hem naar achteren. Ik probeer zonder woorden te zeggen: je hebt het mes daar, begrijp je het?

Ik kijk naar Sigges angstige gezicht en weet niet wat ik moet doen nu de tape op is. Osmo kijkt naar me en ik hou in een soort gelaten, vragend gebaar de rol tape omhoog. Osmo zucht en komt als het ware tot stilstand, furieus. Hij legt zijn hand op het pistool, alsof hij overweegt Sigge dan maar dood te schieten. 'Daar', zegt Sigge half gesmoord. Hij kijkt naar een van de planken, en daar ligt een rol inpaktape. Ik pak het vlug en trek het rond Sigges hoofd, Sigge helpt, hij perst zijn lippen op elkaar, hij heeft het begrepen. Wanneer ik klaar ben ademt hij snel door zijn neus, snel, hij is rood in zijn gezicht.

'Rustig blijven', zeg ik tegen hem en ik kijk hem strak aan. 'Gewoon rustig blijven.' Hij knippert met zijn ogen als een knikje en ik geloof echt dat hij het probeert. Maar het is duidelijk dat hij in paniek raakt omdat hij niet door zijn mond kan ademen.

Osmo buigt voorover voor Sigge en hij voelt aan elk been. Ze zitten goed vast, Osmo is tevreden. Hij zet een stevige hand op Sigges achterhoofd en duwt hem naar voren. Daarna voelt hij hoe stevig de tape om zijn handen zit.

'Maar wel godverdomme …'

O mijn God, ik hou mijn adem in. Bid tot u in mijn vertwijfeling, laat hem het niet ontdekken, laat hem niet …

'Hier moeten nog een paar slagen …' moppert Osmo. En hij doet nog een paar slagen met het plakband en ik adem zo langzaam mogelijk uit. De opluchting dat hij het mes niet heeft ontdekt is zo groot dat het heel even zwart voor mijn ogen wordt. Dan komt de twijfel. Zal Sigge het mes eruit kunnen schudden als de tape te strak zit?

Osmo port me in de rug en zegt: 'Naar buiten.' Ik loop de trap op, Kaj achter me aan en als laatste komt Osmo. Ronnie staat bij de voordeur te wachten. Hij ziet er tevreden en uitgelaten uit, zelfs Osmo lijkt opgelucht dat ze onderweg zijn. Hij schuift een kast naar voren zodat die op het kelderluik staat. Wanneer Ronnie de deur opent, giert de ijzige wind naar binnen en buiten is het donker, grauwgrijs.

'Die kant moeten we op', zegt Osmo grimmig en hij wijst naar het donkere bos. 'Daar is na een paar kilometer een weg en daar wachten Yasmine en Olga op ons. Wacht, dan kijk ik eerst even. En bek dicht.'

We staan bij de deur en zien hoe Osmo naar buiten loopt en om zich heen kijkt. Daarna wenkt hij ons. Ik begin onmiddellijk te klappertanden in de kou. Een strenge blik van Osmo zorgt ervoor dat ik mijn mond dichtdoe en probeer stil te blijven. We ploeteren voort over een klein paadje. Ik loop als in trance, ik kan niet meer, maar het maakt me niet meer uit, ik verga van de dorst, maar dat kan me niets schelen. Ik loop alleen maar. De laarzen zijn te groot, mijn voeten slippen erin, de ene hak begint pijn te doen, ik krijg blaren.

En wanneer ik loop begint er iets te knagen. Het is duister en giftig en stroomt door me heen. Ik kan me niet beschermen tegen de misselijkmakende gedachten die me bekruipen. Ik denk dat jij, Anders, een angsthaas bent wanneer je zou proberen me te vinden. Het is alsof ik je voor me kan zien. Te onnozel en te voorzichtig naar die idiote politie toe, die zijn werk niet behoorlijk kan doen. Wind je je echt zo veel op als zou moeten in zo'n situatie? Of zit je daar gewoon te wachten, handenwrijvend, terwijl je tegen Kleintje en mama en alle anderen zinloze dingen zegt als 'het komt wel goed'?

Ik loop verbitterd verder, de golf van irritatie groeit tot woede. Waarom doet niemand iets? Hoelang kunnen we vluchten zonder ontdekt te worden? Die agenten moeten wel idioten zijn, en jij Anders, jij doet niets. Nee, zoiets als dit komt waarschijnlijk in jouw goed geordend wereldje niet voor? Ik strompel verder en ik ben ziedend. Sukkels. Sukkels, behalve Kleintje. Wanneer ik thuiskom, als ik thuiskom, zal ik haar leren nooit te vertrouwen op, nooit …

O God, ik ben zo moe.

'Godverdomme, negentigduizend', hoor ik Ronnie mompelen, het borrelt van verbazing en blijdschap. 'Godverdomme, snappen jullie dat? Negentigduizend …'

Wanneer we op een wat grotere weg komen, staat een Chrysler met donkere achterruiten te wachten. Yasmine stapt uit en fluit zacht. Ronnie komt stuiterend het bos uit, de weg op, naar de auto, hij is opgefokt. Ik ruik Kaj, de zware drankgeuren, hij wankelt naar de auto. Osmo komt daar achteraan, terwijl hij me stevig bij mijn arm vasthoudt.

De auto ruikt een beetje muf, maar ik ben blij dat die warm is. Olga zit achter het stuur, ze ziet er klein en dun uit. Yasmine zit naast haar. Ze leunt naar achteren, naar ons, ik begrijp dat je met die zwarte ruiten ons niet ziet als we voorbijrijden. Yasmine geeft Osmo een grote fles water. Hij neemt gulzig grote slokken en geeft de fles daarna aan Ronnie, die net zo gulzig drinkt. Kaj gromt iets en geeft Ronnie een por, zodat er water uit de fles morst en op zijn broek terechtkomt.

'Hé, rustig maar, jij akelige dikke aap', sist Ronnie.

Kaj slikt de belediging in en kreunt alleen maar: 'Toe nou, het drinken.' Hij krijgt het water, hij giet het naar binnen, maar hikt of boert tijdens het drinken en mijn maag draait om, omdat ik na Kaj uit de fles moet drinken.

Maar ik moet. Mijn dorst voelt als levensbedreigend, ik kan aan niets anders denken dan dat ik dat water moet hebben. Wanneer Kaj heeft gedronken en klaar is met boeren, blijft hij zitten met de fles water op zijn schoot en ik moet hem vrij hard in zijn zij prikken voordat hij reageert. Hij kijkt me aan met zijn troebele ogen en houdt de fles in zijn handen geklemd.

'Water', zeg ik met een dikke stem. Kaj kijkt naar de fles en reikt me die met een verbaasd gezicht aan, alsof het voor hem een vreemde gedachte is dat ik ook behoeften zou hebben.

Ik pak de fles aan en veeg hem met mijn hand droog voordat ik hem naar mijn mond breng. Toch krijg ik braakneigingen, meen dat het water naar de drankboeren en het braaksel van oude mannen ruikt.

Ik drink toch. Laat het water naar beneden lopen en voel als het ware hoe de pijn uit mijn lichaam verdwijnt. Osmo rukt de fles uit mijn handen en er komt ook wat water op mijn benen terecht. Ik denk: godverdommese hufter.

Godverdommese hufter. De woede is heerlijk. Wanneer de woede het overneemt van het lichaam, durf je. Toen ik bang was voor Johannes, toen hij me in mijn tienerjaren gevangenhield in mijn eigen angst, was ik nooit boos. Tenminste, niet dat ik me kan herinneren. Ik was verdrietig en bang. Maar wanneer de woede nu bezit neemt van mijn lichaam, hier in een auto met een stel criminele idioten, die gezocht worden, maar nog niet gevonden zijn door een stel andere idioten, trekt mijn pas ontwaakte woede alles en iedereen met zich mee.

En dan is het alsof ik Johannes zíé. Ik vlieg boven de grond en kan hem als het ware van bovenaf zien, kan terug zweven naar mijn verleden en hem daar zien staan; hij droeg een sjaal die toen modern was, iets Indisch, Afghaans, bij zijn keurige jas, hij wilde er waarschijnlijk een beetje bohémien uitzien, als een rebel, ondanks zijn burgerlijkheid van de middenklasse. Ik kan zien hoe hij aan zijn wimpers peuterde tot ze goed lagen, hoe hij zijn laarsjes poetste, hoe precies hij was en nu kan ik hem uitlachen – ha! – en denken wat ik toen had moeten zeggen: Johannes, jij bent een sukkel, een bangelijke, kleine rotzak, die mij nodig had om overheen te kunnen lopen en te kunnen slaan zodat je zelf het gevoel had dat je iemand was.

Ik slaak een diepe zucht, ik leun met mijn hoofd naar achteren en het duizelt me wanneer ik mijn ogen sluit. Kaj zit naast me en ik haat de manier waarop hij ademhaalt, het piept en sist, hij ruikt naar verrotting en ik druk mijn neus tegen het raam. Het is koud en mooi, buiten staan de bomen als een muur. Ik wil haten, het helpt, ik hou alle mildere gedachten weg.

Anders, probeer het niet. Je had iets meer kunnen doen, als je maar een beetje meer … man was geweest, zeg ik bijna, maar dat zou te laag zijn. Als je iets meer iemand was geweest die met zijn vuist op tafel kon slaan. Een beetje meer kracht. Een beetje meer vent.

Sorry.

Wanneer ik naar buiten kijk het donkere bos in, zie ik je voor me, Anders. Je fronst je wenkbrauwen, je vraagt je af waar ik mee bezig ben, je wordt ook boos.

Wat bedoel je eigenlijk? Dat is altijd je eerste vraag. Retorisch uiteraard, aangezien je denkt dat je al weet waar ik op uit ben en dat kwetst mij. Zoals nu, als je mijn woedende gedachten over jouw onhandigheid hoort. Ik zie hoe je mond verstrakt, hoe je haastig met je lichte wimpers knippert, er is geen spoor van een ingang naar dat zachtere deel van jou, alle deurtjes zijn dicht.

Daar kan ik zo'n spijt van hebben. En meestal weet ik wel wanneer ik onrechtvaardig ben geweest. Dat ben ik vrij vaak. Ik kan het niet helpen, ik kan mijn emoties moeilijk beheersen, ik verlies de greep erop en ik kan niets anders doen dan zo goed mogelijk proberen af te remmen terwijl ik me laat meeslepen.

Maar dan, wanneer je zo gesloten bent, moet ik koppig volharden. Proberen uit te leggen wat ik eigenlijk bedoel. Bijvoorbeeld wanneer ik de slapheid vervloek om mee te helpen mij te vinden. Wat weet jij daar nou van, zou je zeggen met boze ogen die steeds smaller worden terwijl je met je ene hand de vingers van je andere hand gebruikt om op te sommen.

Dit en dat heb je gedaan. Alle vingers, een voor een. En dat en dat. Maar al vrij snel zag je er moe en verdrietig uit. Alsof je me ervan verdacht dat ik eigenlijk ontevreden was met iets anders. Alsof je vermoedde dat ik in wezen teleurgesteld was.

Ben ik dat? Wat verwachtte ik van jou, toen ik besloot om de rest van mijn leven met jou te delen? Wat verwachtte ik van ons?

Ik heb maar twee relaties gehad voor jou. De ene was met Johannes. De ander was met Micke, weet je nog? Ik heb je dat immers verteld. Maar Micke staat wat op de achtergrond, als een schaduw. Een gewone, warme schaduw na Johannes. Hij wilde de aardige vriend zijn, op wie ik kon vertrouwen. Dus waarom werd ik zo geïrriteerd?

Hij kreeg de woede die Johannes had moeten hebben. Micke kreeg die woede herhaaldelijk in de vorm van een beetje krabben. Ik minachtte hem omdat hij het accepteerde en ik verachtte mezelf omdat ik krabde.

Na Micke volgde een tijd van bijna vijftien jaren zonder een echte, langere relatie. Ik had mijn geloof. De Heer, ik wendde mij tot hem. De Heer, mijn God, gaf me energie en kracht. Met de Heer begon ik weer van mezelf te houden. Mijn ziel vond rust. Ik had een stem die naar me luisterde.

Maar in de uiterlijke, fysieke wereld werd ik eenzaam.

Anders, jij betekende een revolutie in mijn leven. Om het maar niet te hebben over wat Kleintje met me doet. Maar weet je, ik heb zo veel jaren over de liefde gefantaseerd. Over de wonderen die het voor de mens kan verrichten. Hoe het zou zijn om met iemand van wie je houdt samen te leven.

Nu begin ik te begrijpen dat ik geen idee heb gehad over hoe zo'n leven eruit zou kunnen zien.

Van huis uit heb ik daar geen begeleiding in gehad. Mijn ouders hielden niet van elkaar, niet eens in de tijd voor de scheiding.

Dat is in elk geval wat ik denk. Nu, naarmate ik ouder ben geworden, vermoed ik dat mensen soms van elkaar houden terwijl het niet zo lijkt. Of zo klinkt. Dat dat gevoel er niet automatisch voor zorgt dat je het op een liefdevolle manier uitoefent. Dat je houden van kunt vóélen en iets heel anders kunt dóén. En hoeveel keren heb ik deze onmacht bij jou niet gevoeld, Anders? Dat ik niet weet wat ik moet dóén? Dat ik niet weet wat ik kan verwachten?

Hoofdstuk negen

We rijden niet ver, maar gaan in de tegenovergestelde richting van waar de politie over getipt is. Olga parkeert bij een drie verdiepingen tellende betonnen flat aan de rand van de dichtstbijzijnde plaats. De flat is grijs en ziet er vervallen uit, hoewel hij vrij recent gebouwd lijkt. Er staan meer van dat soort flats, maar het gebied lijkt verlaten. Er is geen mens te bekennen, geen winkel, geen kinderen op de speelplek van de buurt. Maar toch wonen er mensen. Voor het raam zie je planten, gordijnen, sporen van spullen waar mensen zich in het dagelijks leven mee omringen.

Wanneer je niet als gijzelaar leeft. Wanneer je niet een kale Osmo van honderd kilo bij je hebt die je zegt dat je vlug uit moet stappen. En de capuchon over je hoofd moet trekken.

Eerst begrijp ik het niet. Alles werkt zo traag in mijn hoofd. Alles wat daarbuiten gebeurt, tenminste. Capuchon? Ik kijk naar Osmo die een ongeduldig gebaar naar mijn nek maakt, om te laten zien dat er een capuchon aan de stinkende jas van de oude man zit. Osmo wil dat ik mijn capuchon op doe, zodat ik niet zo gemakkelijk te herkennen ben. Ik begrijp het ten slotte, maar dan heeft Ronnie de capuchon al met een ongeduldige ruk over mijn hoofd getrokken. Hij doet het zo dat het voelt alsof ik een tik op mijn achterhoofd krijg.

'Hou op me te slaan!'

Ik schreeuw tegen Ronnie. Hij werpt mij een dodelijke blik toe en ze hebben haast om bij de voordeur te komen en naar binnen te gaan. Heel even voel ik de macht die ik nu heb. Ik zou nu kunnen schreeuwen, heibel trappen. Ze zouden me misschien neerschieten, maar ze zouden ook niet verder kunnen. Zouden worden herkend, worden opgemerkt.

'Twee verdiepingen omhoog. Er staat Karlsson op de deur.'

Yasmine geeft Osmo een sleutel en gaat daarna met Olga in de auto zitten. Ze rijden weg, ik vraag niet waarheen. Ik word door de voordeur geloodst. Binnen brandt een fel tl-licht en de deur is geverfd in een onregelmatig stippenpatroon. Waar komen al die ideeën met patronen vandaan?

We gaan de lift in. Daar heeft iemand in zwarte viltstiftletters geschreven dat Lena een hoer is en ik vind het bijna opbeurend en goed, vergeleken met de gespannen, boosaardige stilte die er tussen mij, Osmo, Kaj en Ronnie hangt.

Ronnie en Osmo zijn zichtbaar nerveus. Kaj lijkt zich niet zo druk te maken. Hij heeft zijn naar binnen gekeerde uitdrukking op zijn gezicht, wallen van vermoeidheid onder zijn ogen en uit zijn mond komen drankgeuren en een rottend doodsverlangen. Wanneer de lift stopt gaat Osmo er als eerste uit. Ronnie houdt de deur op een kier zodat niemand de lift met ons erin omhoog of omlaag kan sturen.

Ik hoor hoe Osmo een deur opent. Daarna trekt hij de liftdeur open en wenkt ons te komen. Ronnie vindt dat ik niet snel genoeg loop, want hij duwt me hard in mijn rug.

Ik zeg 'au', luid en duidelijk. Dan pakt Osmo mij onmiddellijk bij mijn arm beet en hij trekt me de flat in. Hij houdt mijn arm stevig vast. Ik schreeuw weer 'au'. En nog een keer en deze keer trekt Osmo mij naar zich toe. Hij drukt zijn hand op mijn mond. Hij duwt zo hard dat ik het gevoel heb dat ik stik. Met mijn handen krab ik naar hem, ik raak in paniek. Osmo antwoordt door nog harder te drukken, hij houdt mij tegen zich aan. Met zijn andere hand grijpt hij mijn beide handen. Duwt die achter mijn rug en de druk op mijn mond vermindert niet.

De lucht wordt hevig uitgeblazen door mijn neusgaten, ik voel hoe het eruit stroomt, toch vind ik dat ik niet goed kan ademen. Ik schreeuw tegen mijzelf, inwendig, om rustig te blijven. Rustig blijven, anders stik je. En de spieren in mijn armen verslappen.

Osmo vermindert de druk om mijn handen en op mijn mond,

maar hij blijft me strak aankijken. Hij staat dichtbij, en hij is zo boos.

'Je weet dat ik je dood kan slaan', zegt hij zacht en beheerst. 'Ik heb zoiets eerder gedaan.'

'We maken haar van kant', zegt Ronnie, die ook heel dicht bij me staat. Hij kijkt net zo grimmig als Osmo. Kaj opent een van de deuren in de hal en loopt een kamer in. Hij bemoeit zich niet met ons.

'Ja, misschien moeten we dat maar doen', antwoordt Osmo. Hij blijft me woedend aankijken. 'We moeten dat misschien gewoon maar ...'

Hij zwijgt en ik denk dat ze me alleen maar bang proberen te maken, rustig blijven, ze willen me alleen maar bang maken. En ik word bang. Er laat iets los in mij en er is bij hen iets losgekomen, we hebben zo genoeg van elkaar, van de situatie, dat we allemaal binnenkort in staat zijn om wat dan ook te doen om niet meer in deze situatie te hoeven zijn.

Ik hou mijn handen voor me, maak een gebaar alsof ik mezelf wil intomen.

'Ik zal. Ik beloof ... ik zal niet ... ik zal rustig zijn. Dat beloof ik. Rustig. Beloofd.'

Osmo draait zich om en loopt de kamer in waar Kaj is. Ronnie doet de voordeur met een hangslot op slot en stopt de sleutel in zijn zak. Hij kijkt me even furieus aan en loopt Osmo achterna. Ik sta alleen in de hal, in de onbekende flat. Een hal. Een gewone hal met donkergroen behang en een mat waarop je geacht wordt je voeten te vegen. Ik gluur om een deur en daarbinnen is de badkamer. Ik loop naar binnen en doe de deur achter mij op slot. De muren zijn turkoois geverfd op een soort structuurbehang. Het ruikt naar viooltjes. Het is schoon. Ik snik omdat het schoon is. En warm. Ik trek de stinkende jas uit en doe de deur weer open om de stinkende jas niet in de badkamer te hoeven hebben. Wanneer ik de deur opendoe, staat Ronnie ervoor.

'Wat doe je?'

'Ik zou graag een bad willen nemen.'

Ik laat het zo smekend mogelijk klinken. Het verlangen om echt warm te worden, om echt schoon te worden, is zo sterk dat ik bereid ben om op mijn knieën te vallen en te smeken. Ronnie is even stil. De risico's van mij mijn gang te laten gaan, schieten door zijn hoofd.

'Oké', zegt hij. 'Maar je doet de deur niet op slot. En, bij ook maar het minste ... Ja, je weet het.'

Ik slaak een diepe zucht. Bij het minste, ja, ik weet het. Ik weet het en ik weet het. Ik hang mijn jas op in de hal en glip de badkamer weer in. Ik ga op de wc zitten en zie hoe het water uit de kraan stroomt. Op de rand van de badkuip staat een fles waar de viooltjesgeur uit komt. Ik til hem op en zie dat de inhoud als shampoo en als zeep gebruikt kan worden. Ik knijp erin en laat een druppel in het badwater vallen. Plotseling wordt de deur opengerukt, het is Kaj.

'Eruit. Ik moet pissen.'

Goddank heb ik mijn kleren nog niet uit, en kan ik in mijn trui en broek buiten wachten. Kaj komt het toilet uit en kijkt niet naar me, maar loopt de kamer weer in. Ik vraag Osmo en Ronnie of ze ook van het toilet gebruik willen maken, of dat ik nu een bad kan nemen?

Osmo lacht droog, alsof ik iets grappigs heb gezegd. En het klinkt misschien merkwaardig, alsof we een gewone groep mensen zijn die bij elkaar moet wonen en probeert beleefd tegen elkaar te zijn.

Osmo en Ronnie schudden hun hoofd en ik loop terug naar de badkamer. Daar ruikt het naar urine en ik zie dat Kaj een beetje naast de pot heeft geplast en bovendien niet heeft doorgespoeld. Dat doet me bijna huilen, alsof hij mij heeft beroofd van een moment van reinheid, van een moment voor mezelf en van een moment rust in een viooltjesgeur. Ik spoel door en slik, slik het huilen en de ergernis door. Daarna doe ik de deur toch op slot. Ik draai langzaam het slot om, zodat het niet te horen is.

Ik weet hoe gemakkelijk het is om een badkamerslot weer open te krijgen. Mijn broer en ik hebben dat thuis zo vaak gedaan dat ik weet dat het slot er alleen maar voor zorgt dat ik een halve minuut heb voordat de deur opengaat, mocht iemand tegen elke prijs naar binnen willen.

De badkuip is vol en het is vreemd om mijn naakte lichaam te zien. Alsof ik het vergeten ben. Mijn huid is blauwachtig, mijn lichaam ruikt muf en mijn handen en voeten zien er grauw en ijskoud uit. Het doet pijn om helemaal in het water te glijden.

Ik sluit net mijn ogen en hap naar adem door de warmte, als ik hoor hoe de voordeur wordt geopend en Osmo zegt: 'Kom binnen, baby.' Ik hoor gemompel en geritsel met tassen, gevolgd door Yasmine die op een vragende toon zegt: 'In bad?'

Daarna rukt er iemand aan de badkamerdeur. Ik hoor Yasmines stem.

'Ze heeft de deur op slot gedaan!'

Ik sta snel op, trek een handdoek naar me toe die aan een haak hangt. Het prijskaartje dat nog aan de handdoek hangt, schuurt over mijn bovenbeen. Ik heb net de handdoek om mijn lichaam heen geslagen als de deur opengaat. Osmo heeft een mes in zijn handen waarmee hij het slot heeft opengemaakt.

Ik sta met de handdoek om mij heen en weet niet wat ik moet doen. Ik heb nauwelijks het water gevoeld, het vuil op mijn handen en voeten is nog niet losgeweekt.

Osmo doet snel de deur weer dicht en ik hoor hoe Yasmine protesteert en zegt dat zij eigenlijk van plan was een bad te nemen. 'Later', hoor ik Osmo zeggen. Ik laat me op de wc zakken en staar naar mijn handen. Nu wil ik niet meer in bad. Ik wil niets. Wil er niet meer uit. Wil niet meer in de badkamer blijven. Niets.

De deur wordt weer opengetrokken. Yasmine zegt dat ik het haar maar niet kwalijk moet nemen, maar dat zij in bad had gewild. Het is haar badlaken dat ik nat maak. Ze strekt haar hand uit naar de handdoek en ik hou hem stevig vast terwijl ik op de tast mijn vuile kleren zoek.

'Je kunt schone kleren van mij krijgen. Die daar ruiken vies', zegt Yasmine. Ze schiet naar de deur en ik ben weer alleen in de badkamer. Ik droog mijn handen en mijn voeten af aan de lichtgele handdoek en er komen vuilgrijze afdrukken op. Yasmine zet de deur op een kiertje en gooit kleren naar binnen. Ik ben verbazingwekkend snel om een van de kledingstukken te vangen, omdat die in een plas water op de vloer dreigt te vallen. Ik voel me helemaal niet warm. Ook niet schoon. Met de lichtroze vrijetijdsbroek die ik van Yasmine heb gekregen en eenzelfde kleur trui in de hand, blijf ik op het toilet zitten en ik kan me er niet toe zetten om iets te doen. Ik heb de puf niet. Wanneer ik mijn ogen sluit zie ik de dode doofstomme, zie ik de dode Kalle, zie ik Sigge, zie ik Anders, zie ik Johannes.

Gezichten van mannen doemen op, de een na de ander, en ik rek me uit, zie mijn gezicht in de badkamerspiegel. Het is bleek en op mijn ene wang zit een donkere, vuile streep. Het gevoel van onwerkelijkheid overvalt me weer. Wanneer ik mijn eigen ogen zie, zeggen die dat het niet waar is wat er gebeurt. Mijn spiegelbeeld zegt dat het niet waar kan zijn.

De deur wordt opengetrokken en Yasmine staat daar en zucht: 'Maar verdomme, kom dan.' Ze doet de deur weer dicht en ik trek het vrijetijdspak aan. Het ruikt sterk naar wasmiddel. Of is het wasverzachter?

De broek is veel te kort, hij komt tot ongeveer halverwege mijn kuit. De stof zit erg strak over mijn achterwerk en de mouwen zijn ook te kort. Het zijn geen warme kleren. Ik huiver. Maar ze zijn schoon.

Terwijl ik me aankleed hoor ik luide, ruziënde stemmen in de kamer. Het zijn Ronnie en Osmo die tegen elkaar schreeuwen. Kaj hoor ik niet en ik begrijp dat ze ruziemaken over mij.

'... haar zo verdomde zat!'

Het is Ronnie en het klinkt alsof hij echt helemaal klaar is met me.

'Binnenkort verpest ze het, ik weet het gewoon. En waarom

slepen we haar trouwens met ons mee … Hè?'

'We moeten het nu maar met haar zien uit te houden tot we klaar zijn …'

'Zolang we haar met ons meeslepen, zitten die smerissen als bloedzuigers achter ons aan …'

'En aan wie hebben we het te danken dat we niet gepakt zijn, toen we ervandoor gingen? Hè? Nee, ze gaat mee.'

'Jaja, oké. Maar als ze nog meer dingen uithaalt, bij het minste of geringste … dan zal ik … Ik word gewoon zo verschrikkelijk nerveus van haar. Ik word helemaal paranoïde wanneer ze zo doet. En ze begint vreemd te doen. Dit alles hier … Ze begint er zo onbetrouwbaar uit te zien …'

'Ja, maar zover ben ik het met je eens. Verzint ze nog iets anders, dan ben ik er ook klaar mee …'

De deur van de badkamer gaat weer open en er verschijnt een geamuseerde trek om Yasmines mond als ze me in haar broekpak ziet.

'Je bent te dik', zegt ze bits.

Ik reageer niet, maar loop de badkamer uit en blijf in de hal staan met mijn oude kleren in mijn armen. Ik weet niet wat ik ermee moet. Ik vermoed dat Olga in de keuken is. Ze haalt etenswaren uit de tassen. Ik loop de keuken in. Ze werpt me een snelle, schuwe blik toe. De keuken is klein en er staat een tafeltje met twee stoelen ingeklemd in een hoek. Aan de muur hangt een vrolijke poster met groenten in de vorm van een gezicht. Ik plof neer op een van de stoelen. Ik loop op blote voeten en ik trek de sokken aan die ik van Yasmine heb gekregen. Daarna blijf ik zitten met mijn oude kleren op schoot.

'Woon jij hier?' vraag ik.

Olga kijkt vol verlangen naar de badkamerdeur, alsof ze wil dat Yasmine komt om op het gesprek toe te zien. Vervolgens haalt ze haar schouders op en zegt dat zij en Yasmine hier een paar weken hebben gewoond. Maar dat het niet hun flat is. Ze huren hem van een vriend.

Olga vraagt zacht of ik noedelsoep wil, maar ze spreekt het een beetje vreemd uit. Ze houdt me een plastic beker voor om te laten zien wat ze bedoelt.

'Alleen nog maar warm water erbij.'

Ik knik en zeg 'graag'. Ze zet water op in een pan en gaat verder met etenswaren uit de tassen te pakken. Al het eten lijkt kant-en-klaar: noedelsoepen, gehaktballetjes, pannekoeken, erwtensoep verpakt als een plastic worst. Het water borrelt al in de pan en Olga giet het warme water in de kop terwijl ze zegt dat ik moet wachten. 'Anders brand je je tong.' Ze steekt het puntje van haar tong uit om te laten zien dat ze zelf onlangs haar tong heeft gebrand.

Olga's gezicht is klein en ze heeft donkerlila wallen onder haar ogen. Ze is aanzienlijk lichter dan Yasmine, lichter en dunner. In plaats van haar uitdagende, cowboyachtige uitrusting, heeft ze een zwarte vrijetijdsbroek aangetrokken en een trui met de opdruk van een kat. De kat is wit met groene, strak voor zich uit starende ogen. Aan haar voeten heeft ze een paar stevige pantoffels.

'Hou je van katten?' vraag ik terwijl ik uitadem, een diepe zucht, want ik heb de vraag alleen maar gesteld om contact te krijgen en niet omdat ik echt geïnteresseerd ben. Olga antwoordt niet, ze pakt koffiekopjes en lepels voor de oploskoffie uit een kast. Ik klets verder.

'O, mijn hemel, wat een dagen. Wat … wat zal ik zeggen … wat een reis, zo verschrikkelijk en … wat naar dat met die doofstomme. En met Kalle …'

Olga kijkt schuw naar me. Ik blijf gewoon praten. Over wat dan ook, om maar contact te krijgen. Een beetje gewoon menselijk contact, een aanwijzing dat het leven er nog is, het leven dat ik herken.

'Had jij tegen hem, die doofstomme, gezegd om niet te komen? En toen kwam hij toch? Hoe kon het toch zo fout gaan, denk je?'

Olga fronst afkeurend haar wenkbrauwen en geeft geen antwoord. Ze kijkt me aan en lijkt wat ongemakkelijk en wantrouwend. Die slonzige kleren op mijn schoot staan voor de oude Ingrid. Een donkere stapel die stinkt. De persoon die daar in een te klein roze fluwelen pak zit, is iemand anders. Is bezig iemand anders te worden.

'Ik vind het in elk geval erg verdrietig dat Kalle ...'

Olga loopt ondertussen met de koffiekopjes voor de mannen de keuken uit en 'Kalle' zeg ik tegen mezelf in de keuken. Ik leun achterover en laat de kleren op de grond glijden. Daarna schuif ik ze met een voet onder de stoel. Olga komt terug met vier pillen in haar hand. Ze legt er twee voor mij neer en vervolgens neemt ze zelf de twee andere in met een glas water.

Ik herken de pillen. Het zijn dezelfde soort pillen als die ik eerder heb gekregen. Mijn eerste reactie is dankbaarheid. Dankbaarheid over de mogelijkheid om even te kunnen verdwijnen. Ik zou natuurlijk geschokt moeten zijn en het moeten afkeuren. Maar ik doe alles om te ontsnappen en ik verlang ernaar om weer in watten gewikkeld te worden.

'Het komt goed', zegt Olga en ze geeft me een glas water. Ik pak de pillen en pruts er wat mee.

'Wat is het?'

'Pil ...'

'Ja, dat zie ik. Maar wat zit erin?'

Opnieuw haalt Olga haar schouders op en ze zegt dat je er rustig van wordt.

'Ik kan een beetje ... wat zal ik zeggen ... nerveus zijn. Dan word je rustig', zegt Olga en ik vraag niets meer.

Ik leg de twee pillen op mijn tong, slik ze door en merk dat ik vol verwachting uitkijk naar het effect. Ik neem mijn beker met noedelsoep en slurp de hete bouillon naar binnen. De warmte ervan verspreidt zich in mijn maag, in mijn lichaam. De warmte waarnaar ik verlang, de warmte die ik in het bad nooit mocht ervaren, voel ik nu. En plotseling heb ik honger. Gulzig pak ik een vork die op de tafel ligt, wroet wat in de noedels, vis ze op en stop ze in mijn mond.

Ik glimlach tegen Olga, ze glimlacht en lijkt in zichzelf gekeerd. En wanneer ik het laatste heb doorgeslikt, de beker naar mijn mond heb gebracht en mijn hoofd achterover heb gegooid om me de laatste slok niet te laten ontnemen, voel ik de werking van de drug. Die is ook warm en plotseling ben ik gelukkig. Vervuld van rust en het vertrouwen dat alles sust. Alles komt goed.

Kleintje. Mama moet alleen een beetje rusten.

Olga neemt me bij de hand en loopt met mij de kamer in. Er is maar één kamer in het appartement. Ronnie, Osmo en Kaj zitten op een bankstel, een zacht exemplaar met een patroon. In de andere hoek van de kamer staat een groot bed waar Olga op gaat liggen en ze wenkt naar mij dat ik naast haar kan liggen. Ik ben suf, maar ik zie Osmo, eerst zijn verwonderde en daarna zijn instemmende gelaatsuitdrukking over mijn toestand.

O, de meisjes zijn stoned. Om te vergeten natuurlijk. En hij wendt zich af, alsof hij ons niet wil zien.

Het is gezellig om naast Olga te liggen. Ik zie hoe ze gaat liggen en naar het plafond staart, en ik lig op mijn zij en kijk naar haar en denk hoe gezellig het is om gewoon naast een andere vrouw te liggen. Gewoon de warmte en de nabijheid te voelen.

Het heeft te maken met de verbondenheid tussen vrouwen. Daar denk ik aan wanneer ik zo naast Olga lig en ik voel me licht en ontspannen. Met Osmo en Anders en Johannes. Zo veel strijd. Maar met Olga en Yasmine …

Maar een of andere verstandige stem bereikt me in mijn bedwelmde toestand. Het is helemaal niet gemakkelijk met vrouwen. Ook niet, moet ik eraan toevoegen. De jaren in de vrouwengevangenis, bijvoorbeeld. Vol intriges en hiërarchieën die omvergeworpen of bewaakt moesten worden. Het is met vrouwen niet minder gecompliceerd, het is gecompliceerd met alle mensen.

Een snelle, vluchtige golf van angst bij de gedachte aan al dat ingewikkelde, verandert al snel weer in rust. Jaja, iedereen is ingewikkeld, alles is ingewikkeld. Maar niet nu op dit moment. Nu moet ik alleen maar naast die ingewikkelde Olga liggen en even een heerlijk moment hebben.

Ik glimlach met een wazige blik naar Olga en zak weg in een toestand van watten, de zachtste, zachtste, en mijn gedachten zijn opnieuw merkwaardig. Ik kan altijd nog junk worden, weet ik nog dat ik denk en het klinkt stom, maar op dit moment is het een aangenaam alternatief.

Kleintje, luister niet naar je moeder. Nu niet.

Mama moet gewoon even weg zijn.

Ik voelde het zo geleidelijk aan als mijn plicht om samen met Johannes te zijn. Een verplichting. Weet niet hoe het zo kwam. Waarschijnlijk kon ik er niet meer tegen dat ik mezelf als bang en angstig zag. In plaats daarvan verbeeldde ik me dat ik een mooie, christelijke daad verrichtte om voor zo'n verdwaalde – ja, want zo dacht ik over hem – ziel als Johannes te zorgen. Ik zag mezelf liever als goed dan als laf.

De momenten dat ik niet bij hem was, zag ik als uitstel of beloning. Ik fantaseerde wellustig over wat ik zou doen op de avonden dat we niet bij elkaar waren. Mijn fantasieën bestonden altijd uit de genietingen die Johannes goedvond, zo door en door werd ik door hem beïnvloed. Niet iets doen wat hem zou kunnen verstoren. Geen andere mensen ontmoeten, geen dramatische ontwikkelingen.

Nee, op die eigen momenten ging het erom om gewoon met rust gelaten te worden. Lang in bad liggen, een roman lezen, een of andere film op de televisie zien. Ontspannen in alle rust.

Zoals ik nu doe. Gewoon er een tijdje uitstappen. Even op adem komen.

Soms vroeg mijn moeder of ik nog weleens vriendinnen zag. 'Het is zeker alleen maar Johannes tegenwoordig', zei ze terwijl ze haar hoofd schuin hield. Alsof ik er niet genoeg van kon krijgen.

Ik glimlachte met die geroutineerde onechtheid die ik me had aangewend, en ik speelde het zinnetje af: 'Ja, het is voornamelijk Johannes.' en ik wist dat de blos in mijn gezicht uitgelegd kon worden als dat ik er niet genoeg van kreeg, zo verliefd en gek als ik op hem was.

Maar in werkelijkheid was ik bang. Niet alleen voor Johannes. Voor dat hij me zou slaan of me psychische klappen zou uitdelen met zijn neerbuigende commentaren.

Of dat hij zich van het leven zou beroven, waarmee hij vaak dreigde.

Ik was ook bang dat iemand zou merken waar ik in vastzat. Bang voor de schaamte die ik zou voelen als mijn hulpeloosheid werd ontdekt. En bang voor wie ik eigenlijk was, aangezien ik in mijn toenemende onechtheid bezig was om dat te vergeten.

Johannes sloeg me niet vaak. Hij sloeg ook niet bijzonder hard. Een paar keer kreeg ik blauwe plekken, maar dat was op plekken die ik kon verbergen. Ik denk dat hij er goed op lette waar hij me de klappen gaf.

Deed het pijn? Ja, soms deed het verschrikkelijk pijn. Vooral als hij me op een bepaalde manier kneep. Hij pakte een stukje huid beet tussen duim en wijsvinger en draaide het om. Achteraf, zoals ik het nu vertel, klinkt het bespottelijk, ja bijna onschuldig, maar het deed echt ongelooflijk veel pijn. En Johannes kon het heel openlijk doen, glimlachen en tegelijkertijd knijpen en draaien en niemand die het zag. De tranen brandden dan in mijn ogen en ik geloof dat ik er meestal in slaagde te verbergen wat er gebeurde.

Na een tijdje kwam ik er ook achter wat knijpen kon veroorzaken. Als hij dacht dat ik naar een andere man keek. Als ik in een gesprek iets zei wat uitgelegd kon worden als dat ik me ergens op liet voorstaan.

Als ik me achteraf beklaagde tegenover Johannes, zei hij dat hij het voor mijn eigen bestwil deed. 'Zag je niet hoe pijnlijk het werd toen je zo aan het opscheppen was?'

Hij wilde mij alleen maar waarschuwen. Mij ervoor behoeden dat het pijnlijk zou worden. Maar ik spande mijn lichaam en hield mijn rug schuin, en kromde die zo ver mogelijk om uit de buurt van de harde vingers van Johannes te blijven.

Misschien heb ik nooit over de mishandeling door Johannes verteld omdat die zo ... hoe zal ik het zeggen ... ondramatisch was. Hij sloeg me nooit helemaal in elkaar. Nooit zo dat er lichamelijke verwondingen ontstonden. Terwijl ik bang was dat hij steeds harder zou gaan slaan, kon ik er tegelijkertijd ook naar verlangen. Een kapotte lip of een gebroken rib. Dat was iets waar je mee aan kon komen. Dan was je een slachtoffer, een echt slachtoffer. Een of andere blauwe plek was niet iets waar je wat mee kon en waardoor je je mishandeld kon voelen. Integendeel, het had iets bespottelijks en die spot incasseerde ik.

Daarom was het mijn fout dat Johannes mij op die manier kon intimideren. Dat hij me kon knijpen en slaan en me kon vernederen. Hij oefende net voldoende fysiek geweld uit om te rechtvaardigen dat ik het accepteerde. Het geweld was te gering om mijn ondergeschikte plek te verklaren.

Maar bang was ik. En achteraf kan ik me suf piekeren over het waarom.

Ik moet denken aan hoe Osmo is. Dat er iets is met de manier waarop hij naar iemand kijkt. Zo was het ook met Johannes. Iets ergers, iets nog angstaanjagender was daar, hoewel hij mij er nooit rechtstreeks mee bedreigde. Het enige wat ik kan zeggen is dat ik deed wat hij zei. En ik schaam me er nog steeds voor.

Liegen vanwege een paar blauwe plekken. En vanwege een vaag gevoel van bedreiging, zo subtiel dat ik er nog steeds niet zeker van ben of het iets was dat in mijn gemakkelijk bang te maken hersenen was ontstaan.

Iets met die blauwe plekken zorgde ervoor dat mijn gevoel van eigenwaarde als een stuk lood naar de bodem van de vijver zakte. De eerste keer dat ik een blauwe plek zag, liet ik die aan Johannes zien.

We waren op een studentenfeest geweest bij een van mijn klasgenoten. 'Ik had ook een tien voor Zweeds', had ik gezegd toen iemand zijn hoge cijfer vertelde. Toen voelde ik het. Johannes' arm om mijn middel en hoe hij kneep en draaide. Ik begon te schreeuwen en zei: 'Maar wat ben je aan het doen?'

'Ik kneep je', antwoordde Johannes lachend, zodat als het ware iedereen om ons heen geloofde dat het een liefdevol klein kneepje was. Ik herstelde me snel en lachte mee. Later, toen we alleen waren, liet ik de plek aan Johannes zien. 'Zie je wat je hebt gedaan? Het deed heel erg pijn.' Eerst lachte Johannes weer, en hij kuste me op de blauwe plek.

'Sorry', zei hij tussen de lachaanvallen door. 'Sorry, maar je kijkt zo gepikeerd. Het is maar een blauw plekje. Ik wilde je gewoon stoppen, je merkte de blikken van de anderen niet, hoe pijnlijk je pocherij werd.'

Anders, kun je begrijpen dat ik begon te lachen, ik ook? Het is zo gemakkelijk om jezelf als mens kwijt te raken. Het draait allemaal om de voorbeelden die je hebt, wat je gewend bent. Dat anderen bepalen wat je moet accepteren.

Op het moment dat ik begon te lachen om het feit dat hij me pijn deed omdat ik belachelijk gemaakt werd, begon ik de greep te verliezen.

De volgende ochtend, toen ik wakker werd, was een deel van mij verdwenen. En wat er over bleef was die Ingrid die steeds meegaander werd.

Hoofdstuk tien

'Het is gemakkelijk jezelf te verliezen', zeg ik met dikke stem tegen Olga en ze draait langzaam haar gezicht naar me toe en knikt rustig. We kijken in elkaars ogen en we deinen samen verder op het zachte vlot van de drug.

'Ik heb een keer een vriendje gehad', fluister ik tegen Olga. Ik wil niet dat Osmo, Ronnie en Kaj het horen. 'Hij was niet aardig. Hij sloeg en kneep me.'

Olga kijkt me met ernstige ogen aan. Het duurt even, maar ik geloof dat ze begrijpt waar ik het over heb.

'Niemand is aardig', zegt ze daarna fluisterend. 'Geen van de mannen die ik heb ontmoet is aardig geweest. Ze moeten altijd van alles en slaan en dwingen. En drinken en maken ruzie. Ik wil helemaal niet met iemand zijn.'

'Kalle dan?' Ik fluister zo zacht dat Olga nauwelijks hoort wat ik zeg. Maar ik ben bang dat Kaj het zal horen. 'Kalle dan, hij was toch wel aardig?'

'Kalle was een zwijn', fluistert Olga in mijn oor. 'Kalle was een klootzak. Ik ben zo blij dat hij dood is. Ik haatte hem.'

Ik draai mijn hoofd om om Olga aan te kijken, om te zien of ze daadwerkelijk meent wat ze zegt. Mijn oor is warm en vochtig door haar gefluister.

Olga's ogen zijn zwart en ondoorgrondelijk. Ze glimlacht mysterieus en ik zie dat ze bezig is in slaap te vallen. Dat doe ik ook. Terwijl ik slaap heb ik de mooiste droom ter wereld.

Als ik weer wakker word ben ik nog steeds gedompeld in welbehagen. Maar ik heb dorst. Mijn mond zit vastgeplakt. Ik ga rechtop in bed zitten. Het duurt even voordat de bonzende duizeligheid verdwijnt. Buiten is het grijs, alsof de dag aanbreekt.

Hoe laat is het? Ik ben elk besef van tijd kwijt. Olga slaapt. Haar hoofd ligt achterover, ze heeft haar mond halfopen waardoor het onderste deel van haar voortanden te zien is. Het ziet er naar uit. Alsof ze dood is en tegelijkertijd op het punt staat om haar tanden ergens in te zetten.

Op een van de banken liggen Osmo en Yasmine in elkaars armen. Osmo slaapt diep, zijn wangen en zijn mond zijn als het ware wat weggezakt. Eén mondhoek is open en ziet er nat uit. Hij heeft een arm om Yasmine heen geslagen die met slechts de gele handdoek om haar lichaam gewikkeld naast hem ligt. Ze ziet er streng uit in haar slaap, heeft een scherpe frons tussen haar wenkbrauwen. Kaj zit op de andere bank, maar zijn hoofd hangt recht naar voren, zijn kin op de borst. Op zijn knieën is een natte vlek te zien, ik geloof dat het kwijl is.

Ronnie is de enige die wakker is. Zijn gezicht lijkt blauw door het licht van het flikkerende televisiescherm. En op de televisie zie ik mensen die met elkaar naar bed gaan. Een vrouw opent haar mond en krijgt sperma over haar gezicht heen gespoten. Ronnie kijkt uitdrukkingsloos naar het gebeuren. Hij zit doodstil, maar zijn ogen hebben die gebruikelijke manische, intense blik. Zijn ogen schieten heen en weer over het scherm, maar op zijn gezicht of aan zijn lichaam is verder geen enkele reactie te zien.

Het meisje op het scherm likt zich om haar mond, maar kan niet verbergen dat ze haar hoofd een beetje terugtrekt wanneer man nummer twee zich leegt.

Ronnie heeft me gehoord, hij draait zich snel om en lijkt zich er absoluut niet voor te generen dat ik hem betrap bij het bekijken van een pornofilm. Hij is eerder onverschillig en draait zich weer om naar het televisiescherm. Op de tafel staan bierblikjes, drankflessen die ik herken uit Sigges huis, papieren bekers met noedelsoep, zakken chips en een half stokbrood.

Ronnie legt zijn benen op de salontafel en het kan hem niets schelen dat twee soepbekers, weliswaar leeg, op de grond vallen.

Ik sta moeizaam op en loop voorzichtig naar de hal. Daar aangekomen blijf ik in verwarring staan en denk na. Een sterk gevoel om naar buiten te gaan stuurt me, maar ik ben vergeten welke kant ik op moet. Opeens voel ik dat ik heel nodig moet plassen en wanneer ik op de wc zit overvalt me een dorst die bijna levensbedreigend voelt.

Voordat ik mijn broek weer omhoog trek en als ik er heel zeker van ben dat ik niet meer hoef te plassen, draai ik de kraan bij de wastafel open en buig me voorover naar de waterstraal. Wat voor verdovend middel heb ik van Osmo gekregen? Morfine? Waarschijnlijk zijn het inderdaad een soort van morfinetabletten geweest. Ik trek mijn broek omhoog en haal diep adem. De drug is uitgewerkt en ik herken het gevoel van de vorige keer.

Deze keer is het pijnlijker. Gemener. Alsof ik was vergeten dat mijn hele lichaam pijn deed. Een soort pijn waarvan ik het bestaan niet kende.

Ik loop wankelend terug naar het bed en ga opnieuw naast Olga liggen. Ze ligt midden op het bed, is breeduit gaan liggen, en ik probeer het dekbed los te trekken dat vastzit onder haar lichaam dat zwaar is van de slaap. Het gedeelte dat loslaat leg ik over me heen. Ik kijk naar Ronnie en hij heeft zijn lid tevoorschijn gehaald. Het is blauw en scheef en hij wiebelt het heen en weer terwijl hij met een vreemde, verwrongen uitdrukking op zijn gezicht naar me kijkt.

Ik wend mijn gezicht af en sluit mijn ogen. Doe alsof ik niets heb gezien. En ik val weer in slaap.

De volgende keer word ik wakker omdat iemand me aan mijn haren trekt. Het is Osmo. Hij houdt me stevig bij mijn haren vast en trekt mijn hoofd omhoog. Ik plaats mijn handen op zijn handen en ik schreeuw het uit, luid. De angst slaat me met zo'n kracht om het hart dat ik nauwelijks kan ademhalen.

'Help. Help! Wat doe je?'

Ik fluister, mijn lippen zijn erg droog en ik ben mijn stem

kwijt, die is verdwenen toen ik schreeuwde. De schreeuw schrijnt in mijn keel en ik raak in paniek.

Ze staan allemaal bij het bed. Olga zit rechtop naast me. Het licht door het raam is fel. Het moet weer dag zijn.

Osmo laat vlug mijn haar los en houdt een *Expressen* omhoog. Op de voorpagina zie ik Sigge. Hij staat met zijn armen over elkaar geslagen en ziet er tevreden uit.

DOMINEE REDDE MIJN LEVEN is de kop. Een kleine foto waarop Sigge met een wat grimmige gezichtsuitdrukking wijst naar een plek op zijn erf. HIER STOND AUTO DIE VOORTVLUCHTIGEN VAN SIGGE STALEN. Ik begrijp het. Sigge heeft verteld hoe ik het mes heb weggemoffeld zodat hij zichzelf kon bevrijden. SIGGE, 26, VERTELT OVER ANGSTIG ETMAAL.

Ik zie Yasmine, haar gezicht is lijkbleek, haar mond een streep. Opnieuw krijg ik het gevoel dat ze denkt dat ik aan haar kant sta, tenminste aan de kant van Olga en haar, en dat ik nu, nog een keer, hen in de steek heb gelaten. Osmo tilt zijn hand op en ik ontkom er niet meer aan. Hij slaat me met zijn vlakke hand recht in mijn gezicht. Deze keer slaat hij echt hard.

Het is geen fabeltje wat men zegt over sterretjes. Ik zie ze, ze hebben een griezelig, bleek licht en de smaak van bloed vult mijn mond. Alsof mijn wang gevild is, mijn nek doet pijn. Alsof Osmo mijn hoofd er bijna afgeslagen heeft, alsof er een of andere dikke kabel in mijn nek breekt.

Opnieuw schreeuw ik. 'Au. Auauauauau!'

Osmo pakt me weer bij mijn haren beet, hij haalt uit met zijn gebalde vuist en sist dat ik nu mijn bek moet houden. Ik zwijg onmiddellijk, ik hou mijn hand voorzichtig tegen mijn wang, het klopt, mijn nek doet pijn, ik ben wakker geworden in een nachtmerrie. Ik kijk om me heen in de kamer. Ik begin te snikken, ik probeer om genade te smeken terwijl ik naar iedereen kijk. Kaj kijkt me aan met een ondoorgrondelijke uitdrukking. Ik vermoed dat hij het geloof in zichzelf begint te verliezen, in het vluchtproject en het hele leven, maar dat ik een verrader ben is onverdraaglijk voor hem. Ronnie is opgefokt. Hij bijt met zijn kapotte tand in zijn lip. Olga ziet er nog steeds duizelig uit, maar ik denk dat ze een beetje hetzelfde gevoel heeft als Yasmine, dat ze diep van binnen teleurgesteld is.

En wanneer ik Osmo zie heb ik ook het gevoel dat ik ze in de steek heb gelaten. In zijn woede zit iets geknakts. Hij heeft het voor me opgenomen, ik geloof dat hij zo denkt. Hij vergeet daarbij dat hij me heeft bedreigd, me tegen mijn wil heeft meegenomen, me bij mijn kind vandaan houdt.

Hij heeft geprobeerd netjes te zijn, zo denkt hij. En correct, en dan doe ik zo.

Osmo loopt bij me weg. Hij gaat op de bank zitten en strijkt met zijn hand over zijn kruin. Hij denkt, hij is de leider. Ronnie gaat op de bank ernaast zitten. Als een bezetene kauwt hij op een stukje kauwgom en ik kan het mis hebben, maar ik verbeeld me dat hij woedend is, maar ook opgetogen. Stilstand is wat Ronnie nekt. Ik geloof ook dat hij tevreden denkt: wat heb ik je gezegd. Ze is immers niet te vertrouwen.

Kaj loopt de kamer uit en ik hoor hem de badkamerdeur op slot draaien. Yasmine gaat naast Olga zitten, ze legt haar hand beschermend op Olga's rug. Hun blik is zwart en gekwetst.

'Ik …'

Verder kom ik niet. Ik weet niet wat ik moet zeggen. De krant ligt nog op het bed en ik trek hem naar me toe. Mijn wang zwelt, mijn nek doet steeds meer pijn.

De woorden van Olga van de avond daarvoor komen terug, echoën in mijn hoofd. Haatte hem. Ze haatte Kalle. Wat voor spelletje speelt ze? Wie zijn ze, de mensen die me bij mijn kind en mijn man vandaan houden, die mij mishandelen?

Eerder, in de keuken bij de doofstomme, vertelde Olga hoe correct Kalle tegen haar was. Als een broer. Zo zei ze het. Wat was er gebeurd als Kaj haar had horen zeggen dat ze Kalle haatte? Of weet hij het?

Ik loop de kamer uit naar de badkamer, voorovergebogen. De

deur zit op slot en ik begrijp dat Kaj daar nog steeds is. Ik loop de keuken in en draai de kraan open. Het water moet even stromen voordat het goed koud is. Daarna bet ik mijn wang een beetje, voorzichtig, heel voorzichtig. Mijn nek doet nog meer pijn als ik me vooroverbuig, en ik begin te snikken. Het klinkt als een rochel, alsof ik geen tranen meer heb, als oude buizen waar lange tijd geen water doorheen is gestroomd.

Langzaam loop ik terug naar de kamer, ik kijk naar de grond, ik wil niemand aankijken. Ik ga op de rand van het bed zitten en loer naar de krant. In de tekst op de voorpagina staat dat dankzij mijn doortastend handelen Sigge Svensson zich kon bevrijden en de politie kon waarschuwen, die nu weet dat de boeven niet ver weg kunnen zijn. Lees alles over het drama, bladzijde 6, 7, 8, 9, 10 en 11.

Voorzichtig sla ik de bladzijden van de krant om. Op pagina 8 ... er gaat een schok door me heen ... zie ik jou, Anders, met Kleintje op je schoot. Ik herken de foto niet. Die moet van heel kortgeleden zijn. De krant heeft een fotograaf naar ons huis gestuurd. Hoe ging dat? Hoe gedroeg jij je, Anders? Heb je koffie aangeboden terwijl je je handen samenkneep? Probeerde je de journalisten uit te horen of zij meer wisten dan jij? Was dat voor- of nadat ze over het bezoek bij Sigge konden vertellen?

Bel je Sigge op om meer te weten te komen? Vraag je hoe ik behandeld werd? Wat vertelt Sigge je dan? Maakt hij je nog banger of word je rustiger?

MAMA, KOM THUIS! is de kop van het artikel over jou en Kleintje. DE ECHTGENOOT EN DE DOCHTER SMEKEN DE VOORTVLUCHTIGEN OM INGRID VRIJ TE LATEN. Kleintje ziet er vrolijk en nieuwsgierig uit. Niet erg smekend. WE ZIJN ZO ONGERUST. LAAT HAAR THUISKOMEN BIJ ONS.

KLEINE KERSTIN VRAAGT NAAR HAAR MOEDER, INGRID CARLBERG, 38 JAAR.

En Anders, jij vertelt dat Kleintje en ik nog geen nacht zonder elkaar zijn geweest. Dat is waar. Niet één nacht. Voordat dit gebeurde.

De tranen die over mijn wangen biggelen smaken zout en het laat me koud wat Osmo of iemand anders daarvan vindt. Ik haat ze, haat ze zo dat ik ze tot moes zou kunnen slaan tot er alleen nog maar reepjes vlees en stukjes bot over zijn.

IK HEB GEEN OOG DICHTGEDAAN SINDS INGRID WERD MEEGENOMEN, ZEGT ECHTGENOOT ANDERS, 41 JAAR. MIJN GEDACHTEN ZIJN DE HELE TIJD BIJ HAAR. EN IK KAN NIETS ANDERS DOEN DAN DE OVERVALLERS SMEKEN OM ONS EEN TEKEN TE GEVEN DAT ZE HET GOED MAAKT.

Niets anders doen dan smeken. Is dat alles wat je doet, Anders? De irritatie welt in me op. Zou je ze ook niet tot moes willen slaan, zonder enige remming willen slaan, haat jíj ze niet ook?

Yasmine en Olga kijken me stilzwijgend aan terwijl ik de artikelen lees over mij en de ontsnapping en over Sigge. Hij zegt dat de voortvluchtigen blijk gaven van een zeldzame wreedheid, zowel tegen mij als tegen hem. Dat we allebei werden geslagen en dat hij echt met me te doen heeft omdat ik nog steeds bij hen gevangenzit.

'Ik wilde niet dat hij daar in de kelder zou verhongeren', zeg ik. 'Meer niet. Daarom heb ik hem geholpen.'

Ik fluister en door mijn gezwollen wang klinkt mijn stem vreemd lispelend.

Yasmine rukt de krant uit mijn handen.

'Ja, maar kijk hier eens …'

Ze zoekt naar een bepaald stuk in de krant.

'Ja, hier staat het.'

SIGGE SVENSSON BEVESTIGT DAT DE VOORTVLUCHTIGEN HULP HEBBEN GEKREGEN VAN TWEE VROUWEN. ZIJ ZIJN MET DE AUTO WEGGEREDEN, TERWIJL DE VOORTVLUCHTIGE MANNEN EEN DRANKFEESTJE IN SIGGES KELDER HIELDEN. DE MANNEN DWONGEN SIGGE SVENSSON OM TEGEN DE POLITIE TE LIEGEN. ALS HIJ NIET DEED WAT ZE ZEIDEN, ZOUDEN ZE VERTEGENWOORDIGERS VAN HUN BROEDERSCHAP STUREN OM ZIJN HUIS IN BRAND TE STEKEN. SIGGE DURFDE NIETS ANDERS

DAN HUN INSTRUCTIES OP TE VOLGEN. 'WANNEER IK HUN TEGENSPRAK, MISHANDELDEN ZE ME', ZEGT SIGGE SVENSSON. DE POLITIE IS NU OP ZOEK NAAR DE TWEE VROUWEN. MEN DENKT DAT ZE GEVONDEN MOETEN WORDEN IN DE KENNISSENKRING VAN EEN VAN DE MANNEN. SIGGE SVENSSON HEEFT EEN GOED SIGNALEMENT KUNNEN GEVEN. DE POLITIE IS BEZIG DE CONTACTEN VAN DE VOORTVLUCHTIGEN IN KAART TE BRENGEN EN GAAT DAARBIJ EEN AANTAL JAREN TERUG.

Yasmine vouwt de krant op.

'Heel erg bedankt. Binnenkort vinden ze ons. Weliswaar hebben we ons altijd op de achtergrond gehouden, maar toch. Het lukt altijd wel om iemand te traceren. Vooral over Olga kunnen ze iets te weten komen, haar broer en Kalle waren dikke vrienden, binnenkort staan wij daar vast en zeker op het aanplakbiljet met pasfoto en al.'

'Ik wilde alleen maar ...'

'Ach, zwijg. Ik kan het niet meer horen.'

Yasmine slingert de krant weg en loopt weg, de keuken in zo te horen. Ik zit nog op het bed met Olga, die met een lege blik voor zich uit staart. De krant ligt binnen handbereik en ik trek hem weer naar me toe. Voorzichtig, om niet de aandacht te trekken, sla ik de krant weer open. Ik blader weer naar de foto van Anders en Kleintje. Het is een zwart-witfoto, maar ik zie de kleuren van Kleintjes pyjamajasje toch. Gele en lichtroze olifanten met in hun slurf een parasol. Wat een absurde foto, waarom heb ik zo'n pyjama uitgekozen? En waarom heeft ze die aan? Kwam de fotograaf 's ochtends of 's avonds? Of denkt Anders dat het een gewoon truitje is, zo'n truitje dat je overdag aanhebt?

En jij, Anders. De trui die je daar aanhebt heb je vorig jaar van mij gekregen, als kerstcadeau. Ik tuur een beetje naar de foto, bekijk hem nauwkeurig. Ja, die is het. Wijnrood met een dun donkerblauw randje aan de boord. Gekocht bij Åhléns op een zweterige decembermiddag, twee dagen voor Kerstavond, ik herinner me nog hoe opgesloten ik me voelde. Opgesloten in iets, ik weet niet wat. Alleen dat het warm was in het warenhuis en dat het al gauw Kerstavond was en ik je kerstcadeau nog niet had gekocht. De herenafdeling voelde als een onoverzichtelijke plek met sombere donkere kledingstukken aan de rekken. Wijnrood, marineblauw, zwart en grijs. En ik werd overvallen door weerzin. Alsof ik mijn bestaan niet in de hand had, alsof ik op pad was gestuurd om iets te doen wat duizenden anderen met mij ook deden, namelijk rondslenteren, een beetje aan mouwen en kragen trekken en je proberen voor te stellen hoe het zou staan.

En ik wist niet wat ik zocht. Het enige wat ik wist, was dat ik moest doen wat er van me verwacht werd. Een kledingstuk uitkiezen, in de rij gaan staan, het laten inpakken in een doos en het aan jou geven en dan zou jij, wat je er ook van vond, verrast en blij kijken. En ik zou het toneelstukje spelen van dat ik het zelf bedacht had, heus.

Nu, nu ik echt gevangen ben en weggevoerd ben uit het vrije leven, begrijp ik niet dat ik accepteerde waar ik mee bezig was. Waarom gedraag je je alsof het zo moet, terwijl niemand je er eigenlijk toe dwingt? Waarom liep ik naar de kassa met die saaie trui in mijn hand, terwijl ik onzeker was over de maat, over de kleur, over het model, het merk, de wil, het leven.

Waarom zei ik niet tegen jou, Anders, we laten het kerstcadeau voor wat het is, we kopen lekker eten, we gaan op reis naar Italië, we eten ijs in bed, we zingen psalmen in het schuimbad of we doen absoluut niets behalve één ding: we vragen ons af of dit werkelijk is wat we willen.

Als ik ooit bevrijd word, beloof ik je één ding, Anders, en dat is dat jij en ik onszelf nooit weer moeten opsluiten. Dat we nooit samen gevangenissen creëren, nooit elkaars of iemands gijzelaar worden.

Die idiote, roze, strakke vrijetijdsbroek die Yasmine me heeft gegeven, snijdt in mijn taille. Ik heb er diep in geslapen, hij zit te strak en de plooien hebben mijn huid geïrriteerd. De boord heeft een vuurrode afdruk achtergelaten, en ik verschuif hem een paar centimeter naar beneden. De fluwelen stof is dicht en synthetisch, mijn huid ademt niet, ik ruik naar zweet en wasmiddel.

Ronnie, Kaj en Osmo zitten op de bank, ze zitten gekluisterd aan het ochtendprogramma. Daarin zal over het songfestival gesproken worden, maar eerst het laatste nieuws over ons. Een van de voortvluchtigen is dood gevonden in een huis in het bos, samen met een andere man. De andere man, Göran Skogsberg, is een WAO-er die sinds begin jaren tachtig in het afgelegen huis woonde. De man woonde alleen en men denkt dat de voortvluchtigen de man hebben verrast. Daarbij heeft hij een van hen kunnen doodschieten, waarop iemand van de voortvluchtigen hem neerschoot. Om onderzoekstechnische redenen is de politie terughoudend met details.

Er worden kaarten getoond, er worden pijlen getrokken tussen het huis van de doofstomme en het huis van Sigge om te laten zien hoe groot de afstand daartussen is, en op dit moment zoekt de politie daar in de omgeving. De verslaggever vraagt, bijna honend, of de politie niet denkt dat de voortvluchtigen nu al ver weg zijn. Er is nu toch al bijna een etmaal verstreken en je kunt in die tijd een heel eind komen. De politiewoordvoerder die de microfoon wordt voorgehouden zegt dat je daar natuurlijk nooit zeker van kunt zijn.

Is er sindsdien een etmaal verstreken?

Ik ben het besef van tijd helemaal kwijt. Hoeveel etmalen ben ik weggeweest? Drie nachten? Op de krant staat 3 februari. Wat voor datum was het toen ik werd meegenomen?

Het was 31 januari, nu herinner ik het me weer. Het briefje met de datum had al twee weken op ons prikbord gehangen. Jij, Kleintje, zou op het consultatiebureau een vaccinatieprik krijgen. We gingen daar 's ochtends naartoe, voordat ik je naar de crèche zou brengen, op dezelfde dag waarop ik meegenomen zou worden. Toen we aankwamen en ik je uit de wandelwagen hielp, was ik nog steeds verontwaardigd na de ruzie tussen jou, en mij, Anders, over het theekopje dat je in de afwasmachine had gezet.

Mijn bewegingen waren gehaast en ik had spijt. In mijn hoofd hield ik een toespraak voor jou, Anders, een toespraak waarin ik je om vergeving vroeg en probeerde uit te leggen waarom ik zo onaangenaam geïrriteerd werd over een op zich zo onschuldig en eigenlijk goedbedoeld gebaar van jouw kant.

Ik was zo geconcentreerd op de toespraak voor jou, Anders, dat ik ongeduldig werd toen jij, Kleintje, naar de tas reikte die aan de handvaten van de wandelwagen hangt, omdat daar vaak koekjes in zitten.

Ongeduldig en gestrest omdat je je kind liever geen zoete koekjes geeft tijdens een bezoek aan het consultatiebureau. Gestrest omdat ik me realiseerde dat ik een paar keer te vaak gebruik had gemaakt van die luie truc en meer aan jouw gebit zou moeten denken. Jouw tanden, Kleintje! Jouw mooie, kleine melktandjes, mama moet daar meer aan denken.

En nog gestrester werd ik, aangezien ik meende dat iedereen zat te staren toen je aan het nettasje rukte en trok. Dat de andere fantastische moeders het doorhadden wat voor schadelijke trucjes jij en ik hebben om rust te krijgen. Het was wel duidelijk wat je gewend was.

Jij wiebelde heen en weer en was vervelend toen ik ging zitten om met jou op mijn schoot te wachten. Ik wist dat die prik die je zou krijgen, je pijn zou gaan doen en ik had het gevoel dat ik je daarop voor moest bereiden. Maar ik wist niet hoe.

Mislukte vrouw en mislukte moeder. Dat soort gedachten had ik in mijn hoofd, terwijl jij op mijn schoot aan het draaien was en daarna koppig met onvaste stappen weer naar de wagen liep, met nog steeds dat koekje in je hoofd. En ik trok je daar weer bruusk vandaan. Toen we door de verpleegkundige werden opgeroepen, was je luid en woedend aan het schreeuwen. Naderhand huilde je uiteraard nog meer, toen je de prik kreeg. Ik was helemaal afgepeigerd en bezweet toen ik je op de crèche achterliet om daarna naar de inrichting te rijden.

Mislukte vrouw en mislukte moeder.

En daar in de inrichting speelde ik de hele dag de rol van iemand die beheerst en verstandig is. Tot aan, ja, je weet wel.

In de studio van het ochtendprogramma zit een professor in de criminologie en verder nog een politiewoordvoerder die antwoord geeft op vragen als: wat voor soort mensen dit zijn, hoe zoiets kan gebeuren en wat er nu waarschijnlijk gaat gebeuren.

De professor is van mening dat het hier om beroepscriminelen gaat die waarschijnlijk al in het buitenland zitten en hij bekritiseert de politie omdat ze zo onhandig hebben gehandeld. Ronnie klakt tevreden met zijn tong wanneer hij het hoort. Zelfs Osmo slaat zijn armen over elkaar als iemand die de situatie beheerst.

De presentator wendt zich tot de camera en zegt dat Ingrid Carlberg, de dominee die de voortvluchtigen gegijzeld hebben, dus nog niet is gevonden. Men vreest dat de voortvluchtigen haar bij zich hebben om uit een benarde situatie te kunnen ontsnappen door middel van bedreigingen. De presentator wendt zich tot de professor en vraagt hoe groot hij de kans acht dat ik hier heelhuids uit kom.

De professor krabt zich in het haar en veegt zijn neus af.

'Ja, dit zijn dus mannen die niets aan het toeval overlaten. Als ze een kans wil hebben om hieruit te komen, moet ze wel ...'

Osmo zet de televisie uit. Ronnie protesteert: 'Maar, wel godverdomme, we kunnen toch wel even kijken ...' Osmo kijkt hem ijskoud aan. Ik zie hoe zat hij Ronnie is. Er lopen rimpels van vermoeidheid en teleurstelling in Osmo's gezicht, het lijken wel kleispetters, een teken van inspanning, alsof hij door een lastig terrein is geploeterd.

'Mensen worden daar alleen maar paranoia van', zegt hij en hij kijkt daarbij met een veelbetekenende en woedende blik naar Ronnie, alsof hij wil zeggen: dat je ook niet één keer de situatie begrijpt, jij idioot. Ronnie reageert niet, maar staart chagrijnig naar de muur.

'We moeten ons hier een aantal dagen schuilhouden', gaat

Osmo verder. 'Niemand gaat naar buiten, behalve Yasmine en Olga misschien. Jullie moeten je haar knippen of verven. Doe iets zodat jullie niet beantwoorden aan de beschrijving die Sigge gaf. Iedereen houdt zijn waffel dicht, we maken überhaupt geen lawaai. Hebben jullie dat begrepen, allemaal? We zijn hier en we houden onze mond.'

De stilte verspreidt zich door de kamer. Ik haal diep adem. De angst welt in me op, dreigt me uit elkaar te laten ploffen en prikt in mijn huid. De lucht is benauwd, het voelt alsof ik geen lucht krijg. De muren van de kamer zien er grauw en smerig uit, ik denk dat ik in deze kamer nooit goed zal kunnen ademen. We zijn met te veel mensen en opnieuw begin ik te hijgen, hap naar lucht in een kamer waar geen lucht is.

'Ik kan niet', zeg ik. 'Het kan niet, ik kan niet. Ik kan niet ademen ...'

Ik sta door paniek bevangen haastig op. Het wordt zwart voor mijn ogen en ik ga snel weer op het bed zitten met de handen tegen mijn oren. Alsof het zou helpen als ik het geluid buitensluit. De gedachte dat ik in deze kleine flat met deze mensen moet blijven, nee, dat gaat niet. In mijn paniek schieten er drastische ideeën door mijn hoofd. Dat ik met mijn hoofd tegen de muur begin te bonken, dat ik me in mijn polsen snijd, dat ik luid ga schreeuwen, dat ik een raam kapotsla, een van de stoelen door het raam gooi. Ik open mijn mond om te schreeuwen, maar er komt alleen maar gehijg uit. En met alle impulsen die er door mijn hoofd schieten doe ik niets.

'Shit, ik weet niet of ik dit aankan', zegt Ronnie opeens en hij staat snel op. Hij klapt hard in zijn handen, een ander soort paniekgebaar. Alsof hij in een goed humeur is, en iedereen met zich mee wil krijgen, terwijl zijn gelaatsuitdrukking mij doet denken aan het moment dat hij vertelde over het jongetje dat stierf toen hij op de vlucht was voor de politie en in de auto zat die het jongetje aanreed. Ronnie kijkt naar mij en naar Olga die op het bed zit. Olga kijkt met haar uitdrukkingsloze gezicht terug. Ik geloof dat Ronnie hoopt op steun van mij en Olga, hoewel hij niet weet wat hij moet vragen. Hij kijkt om zich heen, naar het plafond, het is laag en de zucht die door zijn lichaam trilt, lijkt om hulp te roepen. Ronnie dringt zich langs de benen van Osmo en Kaj voor de salontafel, en hij meet de kamer op.

'Twaalf stappen kun je doen in deze kamer. Negen stappen meer dan in de bajes. Negen stappen vrijheid. Yes! Negen stappen meer in de vrijheid!'

Kaj slaapt half, hij is weer terug in zijn introverte hangen, hij zit er als een zoutzak bij. Ronnie schudt zijn hoofd wanneer hij naar hem kijkt en trekt een gezicht waarmee hij laat zien wat voor idioot hij Kaj vindt.

Osmo staat ook op van de bank, langzaam, en stapt dreigend op Ronnie af.

'Rustig nu. Ben je nou helemaal gek? Ben je dat nou echt, of doe je gewoon alsof?'

Ronnie antwoordt niet. Hij glipt weg, loopt naar het raam en doet het open. De lucht die naar binnen stroomt maakt me iets rustiger. Die is koel en helder. Het lijkt wel alsof Ronnie de lucht drinkt, hij steekt zijn hoofd naar buiten en zuigt als het ware teugen lucht naar binnen.

'Blijf bij dat raam weg', zegt Osmo. 'Kom op, wegwezen.'

Ronnie neemt nog een grote teug en loopt bij het raam weg. Het grijze ochtendlicht toont meedogenloos de chaos in de kamer. De vloer voor de bank is bezaaid met troep. Chipsresten en andere dingen zitten vastgekleefd in gemorst bier en noedelsoep. Noedels liggen als kronkelige wormen op het tapijt onder de salontafel.

Yasmine komt de kamer in, ze is in de keuken geweest. Ze draagt lichtgroene afwashandschoenen en heeft de mouwen van haar trui opgestroopt.

'Het lijkt hier wel een zwijnenstal. Waarom moeten jullie je toch gedragen als het meest gore stelletje varkens?'

'Jij was er ook bij en hebt er zelf ook een behoorlijke troep van gemaakt', zegt Ronnie bliksemsnel. Yasmine geeft hem een por wanneer ze bij hem langsloopt. Niet hard, maar Ronnie begint te wankelen. Het schijnt hem niet te deren en hij ploft neer in een fauteuil. Yasmine slaat een plastic zak uit en stopt er afval in. Ze gaat tekeer als de leider in een groep waar de rest van de groepsleden het opgegeven lijken te hebben.

Osmo verplaatst zich gehoorzaam zodat Yasmine erbij kan in haar energieke opruimronde. Hij lijkt haar dankbaar te zijn dat ze de puf heeft om energiek te zijn. Haalt zijn hand over de stoppels op zijn kruin en vermant zich.

'Oké, dit wordt het plan', zegt hij. 'Drie dagen. Dat moeten jullie maar accepteren. Daarna denkt geen enkele idioot meer dat we er nog zijn. Olga en Yasmine vertrekken en regelen eten en veranderen hun haardracht. Koop ook iets voor Ingrid. En de tijd dat we hier zijn, tja, dan moeten we maar wat kaartspelen, tv kijken, zuipen, ja, ik weet niet. Ons gewoon gedeisd houden. Maar we moeten ophouden over alles ruzie te maken. Degene die dat doet …'

Midden in de zin is Osmo dat dreigen zat. Hij zucht en leunt achterover op de bank.

Mijn angstaanval verminderde toen Ronnie het raam opende. Maar er zit nog een beetje, het zit in mijn maag en ik ga naar de wc. Het stroomt eruit. Mijn maag brandt en ik heb kramp en een van de gedachten en opwellingen die er in de paniek door mijn hoofd jaagt, is dat ik ervoor moet zorgen wat eten en drinken binnen te krijgen. Door de drugs van Osmo raak ik de greep op de tijd en het vervullen van mijn basale behoeften kwijt. Hoelang is het geleden dat ik iets heb gegeten?

Ik moet eten hebben.

Niet zo vreemd dat het weer zwart wordt voor mijn ogen wanneer ik opsta. Ik wankel naar de keuken en gris een paar gesneden boterhammen naar me toe die op tafel liggen. Maar wanneer ik de koelkast open op zoek naar boter en beleg, word ik overvallen door apathie. Mijn armen hangen maar en weigeren te gehoorzamen, zijn niet in staat het kuipje boter te pakken dat daar in de koelkast ligt, vlak voor mijn neus.

Door het normale in het smeren van een boterham blokkeer ik. Als ik de boter en het pakje ham dat er ook ligt, zie ik, zou pakken, zou ik de situatie als juist, ja, als normaal accepteren. Alsof ik er werkelijk bij hoor.

In plaats daarvan breng ik de droge boterham naar mijn mond en neem een hap.

'Doe er een beetje boter op. Of in elk geval iets.'

Ik draai me om en daar staat Olga. Ze kijkt nog steeds wat afwezig, op een manier die typerend voor haar is, heb ik gemerkt. Met haar slaapwandelachtige houding pakt ze de boter, het pakje ham en een potje marmelade uit de koelkast. Ze legt drie stukken brood op het aanrecht en pakt de snee brood uit mijn handen. Daarna smeert ze boter op alle sneden brood, doet er een beetje rode marmelade op en als laatste nog een plak ham. Ik sta ernaast en moet me inhouden om niet te zeggen dat de boterhammen die zij maakt wel de meest merkwaardige zijn die ik ooit heb gezien. Ze legt er twee op elkaar en nog eens twee en geeft mij de andere dubbele boterham.

Olga gaat op de ene keukenstoel zitten en begint de dubbele boterham op te eten. Ze ziet een leeg glas op tafel staan, ruikt eraan, kijkt of het redelijk schoon is en giet er dan sinaasappelsap in uit een pak dat op tafel staat.

'Ik snap waarom je dat hebt gedaan met die man in het huis', zegt ze zacht terwijl ze een haastige blik naar de deuropening werpt. 'Je kunt een beetje paranoïde worden van het idee dat iemand zal verhongeren en zo.'

Ik ga op de andere stoel zitten en neem een hap van de dubbele boterham. De combinatie van gerookte ham en frambozenmarmelade smaakt goed, te midden van dit alles smaakt het zelfs troostrijk. Olga eet met smaak. Het is aanstekelijk. Ze knikt naar me, alsof ze wil zeggen: nog een, of niet? Ik knik terug en het lukt me zelfs om te glimlachen. Het zwarte in Olga's ogen toen de krant op het bed werd neergelegd, is verdwenen. Ze heeft besloten om mij weer te vertrouwen. Waarom zou ze dat willen?

Olga staat op, maar wanneer ze met boterham nummer twee komt voel ik dat mijn maag weer krimpt van angst. Ik probeer tegen haar te glimlachen, neem de boterham van haar aan, maar leg hem naast me neer, op de tafel.

'Ik bewaar hem voor later', zeg ik.

Olga gooit haar haar achterover en begint aan haar tweede boterham. Maar na drie happen legt ze die van haar ook neer.

'Ik ben bang om te eten', zeg ik. 'Mijn maag, het gaat niet.'

Olga zegt niets, maar schuift het glas sinaasappelsap naar me toe. Ik pak het glas en neem een paar slokken. Het glas ruikt vaag naar bier.

'Vertel eens meer over waar je vandaan komt', zeg ik. 'We moeten hier toch blijven. We kunnen dingen vertellen, dan word je minder nerveus.'

'Uit een of ander Russisch gat', zegt Olga. 'Ziet eruit als elk ander gat. Misschien niet zoals in *Lilja 4-ever*, ietsje beter, maar net zo mistroostig. En er was niet zo veel als hier.'

Olga praat met zachte stem, die klinkt alsof hij op het punt staat te breken. Toch heb je het gevoel dat het niet zo is. Dat de breekbaarheid die je bij de eerste blik denkt te zien en te horen, een illusie is. De manier waarop ze mijn boterham maakte, die van haarzelf, de manier waarop er plotseling een wil, een vastbeslotenheid bezit van haar neemt, getuigt van kracht.

'Jullie snappen niet hoeveel jullie hebben', gaat Olga verder en ze klinkt plotseling verontwaardigd. 'De Zweden zijn de meest verwende mensen op aarde. Alleen maar moeten hebben en meer moeten hebben. En nog is het niet genoeg. Mijn broer, hè, hij was hier eerst en deed een keer mee met spullen jatten uit huizen. En toen hij terugkwam, weer bij mij in Rusland, toen kon ik gewoon niet geloven dat het waar was wat hij vertelde. Iedereen had een eigen televisie en een eigen computer en een eigen kamer en een eigen mobiele telefoon. En de kinderen deden niets, zei hij, ze zaten maar achter hun computer of voor de televisie. En ze vraten hamburgers en snoep en sushi en wat ze maar wilden. Mijn broer geloofde zijn ogen niet, hij zei dat het er in Zweden nog decadenter uitzag dan in Parijs en Londen, notabene. En ik wilde hier naartoe, uiteraard.'

'Er zijn mensen die ...', begin ik te zeggen, in een halfslachtige poging om te protesteren.

'Jullie leven als koningen en zeuren als oude wijven', valt Olga mij in de rede.

Ik laat het onderwerp rusten. Misschien heeft ze gelijk. In plaats daarvan vraag ik haar hoe ze zo goed Zweeds heeft geleerd. Ze antwoordt, en nu lijkt ze wat opgevrolijkt, dat ze altijd gemakkelijk talen heeft kunnen leren.

'Ik spreek ook Engels en Duits', zegt ze. 'Duits heb ik op school geleerd, maar Engels heb ik hier geleerd. Toen ik hier kwam, zeven jaar geleden, kon ik alleen maar Russisch en Duits. Je begrijpt zeker wel hoe gemakkelijk het toen was om met mensen te praten.'

'En Kalle dan?'

Kalle – van wie je gisteren zei dat je hem haatte?

Olga kijkt plotseling in zichzelf gekeerd. Ze schikt haar bosje haar in haar nek. Haar hals is dun en geaderd. Lijkt kwetsbaar en naakt. Opeens zie ik de kleur van de hals van Kalle en die doofstomme voor me, en ik kijk snel weg. Ik haal diep adem.

'Ik bedoel, welke taal sprak je met hem? Sprak Kalle Russisch of Duits?'

Olga begint te snuiven.

'Die? Verwende Zweed die alles had gekregen, zoals iedereen hier, en niets kon. Hij kon misschien tien woorden Russisch en net zo veel woorden Duits. Dat was alles. En denk je dat hij er nog een paar bijleerde, hoewel hij zo vaak in Rusland was? Nee, kom nou toch. Hij sprak Zweeds, snap je dat? Hij bleef gewoon zijn Zweeds praten en ging ervan uit dat de mensen begrepen wat hij bedoelde. Een geluk voor hem dat mijn broer Zweeds had geleerd tijdens die keren dat hij hier was. Want hem gaat het gemakkelijk af, net als mij.'

Olga steekt haar kin naar voren, ze kijkt voldaan en een beetje gewichtig.

'Hoe kon je dan met Kalle praten?'

'Ik leerde na verloop van tijd ook wat Zweeds. Maar daarvoor, tja, toen was het meer dat Kalle aanwees en zijn Zweeds praatte en ik probeerde te begrijpen wat hij wilde. Als mijn broer erbij was kon hij vertalen. En van hem heb ik een paar Zweedse zinnen geleerd die ik later tegen Kalle kon zeggen.'

'Wat leerde je dan?'

Olga bloost plotseling een beetje, alsof ze zich geneert.

'O, het was belachelijk, meer voor de grap, snap je? Hij leerde me zeggen: "Olga wil kusje", "Olga wil cadeautje hebben", "zitten op papa's schoot", "foei, schaam je, jij oude klootzak" …'

Olga's wangen worden steeds roder terwijl ze de zinnen opdreunt. En ze zegt ze met meer accent dan daarvoor. Het zijn zinnen uit een andere tijd, uit een ander leven.

'Leerde je broer je dat soort dingen zeggen?'

De blos kruipt omlaag langs haar hals en haar neusvleugels verwijden zich wanneer ze sneller gaat ademen.

'Mijn broer dacht dat Kalle ons zou kunnen helpen, snap je? Dat we zouden … ja, dat we hem te vriend moesten houden, dat hij bereid moest zijn om ons te helpen. En Kalle was gek op me. Dat moesten we niet kwijtraken … o, kun je dat begrijpen, stomme Zweedse trut? Je moet slim denken, moet je zien te redden.'

Olga kijkt me plotseling hatelijk aan.

'Ik ben erg onder de indruk van je,' zeg ik, 'dat je je de taal zo snel eigen hebt gemaakt en dat je je weet te redden …'

Olga kijkt weer wat milder.

'Mm, dat weet ik. En ik heb ook niets voor niets gekregen. Heb alleen maar gewerkt.'

'Dus je was vijftien jaar toen je Kalle ontmoette?'

'Dertien.'

'Nog maar een kind, Olga. Ik meende dat je zei dat je ouder was?'

'Ik zeg altijd vijftien, anders gaan mensen van alles denken. Vijftien of zeventien, afhankelijk van wie het vraagt.'

'Denken wat?'

'Dat hij me misbruikte en zo.'

'Deed hij dat dan?'

Olga kijkt naar beneden. Ze prikt in de boterham die er nog ligt. Ik probeer de cijfers bij elkaar op te tellen. Dertien toen ze elkaar ontmoetten, misschien vijftien, zestien toen ze hierheen kwam. Zeven jaar geleden. Hoe oud is ze nu? Drieëntwintig? Ze heeft tot nu toe haar leeftijd verborgen gehouden door erover te liegen, maar ook door zich te verbergen achter stoerheid. Maar wanneer ik haar beter bekijk, merk ik dat haar voorhoofd zo glad is als pas gestreken zijde.

'Hij zorgde voor me.'

Ik verzamel moed en vraag haar over wat ze heeft gezegd, toen we onder invloed van drugs in bed lagen te praten. Dat ze Kalle haatte. Is dat zo?

Olga kijkt onrustig naar de hal. We horen hoe Yasmine daar wat bazig rondloopt, hoe ze orde eist en met Osmo en Ronnie bekvecht over wat er wel en wat er niet gekocht moet worden. Kaj horen we alleen zeggen dat hij drank wil hebben. Dat is het enige: 'Ik wil drank.'

'Jij bent dominee, hè? Je moet dingen aan jou vertellen?'

'Als iemand dat wil.'

'Ik haatte Kalle. Ik haat hem nu ook. Hij was een zwijn en zijn broer daar is dat ook.'

'Kalle gebruikte je?'

Olga zucht. Ze eet de resten van de kapotte boterham op.

'Jullie zien dat zo ... ach, jullie Zweden. Het is zo moeilijk om met jullie te praten, jullie doen op een wat vervelende manier alsof er alleen maar schurken en arme, kleine slachtoffertjes zijn die elkaar gebruiken. We hielpen elkaar, Kalle en ik. Hij had moeite met Zweedse meisjes, met meisjes die oud waren en zo. Hij zei dat ze zeurden en niet sexy waren, maar hij was natuurlijk bang. Hij zei dat ik lief was. En ik zei alleen maar "Olga wil op Kalles schoot zitten."'

Olga herhaalde de zin met haar oude accent, maar nog meer aangezet en ze knipperde met haar wimpers om te laten zien wat voor poppenrol ze speelde.

'Zo ongeveer. En ik … niemand anders had zich op die vaderlijke manier om mij bekommerd. En dat moest hij dan zijn, een wat merkwaardige papa. Hij zei het zo nu en dan, moet papa helpen, moet papa het regelen? Maar zoals gezegd, uitbuiten, ik weet niet hoe je het moet noemen. We hielpen elkaar.'

'Wat kreeg je?'

'Voornamelijk spullen. Kleren, sigaretten, cd'tjes, zo'n ding waarmee je cd'tjes kunt afluisteren. Hij kwam met cadeautjes. En ik moest zo blij zijn, als een of andere arme sloeber op Kerstavond. En natuurlijk werd ik blij, maar … daar ging het niet om.'

Ik schenk nog wat sap in. Door de vertrouwelijkheid tussen mij en Olga word ik weer mens. Dit ben ik! schreeuwt mijn lichaam. Iemand die met mensen praat, die luistert.

Olga waagt het erop. Er ligt nog een lichte blos op haar wangen. Ook zij lijkt in het praten iets bij zichzelf te vinden, ook zij wordt meer een persoon.

'Het ging erom om hier te komen. Hier wonen, hier blijven. Ik wilde niet achterblijven. Ik wilde over mezelf beslissen, mijn eigen geld verdienen, mijn eigen vrije leven leiden. Studeren. Naar andere landen kunnen reizen …'

'Kon je dat dan niet in Rusland doen?'

'Misschien nu. Maar toen … Het was allemaal zo onrustig. Ik wilde hierheen, omdat hier alles meer geregeld was. Zo hielpen we elkaar. Kalle mocht een aardige papa zijn die … ja, hij wilde immers graag iemand op zijn schoot hebben en … dus zo hielpen we elkaar.'

'Maar waarom haat je hem dan, als jullie elkaar hielpen, zoals je zelf zegt?'

Olga ziet er overdonderd uit, maar niet boos. Meer alsof ze zelf niet goed heeft nagedacht over het waarom, maar het als iets vanzelfsprekends heeft gezien dat ze hem haat. Plotseling ziet ze er ook angstig uit.

'Je mag zulke dingen niet zeggen zodat zij het horen', fluistert ze. 'Ze weten het niet', zegt ze zacht en ze wijst met haar duim in de richting van de hal.

'Ik zeg niets.'

'Ik vond hem vooral een viezerik. Dat het walgelijk was als hij je aanraakte en zo. Want hij was toch lief tegen me. Hij wilde me geen pijn doen, hij kon er niets aan doen dat het walgelijk was als hij moest …'

Yasmine komt de keuken in en meteen zie ik haar ongenoegen over wat ze heel vlug oppikt als vertrouwelijkheid tussen Olga en mij.

'Olga, we moeten nu naar de stad. Hou op met praten. Begrijp dat dit ernst is. We moeten de kop erbij houden.'

Olga ziet er plotseling angstig uit.

'Ik heb niets gezegd, hè?'

Ze kijkt me smekend aan.

'Nee, toch?'

Ik schud mijn hoofd. En wanneer Olga en ik elkaar aankijken, hebben we een geheim.

Het geluid van de voordeur die dichtgaat nadat Olga en Yasmine zijn vertrokken echoot troosteloos na. Zoals toen je klein was en bang om alleen thuis te zijn. De stilte die ontstond wanneer mama of iemand anders de voordeur dichtdeed. Een soort actieve stilte, een stilte die bijna een dierlijk geluid had. Plotseling begint Ronnie te snuiven. Het klinkt eerst alsof hij moet niezen, maar ik begrijp al gauw dat het een geluid van frustratie is, want hij staat op en trekt zo hard aan zijn trui dat de stof kraakt.

'Nee, wil ik het hier uithouden dan moet ik op een bepaalde manier even weg kunnen', zegt hij met een paniekerige trilling in zijn stem. 'Kom op, wat heb je?'

Hij steekt zijn hand uit naar Osmo, die zijn donzen vest openslaat dat hij zelfs in huis nog aanheeft. Kaj steekt zijn hand ook uit en ik zie dat Osmo ze ieder een zelfde soort pil geeft als die ik eerder heb gehad. Ronnie loopt met snelle passen naar de keuken, in de deuropening botst hij tegen me aan omdat ik niet snel genoeg een stap opzij heb kunnen doen. Hij pakt een glas, vult het met water en slikt zijn pil door. Ik voel een steek van afgunst. Nee, ik voel een sterke golf van afgunst. Binnenkort heeft hij het, dat heerlijke gevoel ... Ik huiver. Mijn gedachten en gevoelens, ik had nooit gedacht dat ik zo ver zou kunnen komen. Verlangen naar drugs.

Ik denk die woorden, verlangen naar drugs, het is iemand anders die dat denkt. Stukje bij beetje raak ik mezelf kwijt, in mijn ooghoeken zie ik de donkere bult met mijn oude kleren, een kreukelige bult Ingrid van gisteren.

Ronnie staart me aan, alsof hij mijn staren ruw wil onderbreken. En ik wend me snel af. Ik kan Ronnie alleen nog maar zien zoals hij naar de pornofilm zat te kijken. Ik begin te geloven dat ik het me heb ingebeeld. Ook Kaj komt de keuken in. Hij ziet noch Ronnie noch mij, hij loopt naar de gootsteen waar hij zich vooroverbuigt naar de kraan en begint te drinken. Ronnie mompelt iets. Ik hoor het niet. Was het laatste 'domme os'? Kun je zoiets zeggen? Domme os?

'Zei je iets?'

Kaj drukt Ronnie tegen de keukenwand aan door zijn onderarm tegen de hals van Ronnie aan te drukken. Het gezicht van Ronnie wordt al blauwrood, toch spant hij zich in om met een honend lachje te reageren. Kaj laat hem los en Ronnie leunt voorover en snakt naar adem. Kaj duwt hem weg en is bijna door de keukendeur verdwenen wanneer Ronnie met zachte stem zingt: 'Zie ginds komt een stomme os uit ...'

Kaj draait zich bliksemsnel om en drukt Ronnie opnieuw tegen de wand. Ronnie wordt steeds blauwer in het gezicht. Kaj blijft drukken. Ronnie blijft lachen, maar zijn ogen lijken er elk ogenblik uit te kunnen springen. Ik trek aan Kajs arm, want ik geloof dat hij Ronnie zal doden.

'Help! Osmo!'

Ik heb geen controle over de kracht van de schreeuw. Ik krijs hysterisch, al mijn angst krijgt opeens een stem. Nadat ik Osmo heb geroepen komen er geen woorden meer, ik gil alleen maar. Osmo komt binnenstormen en Kaj laat Ronnie los. Osmo pakt me erg stevig bij mijn schouders beet en sist dat ik mijn bek moet houden. Hij duwt me hard tegen de muur en ik voel hoe mijn hoofd tegen de deurpost slaat.

'Hij ... probeert ... hij maakt hem dood ...'

Osmo drukt zijn hand stevig op mijn mond en dat is afschuwelijk, ik kan nauwelijks ademhalen, ik heb het gevoel dat ik net zo blauw ben als Ronnie. Osmo's hand ruikt naar chips en aftershave, ik schud heftig mijn hoofd heen en weer. Niet om weer te kunnen gillen, maar omdat Osmo's hand hard en groot is en mijn neus ook bedekt. Ik krijg geen lucht.

Osmo haalt zijn hand van mijn mond. Terwijl hij me nog steeds met zijn andere arm in een stevige greep houdt, haalt hij pillen tevoorschijn – ik weet niet hoeveel – en propt ze met woedende vingers in mijn mond. Daarna drukt hij mijn kaken op elkaar en zegt dat ik moet slikken. En ik probeer het. Ik durf niet anders, maar ik wil het ook. Ik denk dat ik iets krijg wat me slaperig maakt en me ontspant, wat me helpt om hieraan te ontsnappen. Wat ervoor zorgt dat de tijd voorbijgaat.

Ronnie reikt behulpzaam een glas water aan en Osmo giet het water in mijn mond. Het komt verkeerd terecht, ik hoest en heb weer het gevoel dat ik stik.

Osmo trekt me de woonkamer in en gooit me op het bed. Hij gaat schrijlings op me zitten. Dan pakt hij zijn zakdoek, die in zijn broekzak gefrommeld zat. Knoopt die om mijn mond, en wanneer ik eraan denk wat hij met die zakdoek kan hebben gedaan, krijg ik braakneigingen tussen mijn snikken door.

Maar dat weerhoudt Osmo niet. Hij bindt hem stevig om mijn mond, hij is aan het eind van zijn Latijn, ik denk dat hij zich zo voelt. Genoeg nu. Geen gezeur meer van mij of van iemand anders. Hij bindt mijn voeten ook aan elkaar vast en ik smeek, smeek de pillen die hij in me heeft geprop, doe je werk nu, doe je werk snel, help me nu want ik weet niet wat ik moet doen met mijn angst, met mijn paniek. Nadat Osmo mijn enkels heeft vastgeknoopt houdt hij mijn handen vast en buigt zich over me heen. Hij duwt zijn enorme lichaam tegen me aan en sist vlak bij mijn oor: 'We kunnen precies met je doen wat we willen. Begrijp je dat? Je bent er niet meer, je bent niet van jezelf zoals hiervoor. We kunnen gewoon doen wat we willen. Oké? En dat gaan we doen als we dat willen. Wat we willen.'

Hij laat mijn armen los alsof hij ze van zich af wil gooien en stapt van me af. Hij bindt mijn armen op mijn rug, ruw en ongeduldig. Daarna verlaat hij de kamer en ik hoor hoe hij de keuken weer inloopt.

'Nu ben ik het godverdomme zat', hoor ik hem woedend tegen Kaj en Ronnie sissen en daarna hoor ik het geluid van een klap. Maar ik wil niet luisteren. Ik probeer de bekvechtende stemmen buiten te sluiten. Ik doe mijn ogen stijf dicht en wil weg.

Kleintje.

Ik herhaal je naam in mijn gedachten, steeds maar weer. Kleintje, Kleintje. Terwijl ik je roep, Kleintje, tegelijkertijd wil ik me omdraaien wanneer ik jouw beeld voor me zie. Ik verdedig me, zo moet je me niet zien, nooit. Je moeder in haar diepste vernedering, ik wil ook niet dat jij me zo ziet, Anders.

Kleintje, Kleintje, Kleintje. Ik blijf het maar herhalen terwijl ik mijn hoofd naar het raam draai. Buiten valt langzaam scherpe, troosteloze sneeuw. De lucht is door en door grauw en ik weet niet waar ik ben, en of ik dit zal overleven. Echt. Niet alleen maar omdat je in dergelijke situaties zoiets zegt. Er gebeurt iets met je gedachten wanneer je met je neus op dit inzicht wordt gedrukt, wanneer je er onverbiddelijk op wordt gedrukt. In dat gevoel van beklemming versplinteren gedachten, het is alsof ze kapotgaan. Ze vallen kapot in duizend stukjes, er zit geen logica meer in. Ik herhaal: Kleintje, Kleintje, alsof me dat zou helpen iets te vinden waar ik me aan vast kan houden, iets wat ...

De roze fluwelen broek is een behoorlijk stuk naar beneden over mijn heup geschoven en ik kan niets doen om hem weer op te trekken.

Doen wat ze met me willen.

Kleintje, nu komt er een van deze toespraken voor jou. Je begrijpt, mama moet even verdwijnen. Ze kan er niet meer bij zijn. Wanneer het medicijn dat mama heeft gekregen begint te werken, dan zal mama verdwenen zijn. Het gaat jou en papa zo lang goed want mama ...

De tranen wellen op en beginnen te stromen, ze zijn van karakter veranderd, ik spetter ze niet meer alle kanten op, ze zijn zeldzamer, maar als ze komen, is het alsof ze uit bloed bestaan. Warm, traag, groot.

... mama kan niet meer. Ze moet het licht doven, in een schaduwrijk glijden, maar Kleintje ...

Dikke tranen weer.

... Kleintje, ik kom terug en nu voel ik het weer, de drug, nu maakt het me rustig, nu is het mijn vriend die zegt dat alles goed komt. En dat ik mag, dat ik mag verdwijnen, het gaat, doe het maar, maar wacht ...

Er klopt iets niet, het is niet meer dezelfde heerlijke rust. Het is alsof ik klaar sta, wacht op de golf die komt, maar die me niet draagt zoals ik hoopte, het is een miezerige golf en in een gevoel van teleurstelling dommel ik weg, val ik in slaap.

Ik droom over jou, Kleintje. En ik droom over Johannes.

Jij bent weg, Kleintje, en ik zoek je, overal. Natuurlijk ben ik verstijfd van schrik, maar in de droom is het alsof het heel gewoon is dat je weg bent. Dat mijn leven met jou een min of meer met angst gepaard gaande zoektocht is.

En ik ren door een straat, het is winter, zoals nu, er ligt ijs op straat. Ik heb moeite om mijn evenwicht te bewaren, glij uit. En plotseling staat hij daar. Hij is een beetje ouder geworden, zijn huid is marmerkleurig en hij heeft mooie rimpels, alsof ze in steen gekrast zijn. Wanneer ik hem tegenkom heb ik het gevoel dat hij zelfverzekerd is en onvermurwbaar, terwijl ik ongerust en instabiel ben. Hij heeft zwaarte en ik ben licht.

'Maar Ingrid, dat is langgeleden.' Dat zegt hij, en hij blijft staan om even een praatje te maken. Zou het zo gaan als ik hem in werkelijkheid tegenkwam, dat hij verwacht dat we even leuk met elkaar kunnen praten? Kun je denken dat zoiets kan, als je weet dat je iemand onderdrukt hebt, zoals hij mij heeft onderdrukt?

In mijn droom wil hij een praatje maken en hij doet het met een superieure glimlach. Eerst wil ik niet vertellen dat ik je kwijt ben, Kleintje, maar ik hakkel zinnen als 'Ja, het gaat goed met me, ben getrouwd en heb een klein meisje.' en 'Het leven is niet meer hetzelfde sinds ik een kind heb gekregen.' En terwijl ik praat dwaalt mijn blik heen en weer, zoekt en vraagt zich af waar je bent. Ten slotte draait ook Johannes zich om en vraagt of ik iemand zoek.

En op het moment dat ik antwoord 'mijn dochter', verschijnt er een triomfantelijke glimlach op het gezicht van Johannes. Met gloeiende wangen realiseer ik me dat hij dat de hele tijd al heeft vermoed. Ik ben niet in staat om een kind in het gareel te houden, ik ben een slechte moeder, mijn dochter is op drift en heel even ontken ik voor Johannes dat je weg bent.

'Nee, ik sta gewoon op mijn man te wachten.' Maar op het moment dat ik zeg 'mijn man' zie ik aan Johannes dat hij dat ook niet gelooft. Hij gelooft niet dat ik een man heb, het enige wat hij gelooft is dat ik een kind heb dat ik niet in het gareel kan houden.

Wanneer ik wakker word is het met een diep gevoel van mislukking, van de slechtste mens ter wereld te zijn. In mijn eerste opwelling wil ik protesteren, maar dan voel ik de zakdoek waarmee mijn mond gesnoerd is. Die is nat, het speeksel is over mijn wangen gelopen en ik vind dat het afschuwelijk ruikt. Ik word ineens misselijk en probeer weer rechtop in bed te gaan zitten. Ik ben vergeten dat mijn armen en benen vastgebonden zijn en de paniek wordt heviger wanneer ik tot die ontdekking kom. Ik begin hysterisch te schoppen, schud mijn hoofd heen en weer en hyperventileer door mijn neus.

Ik zie de anderen verderop op de bank. Ze kijken naar een film. Yasmine en Olga hebben handdoeken om hun haar gewikkeld als tulbanden. Ronnie staat snel op en komt naar me toe.

'Rustig maar, rustig maar, rustig maar', spreekt hij me vermanend toe. Maar ik kan het niet. Ik schop en schop en draai en haal snuivend adem. Het wordt me zwart voor de ogen. Ik hoor, heel ver weg, Yasmine zeggen: 'Snap je dan niet dat ze kan stikken.' en daarna voel ik hoe iemand de zakdoek losmaakt. Ik haal adem door mijn vrije mond, haastig en gretig.

Het is donker in de kamer, het licht van de televisie komt niet tot aan het bed, maar ik zie toch dat Ronnie en Yasmine naast me zitten. Yasmine ruikt naar wijn als ze zich naar me toe buigt en vraagt hoe het met me is.

'Goed', hijg ik terwijl ik opnieuw een razende, schoppende beweging maak met mijn vastgebonden benen. Waarom antwoord ik 'goed'?

'Maak me los', jammer ik terwijl ik met mijn benen schop. 'Ik zal stil zijn, ik beloof het, maar maak me los …'

Osmo torent naast Ronnie en zegt: 'Oké, we doen het.' Plotseling zijn mijn handen en voeten vrij en ik spartel hysterisch met mijn benen, alsof ik probeer mieren of iets anders van me af te schoppen. Osmo legt een zware hand op mijn ene been. Hij zucht diep, hij is het zat om mij vermanend toe te spreken, maar hij doet het weer: 'Je weet hoe snel we je weer vastgebonden hebben, toch?'

De woorden sijpelen naar binnen, de werkelijkheid stroomt weer in mijn hersenen. Ik ben bezweet en mijn hele lichaam is als het ware murw van angst, van het kleinste gebaar, van de kleinste beweging word ik angstig en ik probeer te slikken. Yasmine lijkt mijn dorst te hebben gezien, ze reikt me een glas water aan dat naast het bed heeft gestaan. Ik drink en drink, ik wil niet ophouden.

Daarna ga ik rechtop in bed zitten, met mijn handen voor me, alsof ik ze allemaal bij me weg wil houden. Ik kapsel mijn angst in alsof het een stuifzwam is. Je hoeft me maar een heel klein beetje onder druk te zetten en de angst is weer los.

'Kom bij ons op de bank zitten, we kijken naar een film. Yasmine heeft er een gehuurd.'

Osmo's stem klinkt vriendelijk en ik begrijp dat ik er vreemd uitzie. Vreemd op een manier die ze bang maakt.

Yasmine buigt zich naar me toe, weer die wijngeur.

'Het is heel erg spannend', zegt ze wat onduidelijk. 'Echt waar. We zitten op het puntje van onze stoel.'

Ik draai mijn hoofd en kijk in de richting van de bank. Olga zit met hangend hoofd te slapen.

'Maar zet hem op pauze dan', schreeuwt Ronnie naar Kaj, die langzaam de afstandsbediening oppakt en verbluft zijn ogen over de knopjes laat gaan. Ronnie loopt snel naar hem toe, rukt de afstandsbediening uit zijn hand en richt hem op de televisie terwijl hij op een knopje drukt. Het beeld bevriest, het is een man die een pistool op het hoofd van een andere man richt. Ik staar betoverd naar het beeld en ik vind het ziek.

Ziek zoals de hele wereld, ziek zoals de mensen om me heen.

Een mens dreigt een ander mens van het leven te beroven. Hoe kun je je ooit dat recht toe-eigenen? Ik kijk naar Osmo, kijk in het halfduister naar hem. Hoe kan hij, hoe kan iemand, het lef hebben om zich boven iemand anders te plaatsen.

Ze staan voor me. Yasmine maar een paar decimeter van mijn gezicht af. Ronnie, die af en aan loopt tussen mij en de televisie, en dan Osmo, met zijn grote, krachtige lichaam, klaar om orders uit te delen. En Heer, mijn God, ze kunnen mijn lichaam nemen. Ik heb geen andere keus dan in hun geweld te zijn, daar te zitten waar ze me neerzetten.

Maar mijn geest, dat wat ik ben, mijn ziel, daar moeten ze niet bij in de buurt komen. Ik zou graag willen dat ik de moed had om dat te zeggen. Jullie zullen nooit dicht bij mijn ziel komen.

Of wel?

Ik loop de keuken in, begeleid door een door de wijn praatzieke Yasmine, drink nog een paar glazen water, neem twee bananen, loop de badkamer in, plas, en daarna schuif ik voorzichtig naar de bank. Ik plof naast Yasmine neer. Ze streelt me kalmerend over mijn knie, alsof we vrienden zijn. En ik staar naar het bevroren beeld dat weer tot leven komt nadat Ronnie opnieuw op de afstandsbediening heeft gedrukt. De man in de film spaart zijn slachtoffer niet, hij drukt af. Het enige wat je ziet is dat de degene die schiet mooie rode stipjes op zijn gezicht krijgt.

'Getver wat smerig', zegt Yasmine. Osmo en Ronnie lachen.

De film is ziek zoals de hele wereld, ziek zoals de mensen om me heen.

Ik kijk naar de rest van de film, maar ik zie hem niet. In plaats daarvan bouw ik een kamer voor mezelf, ver in mijn binnenste, waar niemand meer bij me kan komen. Een snelle, in elkaar geflanste schuilkamer, met moeite opgericht in crisistijd. Jij, Anders, en Kleintje zijn de enigen die hier ooit mogen binnenkomen.

Ik ga mijn kamer binnen en probeer verstandig te praten tegen mezelf. Zoek naar de stukken van mezelf die ik in mijn paniek her en der ben kwijtgeraakt. Bouw weer iemand op die ik herken. Het is alsof je probeert een gebroken spiegel in elkaar te zetten. En in elke scherf zie ik jou, Kleintje en dan jou, Anders. In elk beeld zie ik een glimp van jullie. Een klein stukje van mij en een klein stukje van jullie. Jullie zitten ook altijd in mij, in wie ik ben. We worden een mozaïek. Moeilijk te duiden en mooi.

Af en toe draait Yasmine zich om op de bank om naar me te

kijken. Alsof ze zich afvraagt of ik het ook gezellig heb. Ze is opgefokt, vindt de situatie prettig. De film, de wijn, het samenzijn. Waarschijnlijk heeft ze ook nog iets anders ingenomen. Haar ogen glanzen en haar wangen zijn vuurrood. Ze trekt de tulband af en laat vochtige blonde lokken zien.

'Prachtig, hè? Je reinste blondine!'

Osmo grinnikt en haalt zijn hand als een brede hark door haar haar. Ik kauw op mijn bananen, doelbewust, koppig. Op de salontafel liggen opengescheurde zakken met gegrilde kip en chips. Dat is mijn grens, daar kan ik niet van eten. Ik zie hoe Osmo een zakdoek pakt, net zo een als die hij in mijn mond heeft gestopt, en hij veegt zijn vingers en mond ermee af. Precies op het moment dat hij zijn mond afveegt, boert hij, recht in de zakdoek, en door de walging die ik voel omdat ik zo'n zakdoek in mijn mond heb gehad, stop ik even met het eten van de banaan.

Wanneer de film afgelopen is stopt Ronnie onmiddellijk een nieuwe in de DVD-speler. Olga slaapt verder en snurkt plotseling luid. Yasmine schrikt op en geeft Olga een por.

'Ik schrik me dood', zegt ze luid in het oor van Olga. Maar Olga reageert niet. Haar hoofd glijdt omlaag op haar ene schouder. Ik vraag me af of ze dezelfde soort pillen heeft gekregen als ik. Het moeten andere zijn dan die ik eerst heb gehad. Een soort waarvan je in slaap valt, maar van deze pillen kreeg ik niet zo'n goed gevoel als van die andere.

De lucht in de kamer is dik en de ramen zijn beslagen. Alles en iedereen ruikt zo sterk. Wijn, gegrilde kip, zweet, rook van duizend sigaretten die voornamelijk Ronnie rookt, de een na de ander. Het is niet te harden. Ik fantaseer over frisse lucht als een dorstige in de woestijn over water. Toch heb ik moeite om wakker te blijven. Het is een koude, angstige moeheid. Geen rust, maar mijn hoofd dooft en wordt weer aangestoken. Het wakker zijn wordt door angst gekenmerkt, de slaap net zo. De demonen van de nachtmerrie loeren in het donker, wanneer de oogleden naar beneden vallen. En ze wachten op me als ik wakker word.

Ik sluit mijn ogen, en daar staat Johannes en hij heeft jou, Kleintje, in een stevige greep om je buik. Hij tilt je op en zegt: 'Kijk, hier is ze dan, ik heb haar gevonden,' en hij schudt je en schudt je en schudt je zodat je ...

Ik begin te kermen en dwing me om mijn ogen open te houden.

'Ben je een beetje paranoia?' vraagt Yasmine, waarbij ze haar hoofd schuin houdt. Wanneer ze probeert me vertrouwelijk strak aan te kijken merk ik dat ze me niet recht kan aankijken, het lijkt alsof ze loenst.

'Wanneer ik die troep gebruik ben ik ook paranoia', gaat ze verder. 'Oddie, waarom heb je haar die gegeven? Dat was toch niet erg netjes ...'

Ze streelt me over mijn wang, een kleverige hand die naar sigaretten ruikt. Ik draai me instinctief weg, maar durf haar niet te vragen het niet te doen. Ik wil haar en niemand tegen het hoofd stoten. Mijn angst is te groot en te onberekenbaar, ik wil gewoon stil, rustig zijn, niet meer emoties los maken dan nodig.

'Denk je dat ik een soort kerstman ben met een zak die nooit leeg raakt', sist Osmo tegen Yasmine. 'Hè? Denk je dat? Ze moet zich gewoon kalm houden, zodat ze geen moeilijkheden maakt.'

En ik val weer in slaap. Het voelt alsof iemand een koude doek over mijn gezicht legt en die aandrukt. Ik probeer te ademen, het gaat niet en ik denk: ach, wat zou het.

Hoofdstuk elf

Ik word wakker omdat er iemand schreeuwt. Het klinkt alsof het van heel ver komt, maar wanneer mijn hoofd helderder wordt, merk ik dat het geschreeuw ongeveer twee meter bij mij vandaan komt. Het is Olga. Ze zit in de hoek van de bank met haar benen onder zich, ze blijft met korte tussenpozen gillen, hapt tussen het gegil door naar adem.

Met moeite word ik wakker. Het voelt alsof ik wakker word in een bevroren zwarte poel, waarin ik me nauwelijks kan bewegen door de kou, waar ik nauwelijks kan ademhalen door het water en die ijzige modder, ik wil brullen, de kracht vinden om op te staan, maar het gaat niet.

Ik ben echter nog steeds op dezelfde plek, in de benauwde kamer, in de krappe flat. En ik staar naar Olga's hals, hoe die klopt wanneer ze schreeuwt, hoe die klopt, gespannen en bleek-blauw.

Ik heb mijn ogen open, maar toch voelt het alsof ik niet kan zien. Alleen maar bizarre details. Olga's hals, de Miro-man op het schilderij boven de bank, op de tafel een zak chips die er zo misplaatst vrolijk uitziet. Het is schemerig in de kamer, geen televisie en geen enkele lamp aan. Buiten is de nacht zwart, maar de kamer wordt een beetje verlicht door het koude witte licht van een felle straatlantaarn.

Plotseling wordt het beeld helder. En dan schreeuw ik ook. Kaj is dood, geen twijfel mogelijk. Iemand heeft hem gewurgd. Hij zit op de bank en zijn leren ceintuur zit stevig aangetrokken om zijn nek. Hij staart met gebroken ogen recht vooruit, zijn mond staat zo ver open dat je zijn tong kunt zien. En ik zie zijn handen – hij heeft ze tot vuisten gebald en drukt ze tegen zijn borst. Zijn gezicht ziet er levenloos en stijf uit, wat erop wijst dat hij al een tijdje dood is. Door Olga's geschreeuw komen de anderen in beweging. Yasmine ligt over Osmo's knie. Ronnie ligt in het bed in de kamer. Yasmine hapt naar adem wanneer ze Kaj ziet. Haar pas gebleekte haren liggen als borstelige manen rond haar gezicht. Osmo lijkt moeite te hebben om het te begrijpen. Hij staart naar het dode gezicht van Kaj.

'Maar … hallo … Wel verdomme …'

Osmo duwt het hoofd van Yasmine weg en staat op van de bank. Hij buigt zich over Kaj heen, kijkt van heel dichtbij naar zijn gezicht.

'Maar hij is dood, wel godverdomme', zegt hij daarna en hij klinkt voornamelijk verrast. Verderop, op het bed, begint Ronnie te bewegen. Hij staat slaapdronken op.

'Hij is dood, wel godverdomme', schreeuwt Osmo tegen Ronnie. 'Jij hebt hem vermoord, jij klootzak!'

Ronnie tuurt naar de bank. Het licht van de straatlantaarn schijnt op hem. Hij ziet er bezweet uit, zijn haar ligt vastgeplakt op zijn voorhoofd en het valt me op dat het de eerste keer is dat ik hem heb zien slapen.

'Godverdomme, waar heb je het over', zegt Ronnie rochelend. 'Hij is dronken. Je snapt toch wel dat hij niet dood is.'

'O nee, is hij dat niet?'

Osmo duwt tegen Kajs schouder zodat hij op de bank glijdt. Hij glijdt in de richting van Olga, die het dichtst bij hem zit. Met een schreeuw schiet ze omhoog van de bank en blijft gillend staan terwijl ze haar haar uitschudt alsof daar iets engs en angstaanjagends in rondkruipt. Haar haren hebben een rossige gloed.

Ronnie is opgestaan, hij staat daar in zijn onderbroek en zijn benen zien er verrassend dun uit. Hij doet denken aan een watervogel en hij wappert met zijn armen alsof hij probeert zichzelf op te winden, probeert weer te gaan functioneren.

Osmo loopt naar hem toe, geeft hem zo'n stevige duw dat hij weer op het bed valt. Ronnie probeert onmiddellijk weer op te staan en ik zie dat hij bang is. Ik sta ook op, de angst ligt als een koude deken om me heen. Het is een nachtmerrie, dat denk ik, als een soort van mantra, het is een nachtmerrie, een nachtmerrie, een nachtmerrie.

Yasmine doet de plafonnière aan en de kamer baadt in een wit licht. Olga begint weer te gillen als ze naar Kaj kijkt, hij ziet er werkelijk angstaanjagend uit. Zijn hals heeft een blauwrode kleur en de ceintuur lijkt diep in zijn huid gedrongen.

'Raak me niet aan', schreeuwt Ronnie. 'Ik zeg het alleen maar, raak me niet aan! Waarom zou ik die idioot hebben gedood! Je weet net zo goed als ik dat we hem nodig hebben om bij de poen te komen, anders hadden we hem al langgeleden gedumpt! Je weet net zo goed als ik dat we zonder Kaj niet bij Bobby komen! We komen er niet eens zonder Kalle!'

Osmo houdt op. Hij stond met opgeheven vuist, hij wilde net gaan slaan. Laat zijn arm zakken, zijn schouders gaan hangen en voor het eerst ziet Osmo er besluiteloos uit. Hij kijkt naar het plafond en strijkt zijn hand over zijn haarstoppels. Ik ben naar de uiterste rand van de bank gekropen, heb mijn armen rond mijn benen geslagen, zit in elkaar gedoken als een bal en voel mijn hart slaan tegen mijn bovenbenen.

'Oké', zegt Osmo, nee, hij schreeuwt het, maar hij lijkt op hetzelfde moment tot zichzelf te komen en laat zijn stem zakken. 'Oké', sist hij daarna. 'Degene die iets te zeggen heeft, doet het nu. Iemand heeft Kaj gedood en degene die het heeft gedaan, zegt het nu.'

De stilte is gespannen en afwachtend. Olga kijkt naar Yasmine die terugkijkt, en daarna naar mij. Osmo laat een diepe zucht horen.

'Maar jij moet het zijn', zegt hij en hij ziet er bijna moe uit wanneer hij naar Ronnie kijkt. 'Wie moet het anders zijn? Jullie hebben immers die hele rotreis zitten bekvechten.'

Osmo's stem klinkt smekend. Alsof hij het leven smeekt begrijpelijk te zijn.

'Je kunt het net zo goed zelf zijn', zegt Ronnie en hij staat op en kleedt zich aan. En ik vind dat Ronnie zich anders gedraagt. Dat opstandige is verdwenen.

'Je hebt al een andere manier om bij de poen te komen', gaat Ronnie verder en hij kijkt Osmo recht in de ogen terwijl hij zijn sokken aantrekt. 'En daarvoor moet je ons uit de weg ruimen, een voor een. Na een tijdje zijn alleen jij en Yasmine nog over, toch? En zij dan, want later ben je haar ook zat en dan, wat er gebeurt er dan?'

Ronnie gooit de woorden eruit. 'Denk daar maar eens aan!' voegt hij eraan toe terwijl hij naar Yasmine kijkt. Ze kijkt van Ronnie naar Osmo, en daarna naar Olga.

'Hoezo, wilde je de poen voor jezelf hebben?' vraagt Yasmine Osmo op een verbaasde toon, alsof ze niet goed heeft begrepen wat Ronnie heeft gezegd. Ze kijkt afwisselend van Osmo naar Ronnie om erachter te komen wat er gezegd wordt en wat er gebeurt.

'Maar hij praat onzin, dat snap je toch zeker wel!'

Osmo kijkt boos naar Yasmine. Maar iets in haar blik twijfelt, ik zie het. Olga begint te snuiven.

'Ik wil dit niet meer! Horen jullie het! Ik wil niet meer mee-doen! Ik wil weg. Ik wil er nu niet meer bij zijn ...'

Yasmine loopt naar Olga toe, trekt haar aan haar arm en sist tegen haar dat ze zich moet beheersen. Osmo begint ook te sis-sen, zo hevig dat het klinkt alsof hij zal stikken, dat ze nu allemaal moeten kalmeren en zich rustig moeten houden. Op elk moment kan een of andere buur hen horen, en dan is het gebeurd, voor iedereen. Yasmine loopt naar het bed, trekt het laken eraf en legt dat over Kaj heen.

'Ik ga koffie maken', zegt ze dof. 'We moeten wakker wor-den.'

Ronnie begint weer door de kamer te ijsberen.

'Iemand heeft me gisteravond iets gegeven', zegt hij. 'Ik was volledig van de wereld.'

'Maar je wilde het toch hebben?' brengt Osmo ertegenin. 'Ik

heb je gewoon gegeven waar je om vroeg.'

Ronnie schudt zijn hoofd.

'Nee, dat was het niet. Denk je dat ik niet weet wat ik slik? Iemand hier heeft mij en de rest iets gegeven om in slaap te komen en heeft die stomme Kaj gewurgd. Ik voel me afschuwelijk. Mijn hoofd barst bijna. Ik heb iets anders gehad, ik zweer het je.'

'Maar je hebt gelijk!'

Yasmine kijkt de kamer in.

'Mijn hoofd knapt ook bijna! Het is niet gewoon een kater. Iemand moet me troep hebben gegeven. Als ik het me nog goed herinner was ik zo zat als een kanon, maar godverdomme, anders waren we toch wakker geworden, Kaj moet …'

Yasmine maakt een soort wurggeluid. Olga is stil geworden. Ze staat naast Yasmine en kijkt haar met een idiote gezichtsuitdrukking aan wanneer ze het wurggeluid maakt.

'Hou op …' zegt ze met een dunne stem.

Osmo loopt naar het raam en ziet er ongerust uit. Voor het raam loopt een snelweg, niemand kan naar binnen kijken. Toch draait Osmo de luxaflex dicht. Hij staat een poosje met zijn handen hard tegen zijn hoofd aangedrukt, alsof hij probeert er een paar verhelderende gedachten uit te persen. Ik gluur naar Kajs benen die onder het laken vandaan steken. Ik zie zijn bruine broekspijpen en zie dat de veters in zijn schoenen gestrikt zijn. Een dood mens met schoenen aan waarvan de veters zijn gestrikt, ik weet het niet, je krijgt zulke vreemde invallen, maar het ziet er zo onlogisch uit. Zolang je je veters hebt gestrikt, hoor je bij het leven. En dat Kaj, hoe zelfverzekerd en koel hij dan ook mag hebben geleken, zich toch moest verlagen tot bukken om zijn veters te strikken.

Ik denk aan wat Kaj zei over zijn broer en hun moeder, en ik smeek u, Heer, laat ze elkaar tegenkomen, laat ze voor elkaar zorgen. Er ligt een dood mens naast me, onder een laken, en iemand van de mensen hier om me heen heeft hem gewurgd met een ceintuur. Ik haal diep en huiverend adem. De angst is een constante toestand geworden. De onwerkelijkheid is de werkelijkheid waarin ik verkeer. Kajs kouder wordende voeten zijn hier een teken van, een van de vele.

En zijn dood doet me weinig. Niet zoals het zou moeten. Aangezien niets meer echt is, niets meer werkelijk is, wordt zijn dood dat ook niet.

Heer, bent u daar? Heer, geef mij uw hand. Mijn God, mijn God, waarom hebt u mij verlaten? Ik ben zo verdwaald. Mijn geloof moet nu mijn reddingsboei zijn. Die moet ervoor zorgen dat ik mezelf niet verlies, het opgeef. En ik voel niets. Alleen maar angst. Een soort gelaten angst, een angst die de gevoelens verlamt, die op onverschilligheid lijkt.

God, mijn God, draag mij hier doorheen.

En precies op dat moment is het alsof de tijd bevriest en ik neem een besluit: ik moet hier weg. Geen verdovende middelen meer, doen alsof ik ze inneem, doen alsof ik buiten westen ben, of wat dan ook. Maar nu moet ik weg. Ik sta moeizaam op. Mijn hoofd draait. Ronnie heeft gelijk. Iemand heeft ons gedrogeerd. Misschien heeft degene die Kaj heeft vermoord eerst ons gedrogeerd, en daarna zichzelf zodat het minder verdacht zou lijken.

'Ik moet naar de wc', mompel ik tegen Osmo. Wanneer ik de hal in kom, zie ik Yasmine met de koffie in de weer en ik bedenk dat ze zich wel energiek beweegt voor iemand die gedrogeerd is geweest.

Ik stap de keuken in en wanneer Yasmine mij ziet, begint ze te gillen.

'Verdomme, wat laat je me schrikken! Besluip me niet zo! Ik kreeg bijna een hartaanval, snap dat dan!' Haar hand beeft wanneer ze scheppen oploskoffie in een paar kopjes doet. Ik tel vier kopjes. Rekent ze mij niet mee?

'Ik wil ook koffie', zeg ik.

Ze kijkt me met fronsende wenkbrauwen wantrouwend aan, maar pakt nog een kopje. Daarna kijkt ze naar de deur van de woonkamer en schuift hem voorzichtig dicht. Ze kijkt me snel en onderzoekend aan, daarna buigt ze naar me toe en fluistert: 'Weet je, Ingrid, er klopt hier iets niet. En ik ben zo verschrikkelijk bang.'

Ze praat zacht en vertrouwelijk, ze ruikt zurig en ik doe een stap naar achteren. Ze komt alleen maar dichterbij.

'Luister, jij bent dominee en jij kunt zwijgen. Maar begrijp je dat ik bang ben? Osmo is mijn kerel en natuurlijk, ik hou van hem en zo. Stel je eens voor welk risico ik loop, alleen al door bij hem te zijn. Zoals nu. Oké, hij lokt me met poen en de meest waanzinnige luxe, maar dat weet je niet … Ik bedoel, wat is alles waard als je dood bent? Vraag Kaj maar, de arme rotzak. En zo moet je niet praten over de man met wie je gaat, maar ik weet niet zeker … Weet je, Ingrid, ik zou je iets willen vragen. We zouden elkaar kunnen steunen en daarom het volgende doen …'

De deur glijdt open.

'Wat staan jullie hier te smoezelen?'

Ronnie duwt zo hard tegen de deur aan dat die met een klap openvliegt, waardoor de scharnieren kraken.

'Wat zijn jullie hier aan het bekokstoven? Er is iets, dat kan ik aan jullie zien!'

Ronnie loopt naar de kraan en drinkt er water uit terwijl hij naar mij en Yasmine kijkt. Hij neemt een koffiekopje, giet wat koud water bij de hete drank en drinkt het daarna met grote slokken op. Hij probeert, net als wij, goed wakker te worden. Osmo staat plotseling in de deuropening.

'Waar bekvechten jullie over?'

Ronnie kijkt naar mij en begint nu zijn gewone, gespannen stoerheid terug te krijgen.

'De meiden zijn met iets bezig, ik zweer het je. Ze waren heel erg aan het fluisteren toen ik binnenkwam. Weet je wat ik denk, Osmo …'

Osmo antwoordt niet, maar staart Ronnie met een sceptisch gezicht aan.

'Ik denk dat de meisjes van ons af willen. Ze willen de poen en gaan er daarna vandoor. Ze gaan waarschijnlijk een kapsalon openen of een kledingwinkel kopen, of weet ik veel. Want wees nou eens eerlijk Osmo, en dit is niet gemakkelijk, Yasmine geeft niet waanzinnig veel om je, toch?'

'Wat zeg je me nou', sist Yasmine. Ze staat haastig op en legt haar armen om Osmo heen. Streelt met haar ene hand zijn borst. 'Daar weet jij helemaal niets van!'

Plotseling ziet Ronnie er klaarwakker uit. Alsof hij lucht van iets heeft gekregen, iets op het spoor is.

'Ach, je bent waarschijnlijk net zo gek op Osmo als jouw maatje Olga op Kalle was! Daar heb je iemand die rouwt! Ze geeft geen ene moer om hem, dat kan iedereen zien! Een beetje boehoe, snik, snik ...' Ronnie maakt een karikatuur van Olga's gehuil. 'Maar dat was snel voorbij, of niet?'

Ronnie glimlacht, een van zijn mechanische, honende glimlachen. Yasmine geeft hem een duw, zo hard dat hij zijn kopje op de grond laat vallen.

'Jij zwijn! Je probeert ons alleen maar uit elkaar te drijven! Je wilt gewoon de aandacht van jezelf afleiden! Jij, jij geeft helemaal niets om wie dan ook hier!'

'Maar kunnen jullie nu allemaal je mond eens houden!'

Osmo slaat met zijn hand op de tafel. Maar Ronnie schuimbekt en hij maakt een zwaaiende beweging met zijn arm in mijn richting.

'En zij hier, die je zo slim met je meesleept! Je had moeten zien hoe ze hier stonden te smoezen! De hoofden bij elkaar en maar smoezen! Je zult zien dat Yasmine de dominee heeft beloofd dat ze haar laat gaan als ze hen helpt. Snap je het dan niet? Binnenkort zijn wij degenen die hier dood voor ons uit zitten te staren, net als Kajsa! Ben je zo'n verdomde stomkop ...'

Osmo geeft Ronnie een klap recht in zijn gezicht. Het bloed drupt uit Ronnies neus.

Ik moet hier weg, ik moet hier weg. Ze zijn ziek. Ziek, ziek.

Ronnie trekt een handdoek naar zich toe die hij tegen zijn

neus aan drukt en loopt snel weg, zonder een geluid. Yasmine klampt zich aan Osmo vast.

'Osmo, ik ben bang voor hem. Lieverd, baby, hou me vast. Kom, leg je armen … je weet hoe eng hij kan zijn … je snapt toch wel dat hij degene is die …'

Osmo bevrijdt zich uit haar greep. Schudt haar armen van zich af en hij ziet er grauw en grimmig uit. Yasmine wordt bleek. Ze gaat tegen het aanrecht staan en drinkt uit een van de koppen, terwijl ze tegelijkertijd ongerust naar Osmo kijkt. Hij klemt zijn kaken op elkaar, hij denkt koortsachtig na.

'We vertrekken en halen het geld nu op', zegt hij na een tijdje. 'Ik wacht niet langer. Niet hier. Niet met die dode daarbinnen. We zijn al ver weg als ze hier komen. Zo moet het maar. Maar de poen moet ik hebben, nu. Als ik die heb, dan kunnen jullie daarna doen wat jullie willen. Denk er maar eens over na wat je wilt', zegt hij tegen Yasmine en hij laat een verdrietige blik over haar gezicht glijden zonder haar echt aan te kijken.

Hij loopt de keuken uit en Yasmine glipt hem achterna, loopt ongerust achter hem aan. Ik blijf alleen achter en de opluchting verspreidt zich in mijn lichaam. We gaan weg.

Maar Yasmine? Wat voor spelletje speelt ze? Voor wie is ze bang, voor Osmo, zoals ze mij suggereerde, of voor Ronnie, zoals ze tegen Osmo zei? Of voor allebei?

Plotseling komt Osmo terug in de keuken. Hij heeft zijn pistool bij zich en drukt die hard tegen mijn slaap.

'Wat zei ze?'

Ik begin te hijgen, ik ben totaal niet voorbereid, midden in dat korte moment van opluchting. Ik hoor de knal al in mijn hoofd, stel me de seconde voor, want zo moet het zijn, in een seconde, of in een fractie van een seconde, moet je voelen dat je hoofd in stukjes uit elkaar barst.

'Ik weet het niet …'

En op dat moment is het waar. De angst zorgt ervoor dat het helemaal leeg is in mijn hoofd, wat zei ze, wat zei ze, ik weet het niet meer. Osmo drukt harder, ik durf me niet te bewegen, durf niet te ademen.

'Wat zei ze?' sist hij nog een keer.

En op de een of andere merkwaardige manier treed ik buiten mijn lichaam en ik zeg tegen mezelf: denk na, rustig maar, het gaat om je leven nu, concentreer je.

'Ze zei dat ze bang was. Dat ze niet wist wie Kaj had gedood, maar dat ze bang was dat zij ook vermoord zou kunnen worden.'

Osmo's greep verslapt, maar hij laat me niet los.

'Meer. Wat zei ze nog meer …'

Yasmine staat in de deuropening, ze heeft rode vlekken in haar gezicht van het huilen.

'Maar laat haar los, ik zei niets wat …'

Ik hoor Olga's gehuil en een vreemde, droge lach van Ronnie. We storten in. We laten dat op verschillende manieren horen, maar we storten samen in.

'Over míj! Wat zei ze over míj!'

'Niets! Alleen maar dat ze zo bang werd van Kaj die daar dood lag! Niets meer!'

Ik zie geen gezichten. Osmo drukt mijn hoofd naar beneden naar de tafel toe, Ik leun met gestrekte armen op de rand van de tafel, ik zie kruimels op het vurenhouten tafelblad, wordt dat het laatste wat ik zie, kruimels van de boterhammen die Olga en ik hier hebben zitten eten? De kruimels liggen daar gewoon terwijl mijn leven op het spel staat, terwijl er elk moment een eind aan mijn leven dreigt te komen. In die kruimels op het tafelblad meen ik het leven te zien: een combinatie van bodem en een gemakkelijk weg te vegen vergankelijkheid. En ik denk nee. En ik denk ja.

Ik blijf hier.

Met een diepe ademhaling wordt mijn stem weer vast, ontspan ik mijn lichaam. Ik voel hoe de druk van het pistool afneemt, hoe Osmo's greep om mijn ene arm afneemt. Nog een keer diep ademhalen en ik kijk op.

Er ligt iets treurigs over Osmo's gezicht. Yasmine hangt op hem, ze trekt aan zijn andere arm, en zegt tegen hem: 'Het was niets, het was niets.' Maar hij lijkt iets te zien en het is duidelijk dat het hem de moed doet verliezen.

Ik strek mijn nek, die is stijf en doet pijn na Osmo's eerdere klappen.

'Yasmine zei alleen dat ze bang was,' herhaal ik, 'en dat ben ik ook. Ik ben zo bang dat ik amper nog op mijn benen kan staan. Ik weet niets van jullie geheimen ...'

Ik haal weer diep adem, door de nervositeit raak ik buiten adem.

'En ik wil het ook niet weten. Jullie geld kan me niets schelen, jullie conflicten niet, jullie ontsnappingsplannen niet, alles wat met jullie te maken heeft kan me niets schelen. Het enige wat ik wil is thuiskomen.'

Ik kijk hen een voor een aan. Het streperige gezicht van Yasmine, met de pas gebleekte haarlokken die vochtig op haar wangen liggen. Yasmine met haar geheimen, met haar gemanipuleer. Kan ze Kaj gedood hebben? Voordat ik gisteravond van de wereld raakte, was zij de actiefste, ook al was ze stomdronken.

Ronnie kijkt me gelaten en afwachtend aan. Hij is geschrokken van wat er gebeurt, hij hoopt misschien dat ik het voor hen allemaal recht zal trekken. Als een gefrustreerd kind zaait hij tweedracht, maar nu is hij niet in staat om met die verdeeldheid om te gaan. Hij ziet er nog steeds wat bezweet uit door de slaap, hij rookt driftig en maakt vreemde lipbewegingen wanneer hij de rook uitblaast. Alsof hij probeert rookkringen te maken, en daar nooit in slaagt. Sinds het begin van de vluchtpoging hebben hij en Kaj elkaar in de haren gezeten. Is het niet het meest waarschijnlijk dat hij het is? Dat hij er gewoon genoeg van had?

Wat tegen Ronnie pleit is dat hij er zo eentje is die aan de kant staat. Die graag treitert en pest en met heibel begint, maar die daarna de rol van toeschouwer aanneemt. Zou hij werkelijk de stap kunnen nemen om een ceintuur te pakken en Kaj te wurgen?

Olga verschijnt als een schaduw in de hal. Haar nieuwe lichtrode haar omkranst haar hoofd als engelenhaar. Ze is degene die de meest raadselachtige lijkt te zijn. De helft van de tijd is ze onder invloed van drugs, ligt ze te slapen of zit ze met een lege blik voor zich uit te kijken. Ze lijkt onder de vleugels van Yasmine te zitten en onder de duim van de mannen. En tegelijkertijd heeft ze haar eigen, slimme, sterke eigenschappen, wat blijkt wanneer ze het heeft over haar aanleg voor talen, over haar overtuiging een eigen leven te beginnen, over hoe sterk ze Kalle haatte, en hoe ze praat. Zou Olga voldoende fysieke kracht en wilskracht hebben om Kaj te wurgen? Was ze gisteravond echt buiten westen, of kan ze van de gelegenheid gebruik hebben gemaakt op het moment dat Kaj in slaap was gevallen? Maar in dat geval: waarom?

Ze vond Kaj weerzinwekkend … en zijn broer ook. Maar dat is toch geen reden om iemand te vermoorden?

Ik ben terug bij Osmo. De eerste keer dat ik hem zijn grip echt goed zie verliezen, is wanneer Ronnie hem laat twijfelen aan de gevoelens die Yasmine voor hem heeft. Wat heeft Osmo voor ogen gehad? Zij als zijn kostbaarste bezit, met wie hij zich ergens wil vestigen als ze straks vrij zijn?

Kan iemand van de anderen ook maar voor een halve seconde hebben gedacht dat ik iets met de dood van Kaj te maken had? Nee, dat kan ik niet geloven.

'Oddie, kom op, ik ben het immers, kijk me aan, het is Yassie, kom op, lieverd, geen domme dingen doen …'

Yasmine bakt zoete broodjes, ze hangt aan Osmo's arm en iets in haar wanhoop doet mij denken aan kille berekening. Dat ze berekenend en moedig haar volle gewicht legt in het huilen en smeken. Weliswaar een beetje overdreven, maar ze wil iets. Niet alleen Osmo tegenhouden, maar ze wil ook zijn gedachten een andere richting op sturen.

Osmo legt het pistool op de koelkast, maar hij lijkt zich iets te realiseren en stopt hem in de zak van zijn vest. Hij gaat tegen het aanrecht staan met zijn armen gekruist voor zijn borst. Ik sta nog steeds tegen de tafel geleund, Yasmine gaat snikkend op een van de stoelen zitten, Olga glipt naar binnen en gaat op de andere stoel zitten, Ronnie hangt tegen de deurpost aan.

We staan dicht op elkaar in de kleine keuken, weggejaagd door het dode lichaam in de kamer dat steeds groter lijkt te worden. Even valt er een geconcentreerde stilte. Afwachtend kijken we elkaar aan, maar wanneer onze blikken elkaar ontmoeten, wenden we ons af.

'Wanneer het begint te schemeren, pakken we de auto. We rijden terug richting bajes. Die kant op is de controle niet zo streng meer', zegt Osmo. 'Daarna rijden we richting Finland. Bobby bevindt zich twintig kilometer van de grens, zegt hij, en wacht op ons.'

Osmo beëindigt de zin met een diepe zucht. Bij het noemen van Bobby's naam ziet hij iets voor zich wat hem dwarszit.

'Godverdomme, hoe zal het gaan zonder Kalle en Kaj?' zegt hij in het luchtledige. 'Hoe zal het verdomme gaan? Misschien blaast Bobby het hele zaakje wel af. Hij voelt dezelfde druk niet. Hij en zijn advocatenvriendjes misschien …'

'Ach', zegt Ronnie en hij klimt met moeite op het aanrecht. 'Ach, zo dom kan hij niet zijn. Weliswaar heeft hij zijn oude zaakjes met die mannen, maar hoezo … hij zou ons en onze kameraden toch ook niet achter zich aan willen hebben.'

Osmo kijkt Ronnie minachtend aan. Ik geloof dat hij er zeker van is dat Ronnie Kaj heeft gedood, maar hij kiest ervoor om er geen heibel over te maken. Hij is van plan zijn deel van de buit op te halen en daarna te vertrekken.

'Je weet net zo goed als ik dat het misschien helemaal niet lukt zonder Kalle en Kaj. Dat we het niet loskrijgen. We kunnen gaan liegen, zeggen dat ze ergens anders wachten.'

Ik ga voorzichtig rechtop staan en leun tegen de muur. Laat

mijn hoofd hangen en kijk strak naar mijn stapel oude kleren op de vloer. Vodden Ingrid. Ik wil jullie plannen niet horen. Ik wil er niet bij zijn. Wil er geen deel van uitmaken.

'Wanneer gaan jullie mij vrijlaten?' vraag ik. 'Waar jullie daarna ook naartoe gaan, jullie waren toch niet van plan om mij mee te nemen? Jullie kunnen mij toch wel ergens dumpen?'

Ik til mijn hoofd weer op en ik zie ze verdwaasd en verward kijken. Ze hebben lak aan me. Al hun aandacht is op Osmo gericht, hij is degene die zal vertellen wat hun volgende stappen zullen zijn.

'Iemand van jullie heeft Kaj vermoord en ik heb niet de puf om uit te zoeken wie het heeft gedaan', zegt Osmo. 'Niet nu in elk geval. Dat moeten we later maar doen …'

Wanneer hij dat laatste zegt krijgt hij een gemene trek om zijn mond en misschien wordt Ronnie een heel klein beetje bleker. Of verbeeld ik me dat? Zien de meisjes er ook niet ontzettend nerveus uit?

'Maar ik zeg toch dat ik niet …' begint Ronnie, maar hij houdt op, alsof het zinloos is om zijn onschuld aan te tonen.

Stilte weer. Olga staart leeg voor zich uit, alsof ze ergens ver weg is.

'Wanneer laten jullie mij vrij?' vraag ik weer. 'Ik zal niets zeggen over niemand van jullie, het enige wat ik vraag is om mij vrij te laten zodra het kan.'

De woorden vallen in het niets, hun gedachten zijn met iets anders bezig. En ik voel hoe ik zelf die woorden beu ben. Ik heb ze nu zo veel keren gezegd, niemand heeft zich ooit om mij bekommerd, waarom blijf ik er maar over zeuren?

'Wanneer we de grens zijn gepasseerd', zegt Osmo ten slotte. 'Als we de grens zijn gepasseerd mag je gaan. Over twee dagen of zo, hoop ik.'

Op het moment dat hij het zegt valt er door een kier tussen de gordijnen plotseling een zonnestraal in de keuken. Hij valt op het tafelblad met de broodkruimels en mijn hart slaat hard in mijn borst. Dit kan voorbijgaan, denk ik, en voor het eerst is het alsof ik het zelf echt geloof.

Dit kan voorbijgaan en het leven kan opnieuw beginnen. Zo zou het kunnen gaan. En wanneer ik 'opnieuw' denk, is dat wat ik wil. Dat het op opnieuw begint. Ik ga terug naar mijn oude leven en samen zullen we een nieuw leven maken, Anders. Nooit meer zal ik onderdrukken wat ik eigenlijk wil, en nooit meer zal ik rondlopen met beledigingen die ik je als rottende oude kazen voorhoud wanneer ik vind dat het er het moment voor is.

Anders, in ons nieuwe leven moeten we altijd praten. We moeten niet opgeven, we moeten nooit berustend zuchten en zuur door het raam naar buiten kijken, of met een bittere trek om onze mond onze handen bestuderen of een van die gebaren die stellen maken als ze in hun hoofd een lijst van alle beschuldigingen tegen elkaar hebben opgesteld, maar er uiteindelijk toch voor kiezen om niets te zeggen.

Dat niet meer. Snap je dat, Anders? We kunnen weer een leven krijgen. Een leven samen. Realiseer je je dat we ermee kunnen doen wat we willen?

De enige belemmering om te leven zoals we dat echt willen, zijn we zelf.

Ik zal voorkomen dat we elkaar belemmeren. En ik wil ook weten wat jij wilt. Help me daarmee. We moeten elkaar helpen om ons samen te bevrijden. Beloof me dat.

Ik buk me om mijn oude kleren te pakken, maar Osmo houdt me tegen.

'Die kleren staan in elke krant', zegt hij. 'Je moet iets anders aantrekken.'

'Maar zo kan het niet', zeg ik en ik laat zien hoe het eruitziet met die strakke vrijetijdsbroek met de te korte pijpen. 'Die schuurt en knapt binnenkort. Bovendien is dat roze opvallend.'

'We regelen wel iets', zegt Yasmine en ze gaat staan. 'Kom op, Olga, we gaan de stad in om wat kleren en meer eten te halen voor onderweg.'

'Godverdomme ook', gromt Osmo. 'Olga blijft hier. Nu wil ik weten wat er gezegd wordt. Geen gekakel in het kippenhok meer. Ik wil jullie allemaal in de gaten kunnen houden.'

Olga kijkt naar haar knie en zegt niets. Ze doet geen enkele poging om op te staan of te protesteren. Ronnie is ook stil, maar zijn ogen schieten heen en weer alsof hij een antwoord zoekt, zonder het te vinden.

Yasmine opent haar mond om iets te zeggen, maar ze hervindt zich snel en zegt door een schouderophalen, oké dan.

'Kleren voor Ingrid, eten en nog wat andere dingetjes voor de reis', somt ze hardop voor zichzelf op. Daarna loopt ze de keuken uit en ik hoor dat ze zich gereedmaakt. Olga kijkt haar verlangend na, en dat verlangen hebben we allemaal. Om naar buiten te kunnen gaan. Weg hiervandaan.

'We kunnen wel in de kamer zitten en naar een film kijken of zo om de tijd te verdrijven', zegt Osmo. 'Misschien kunnen we Kaj verplaatsen ...'

Hij kijkt naar Ronnie, die van het aanrecht glijdt. Ze lopen naar de kamer. Olga en ik kijken elkaar aan terwijl we luisteren naar het geluid wat erop duidt dat ze Kajs lichaam verplaatsen. We weten niet wat we moeten zeggen, maar we proberen iets bij elkaar te vinden. Een soort van verstandhouding. Een of andere vorm van contact.

Er valt iets op de grond en het geluid schokt me. Opeens heb ik medelijden met Kaj. Ik herinner me hoe geschokt hij naast het dode lichaam van Kalle zat. Toen liet Kaj zich van een kant zien die bij alle mensen mooi is. Kwetsbaar, zonder voorbehoud.

Kajs dood lijkt de anderen merkwaardig onverschillig te laten. Zijn dood is meer een kwestie van vertrouwen, wie het heeft gedaan. En wat zijn dood kan betekenen voor het contact met deze veelbesproken Bobby, de ongerustheid over wat hij zou kunnen denken.

'Iemand is bezig in elkaar te storten', zegt Olga zo stil mogelijk.

'Iets staat op het punt ontzettend fout te gaan. Je weet dat ik …'

Ze zwijgt even en luistert scherp naar de geluiden uit de hal. In de kamer horen we Ronnie en Osmo steunen en daarna een geluid van slepen.

'… Kaj echt niet mocht. Hij is … was een zwijn. Maar dit … waarom … Ik ben zo bang, Ingrid. Wat zal er gebeuren? Wat zal er hierna gebeuren?'

Opnieuw wordt haar accent duidelijker.

'Wie denk jij …?' begin ik, maar ik word onderbroken door Osmo die plotseling in de deuropening staat. Hij ademt zwaar.

'Wat heb ik gezegd? Wat heb ik gezegd dat we hier niet zouden doen?'

Olga noch ik geven antwoord. Osmo grijpt Olga's dunne armen beet en tilt haar uit de stoel.

'Nu kun je in de grote kamer gaan zitten. En jullie houden op met praten als ik er niet bij ben. De eerstvolgende die dat doet krijgt er goed van langs. En dan echt.'

Met zijn andere hand pakt Osmo mijn arm beet. Hij trekt ons allebei tegelijk de keuken uit. In de kamer zoekt zowel Olga als ik met onze ogen naar Kaj. Ik zie hem meteen. Hij ligt op de grond, tegen het bed aangedrukt met het laken zorgvuldig om hem heen gewikkeld. Osmo duwt ons naar de bank en we gaan gehoorzaam zitten. Nadat ik heb gezien waar Kaj ligt, ontwijk ik hem met mijn blik, ik probeer mijn aandacht op iets anders te richten.

Is er ook maar één iemand verdrietig over zijn dood?

Dwangmatig kijk ik even snel in de richting van Kaj en ik zie zijn schoenzolen, er zit nog steeds grind in het rubberen profiel.

Ik ben dominee. De dood is mijn terrein. Nu plaats ik mij daarbuiten. Ik verkies te registreren dat Kaj dood is, niets meer. Ik wijt het aan hen die mij gegijzeld hebben. Stukje bij beetje hebben ze degene die ik was van me afgepakt.

Wij zitten met zijn vieren op de hoekbank, alsof we op koffievisite zijn, alsof we op een gewone avond voor de televisie zitten.

Maar we zijn gespannen en wantrouwend. Ronnie zet de televisie aan. Zapt tussen de kanalen heen en weer en er lijkt geen eind aan te komen, de wereld overvalt me en het is een nieuwe wereld voor mij. Onbekende programma's, reclame, stemmen die Engels praten, hoofden in close-up die nadrukkelijk praten, en een grappig einde.

En dan plotseling kanaal één, een ochtendprogramma, ze maken eten klaar. Een vrouw klopt en hakt terwijl ze in de camera kijkt en dingen zegt als 'belangrijk met verse waar' en 'een roux maken' en weet ik wat nog meer. Ronnie houdt op met zappen en we kijken alle vier naar de vrouw, iemand die eten kookt is veilig en tegelijkertijd fascinerend absurd. Er komt ook een man in beeld, hij babbelt wat met de vrouw en ik geloof dat ze grapjes maken.

Het lijkt alsof ze grapjes maken, maar ik kan niet verstaan wat ze zeggen, aangezien de samenhang te vreemd is. Mijn eigen gedachten maken te veel lawaai, versplinteren.

Mijn pas ontwaakte hoop dat hieraan een einde komt, dat ik ons leven terug kan krijgen, Anders, en bovendien de kans heb op een nieuw leven, een ander leven, laat mijn hoofd tollen. Mijn hersenen zijn een gigantisch insect dat zoemt, dat eruit wil. Het gezoem is het enige wat er te horen is, alleen maar dat gezoem.

Het insect in mijn hersenen rukt zich los en vliegt even rond in de kamer, neemt het beeld in zich op van hoe we in een flat in een betonnen voorstad op een bank zitten, naar een kookprogramma kijken met een dode man op de vloer, het pistool in een zak van Osmo's bodywarmer en ik in een roze en te krap vrijetijdspak. En de angst die ons nu allen in zijn greep heeft, ook al ziet die angst er in onze harten, in onze verschillende hersenen, een beetje anders uit. Maar aan de buitenkant ziet de angst er hetzelfde uit: krachteloze lichamen die aandachtig kijken naar een vrijetijdsactiviteit op de televisie, en ervoor zorgen dat er niets valt af te lezen van de kalme gezichten.

God, mijn God, draag me hier doorheen.

Hoofdstuk twaalf

Wanneer Yasmine na ruim een uur de sleutel in het slot steekt, schrikken we allemaal op, eerst angstig, maar dan opgelucht. We hebben dan naar de volgende onderwerpen kunnen kijken: eten koken, leestips, een reportage over rozenbedden en de noodzaak van bemesting. Dat denk ik tenminste, voor zover ik het door het gezoem heb kunnen horen. Geen nieuws, niets over ons. En ik bedenk dat we misschien langzaamaan op de achtergrond raken. Hoelang zou het duren dat we niet meer in de dagelijkse nieuws-uitzendingen zitten? Eerst zal er alleen nog iets gezegd worden in de trant van 'nog geen spoor van ...', als opmerking aan het eind van de uitzending, die al heel snel helemaal geschrapt zal worden. En er zullen andere interessante zaken aan bod komen.

Yasmine kijkt angstig wanneer ze in de deuropening van de woonkamer opduikt. Met dat nieuwe blonde haar wordt haar bleke gezicht nog meer geaccentueerd. Haar gezicht is een beetje rood van de kou en haar neus ziet er iets roder en spits uit wanneer ze de kamer binnenkomt en de situatie als het ware in zich opsnuift.

'Verdomme, wat stinkt ...' zegt ze, maar ze beëindigt haar zin abrupt. Vermoedelijk is de aanblik nog steeds onaangenaam en onveranderd, net als zijzelf.

'Ik heb nu in elk geval alles gekocht wat we nodig hebben', zegt ze en ze komt binnen met plastic tassen van Lindex en Konsum.

'Trek dit nu maar aan', zegt ze tegen mij en ze geeft me de Lindex-tas. Ik pak hem aan en loop naar de badkamer. In de zak ligt een zwarte, tja, hoe moet je het noemen, misschien een vrijetijdspak, sokken en een paar onderbroeken. Ze zijn groot en wit en degelijk, kennelijk heeft Yasmine dat beeld van me. Ik blijf even zitten op de rand van het bad met de kleren op mijn schoot. Friemel wat aan de prijskaartjes, 299 kronen voor het truitje, 399 kronen voor de broek. Voor de onderbroek 39 kronen en aan de sokken zie ik geen prijskaartje zitten. Geen dure spullen, maar ook niet heel goedkoop. Doorsnee waarde. Mijn waarde is doorsnee.

De angst begint de kop op te steken, ik denk zo vreemd. Stel je voor dat ik bezig ben echt gek te worden? Echt? Stel je voor, Kleintje, dat je je moeder mag bezoeken die steeds maar weer 'doorsnee waarde' zit te mompelen, met haar blik strak op de muur gericht, en met wie contact krijgen onmogelijk lijkt?

Je glimlacht, Anders, alsof ik grapjes maak. Maar het is serieus.

Hoewel, ach, jouw glimlach. Omwille van jouw glimlach kan ik de gekte nog een tijdje aan.

Er is iets gebeurd met de manier waarop ik me beweeg. Het is langzamer en trager geworden. Voortdurend zeg ik steeds maar weer tegen mezelf: je kunt hieruit komen. Woorden van troost die ervoor moeten zorgen dat ik handel. Je kunt hieruit komen en Anders, denk aan hem zoals hij tegen je glimlacht. Wanneer ik dan ten slotte opsta om de strakke, roze, schurende broek uit te trekken, trillen mijn handen. De naaktheid die ik in de spiegel zie is bleek en vervreemdend. Dat ik een lichaam heb. Iemand die eruitziet zoals ik er altijd uit heb gezien, houdt zich daarbinnen verborgen.

Ik heb zulke vreemde gedachten.

De zwarte broek is mooi. Een beetje te groot, maar het is prettig om iets aan te hebben dat niet zo strak zit dat het schuurt.

Wanneer ik de grote kamer binnenkom zitten de anderen nog steeds met hun bleke gezichten televisie te kijken. Ik hoor het einde van de zin in het programma: '... meer over het gijzelingsdrama in onze volgende nieuwsuitzendingen' en ik begrijp dat ze het over ons hebben gehad. Niemand lijkt gekalmeerd door wat er is gezegd. Eerder het tegendeel. Maar er is niemand die mij iets vertelt en ik wil het niet vragen. Ik wil er geen deel van uitmaken. Ik moet dit op eigen houtje zien te overleven.

Ik ga op bed liggen en lig doodstil, probeer mijn krachten en gedachten eenzelfde richting op te sturen – eruit en overleven. Rusten wanneer de gelegenheid wordt gegeven, eten net zo, drinken, geen verdovende middelen meer, en daarna, wanneer ik ertoe in staat ben, ervandoor. Zodra ik de kans krijg, zo snel mogelijk.

Heeft Yasmine de voordeur dichtgedaan? Met de sleutel? Of is ze dat vergeten? Steekt de sleutel nog in het slot?

In dat geval zou ik gewoon de hal in kunnen sluipen en naar buiten kunnen stormen. Een paar keer diep ademhalen en …

Ik snak naar adem en sta op. Een wantrouwende blik van Yasmine. Ze hebben weer een of andere film aangezet.

Ik kijk haar zo ontspannen mogelijk aan. Daarna loop ik de hal in. Ik zie geen sleutel in de deur. Er ligt daarentegen een sleutelbos op een stoel in de hal, precies naast de ingang van de woonkamer. Als ik die pak, kunnen ze dat vanaf de bank zien. Maar ik heb haar niet de deur op slot horen draaien. Ik zoek in mijn geheugen, ik registreer altijd het geluid van draaiende sleutels in een slot. Herinner ik het me nu? Nee. Ik kijk naar mijn voeten in mijn nieuwe sokken. Bij de voordeur staan de oude laarzen van de doofstomme. Voorzichtig, voorzichtig sluip ik dichterbij. Gluur naar de deur van de woonkamer. Ik zie Olga en Ronnie, maar ze hebben hun ogen strak gericht op de televisie.

De stappen die ik doe zijn onvast, maar doelbewust. Ik steek mijn voeten in de laarzen terwijl ik tegelijkertijd de deurkruk zo langzaam mogelijk omdraai. Het gaat moeizaam en mijn hart slaat zo snel dat het suist in mijn oren. Ik doe het, ik doe het, denk ik, en mijn wangen gloeien. Wanneer de kruk niet meer verder naar beneden kan hou ik mijn hand stil en probeer ik te luisteren. Ik hoor alleen maar de televisie daarbinnen. De tune van *Jeopardy*. Is het mogelijk?

Voorzichtig druk ik mijn lichaam tegen de deur. Ik gebruik

zelfs mijn kin als steun en ik meen de vrijheid te ruiken bij de deur. Die is omgeven met een frisse geur van buiten.

Maar de deur zit vast. Hij gaat niet open.

De teleurstelling is zo hevig dat ik begin te snikken, luid, ik kan het niet tegenhouden. Ik hoor de deur van de woonkamer kraken en daar staat Yasmine. Ze werpt een snelle blik op de sleutelbos, die ze naar zich toe graait. Ik doe snel de laarzen uit, als een haastige ontkenning. Wanneer Osmo naar buiten komt sta ik op kousevoeten, maar mijn blozende wangen moeten toch onthullen wat ik probeerde te doen.

'Wat gebeurt er?' vraagt hij met een stuurs gezicht.

'Niets', zegt Yasmine.

'Wat dan, je hebt toch wel goed afgesloten?'

'Tuurlijk heb ik dat gedaan.'

'En je had de sleutels bij je?'

'Uiteraard.'

'Nou dan.'

Osmo loopt terug naar de woonkamer en kijkt niet meer naar mij. Yasmine kijkt me onderzoekend aan met woedende ogen. Ze realiseert zich hoe dichtbij ik was. Had ik eerst de sleutel gepakt, dan was het misschien gelukt.

Ze werpt opnieuw een snelle blik de kamer in. Ze wil niet dat de anderen het horen. Of ze wil haar eigen nalatigheid niet onthullen of ze wil simpelweg geen heibel hebben.

'Jij gaat dit niet verpesten', sist ze naar me. Ik sta nog bij de deur, op kousevoeten en weet niet wat ik moet doen. Langzaam schud ik mijn hoofd, ik kijk naar de grond, naar het grind op de plastic vloerbedekking en meen nog steeds een geur van vrijheid te ruiken. Zo nu en dan komt er een vleugje door de brievenbus.

'Sorry', mompel ik en de blos op mijn wangen verhevigt. Ik bloos omdat ik eigenlijk boos ben. Vooral op mezelf. Sorry? Sorry voor wat? Omdat ik probeer me te bevrijden van mishandeling, haat en van tegen mijn wil gevangen zijn?

Yasmine doet een stap dichterbij en houdt een gebalde vuist voor mijn gezicht. Er rinkelt een armband.

'Je gaat dit niet verpesten', herhaalt ze zacht. 'Je denkt misschien dat Olga en ik een stelletje domme meiden zijn die wat om de kerels heen hangen en er maar het beste van hopen? Hè? Je denkt er niet aan dat dit ook voor ons een kans is?'

'Ja ...'

Ik loop voor haar langs naar de deur van de woonkamer, ik ben verlamd van teleurstelling. En op het moment dat ik bij Yasmine langsloop, knijpt ze in mijn arm, hard met haar nagels. Ik draai me vlug naar haar om, maar dan laat ze mijn arm los met een van woede verwrongen gezicht. Ze geeft me een duw in mijn rug wanneer ik in de deuropening ben en ik kom struikelend de kamer in.

'Waar zijn jullie mee bezig?'

Osmo en Ronnie staan beiden op.

'Niets', zegt Yasmine. 'Ik duwde haar alleen maar even aan, ze stond in de weg.'

Ik zeg niets, maar loop terug naar het bed en ga zitten. Mijn benen trillen nog steeds, ik hou mijn mond stijf dicht, maar adem heftig door mijn neus. Ik proef bloed in mijn mond, en ik denk dat er een tand bloedt. Ik zal het weer proberen, binnenkort, Kleintje, mama kan niet wachten. Nu stroomt het door mijn aderen, nu heb ik de vrijheid mijn wang voelen strelen, mijn hersenen voelen prikkelen, binnenkort moet het lukken.

Alles wat ik denk, alles wat ik doe, moet hierom draaien. Ik moet weg. Ik ga op bed liggen en sluit mijn ogen, ik ben zenuwachtig, ik voel me in een roes. De gedachte dat ik bijna buiten was maakt me duizelig.

Het voelt alsof ik een duizelingwekkend grote stap heb gemaakt. Een stap die iets in gang heeft gezet naar buiten toe.

Waarom heb ik de sleutel niet gepakt? De vraag gonst maar in mijn hoofd. Blijft maar knagen. Als ik het zo stilletjes mogelijk had gedaan? Het verdriet dreigt plotseling de ervaring dat ik een belangrijk gebaar heb gemaakt teniet te doen. Aan de andere kant, als Osmo had gezien dat ik de sleutel had gepakt, als hij het gerammel had gehoord, dan had hij me misschien gepakt. En hij is het dreigen zat. De volgende keer doet hij iets.

Zie het als een oefening, troost ik mezelf. Ik heb het in elk geval geprobeerd.

De televisie staat nog steeds aan, ik geloof dat ze naar iets leuks kijken. Wat iets leuks moet voorstellen in elk geval. De grapjes komen in een bepaald ritme; in een vast ritme worden op dezelfde manier gesproken zinnen aangeleverd die daarna worden gevolgd worden door een lachmachine. Blabla, blabla (lach). Blabla, blabla (lach). Als je het beeld niet ziet, en geen zin hebt om te luisteren naar wat er wordt gezegd, is die monotone grapjesmachine het enige wat je hoort. Ik zie het scherm niet, maar ik loer voorzichtig naar de bank en zie de onbeweeglijke gezichten van Olga, Ronnie, Yasmine en Osmo. Het gelach uit de televisie klinkt eenzaam in de kamer, de grapjes komen niet aan bij de toeschouwers op de bank.

Ik staar naar het plafond en probeer de verbittering in de kiem te smoren door troostrijke en versterkende fantasieën op te roepen over het moment dat ik vrijkom. Het plafond is laag en grijs, het ziet er zwaar uit, maar met de kracht van mijn gedachten probeer ik het omhoog te krijgen, de druk op de borst te verlichten. De vrijheid heeft de kleur van de hemel, denk ik, en ik probeer me de hemel voor te stellen. Als troost probeer ik beelden op het plafond te projecteren, de hemel, die de knalblauwe kleur heeft die je op mooie, heldere zomerdagen kunt zien. Met alleen maar een luchtig opgeklopte wolk. Zwaluwen scheren voorbij, ik lig op een deken in het gras, sluit mijn ogen voor de zon en het is zo heerlijk om de ogen niet te kunnen openen, om de kracht van het tomeloze licht te voelen, om te worden gedwongen eraan toe te geven zonder het te kunnen zien en te registreren.

Gewoon opgeven. Gewoon liggen en voelen. En ik voel het gras onder mij, hoe het geurt en hoe mijn hart betrouwbaar en constant slaat en ik ben onderdeel van het grote. Daar wil ik een onderdeel van zijn.

Jouw hand in die van mij, Anders. Herinner je je nog dat we op warme dagen altijd zo lagen, voordat Kleintje op de wereld kwam? Een deken, ieder een boek, de radio aan. Koffie in een thermoskan en koekjes en kaasboterhammen waarvan de kaas gemakkelijk zweette en daar was ik nu net zo dol op. Roggebrood met een beetje romige opgewarmde cheddar met boter die in het brood getrokken is. Een grote hap roggebrood en een slok koffie tegelijk in de mond.

Ik beweeg mijn mond, het wordt zo echt als ik eraan denk.

Jij hebt een nare gewoonte, Anders, en dat is dat je graag vertelt over wat je allemaal leest. Ik ken jouw patroon door en door, weet precies hoe het klinkt wanneer het zover is. Zie hoe je het boek laat zakken, hoe je je blik over de omgeving laat gaan en daarna haal je diep adem, neemt een aanloop. Er zijn momenten dat ik zelf net bij een spannend, beslissend deel van mijn boek ben en eigenlijk al nee wil zeggen, voordat je ook maar hebt kunnen beginnen.

Maar ik zet gehoorzaam mijn wijsvinger op de plek tot waar ik gelezen heb, en dan luister ik naar jouw observaties. Je moet het niet verkeerd opvatten, Anders, er zijn momenten dat ik het waardeer, dan vind ik het interessant wat je vertelt. Maar vaak wacht ik ongeduldig, maak ik een soort beleefd teken om aan te geven dat ik heb begrepen wat je zegt, een 'hm' of 'ja, daar heb je wel gelijk in' en daarna verdiep ik me weer in mijn boek.

Het komt ook voor dat ik geïrriteerd raak en dat niet voor me kan houden. Het gebeurt dat ik je knorrig midden in je betoog onderbreek, gewoon omdat ik eigenlijk rustig wil kunnen lezen.

Daar hebben we het. Op dat punt moet ook iets veranderen in het nieuwe, vrije leven waar jij en ik elkaar zullen ontmoeten, binnenkort. Ik zal je hand pakken, je bij de eerste diepe ademhaling tegenhouden en zeggen: stop lieverd, we doen het later. Wacht. Laat mij dit uitlezen.

En ik denk dat dat gaat lukken. Ik geloof dat het goed zal gaan. Ik zal duidelijk zijn. In de vrijheid, wanneer ik die terugkrijg, zal ik duidelijk zijn. Mijn uitbarstingen van irritatie hoef je niet meer mee te maken. Jij zult weten waar ik ben en wat ik voel zonder chagrijnige hints en ongeduldig zuchten.

Je denkt vaak dat eerlijkheid het extreemst op de proef wordt gesteld in een groter verband. Dat eerlijkheid gaat om stoutmoedige initiatieven, om pretentieuze verbintenissen die uitgepraat moeten worden. Ik weet niet of ik dat geloof. Het wordt juist groot en angstaanjagend en moeilijk om het in het alledaagse leven in te passen. De eerlijkheid die ik tussen ons wil hebben, Anders, is in het klein een kanaal dat ik voortdurend open wil hebben. De grenzen en de openheid op dat moment zelf, het moment waar het om gaat.

Zo lig ik hier, met toespraken voor jou, Anders. In gedachten heb ik het eerlijkheidsmanifest opgesteld. Af en toe glijdt Kaj mijn gedachten binnen, maar ik doe wat ik kan om de gedachte aan hem de kop in te drukken. Het voelt als een zonde, Heer, vergeef me. De dood van een mens verdringen is diep amoreel. Door Kajs dood te negeren word ik ook onverschillig tegenover zijn leven. Zijn ambitie in zijn hele leven, alle stappen die hij onderweg heeft genomen, ik toon daar geen respect voor.

Iemand in de kamer waarin ik nu lig, heeft hem vermoord. Ik wil daar niet meer aan denken. Ik geloof dat ik daarom de gedachten aan de dode Kaj wegdruk. Ik zie ze een voor een voor me met de ceintuur, en het is volstrekt onwerkelijk. Ik lag zelf in de kamer waar het gebeurde, op dezelfde bank, terwijl het leven onvrijwillig Kajs lichaam verliet. Osmo is van hen de enige van wie ik me kan voorstellen dat hij tot dat soort machtsvertoon over kan gaan, om werkelijk de ceintuur te pakken, om Kajs nek te leggen en hem aan te trekken. Ik heb in Osmo's zwarte ogen gekeken, ik weet hoe mededogen kan verdwijnen wanneer hij woedend is.

Toch … een etmaal geleden was ik er misschien meer van

overtuigd geweest dat het zijn schuld was. Nu zie ik in de ogen van Osmo iets wat op verdriet lijkt. Iets wat geknakt is en ik geloof dat het met Yasmine te maken heeft. Of met alle relaties die om hem heen kapotgaan. Dat hij niemand kan vertrouwen. Ik vermoed dat het ontsnappingsproject vanaf het begin het plan van Kalle en hem is geweest, en dat hun fantasie over de vlucht ook een gevoel van vriendschap en vertrouwen herbergde. En liefde.

Er is iets kapotgegaan bij Osmo, en ik weet het niet, maar ik geloof niet dat hij degene is geweest die Kaj heeft gedood. In zijn ogen is de dood van Kaj een verraad dat door een van de anderen is gepleegd, ook gericht tegen hem. En ik geloof ook niet dat hij nog langer zeker is van een van de anderen.

Blijft Ronnie over. Maar ik twijfel ook wat hem betreft. Niet Ronnie met zijn aan-de-kant-staan-mentaliteit en Yasmine of Olga waarschijnlijk ook niet.

Ik ga op mij zij liggen in het bed, hou mijn armen stevig om mijn buik en probeer niet te denken aan de moord. Er niet aan denken is er niet bij zijn.

En ik wil er niet bij zijn.

Hoofdstuk dertien

Wanneer het in de kamer begint te schemeren staat Osmo plotseling op en zegt: 'Nu vertrekken we.' De sfeer is mat en grimmig. Yasmine verzamelt de zakken, loopt wat rond en leegt de ladekast en kiepert de spullen in een tas. Olga zit met losjes over elkaar geslagen armen op de bank met een lege blik voor zich uit te staren. Plotseling smijt Yasmine de tas op de grond.

'Zou je misschien ook kunnen meehelpen, godverdomme!'

Olga staat vlug op, een beetje te snel, ze struikelt. Yasmine loopt naar haar toe en trekt aan haar arm.

'Nu hou je op met die spullen te slikken. Niets meer, begrepen? Ik ben het toch zo verdomde zat om dit allemaal in mijn eentje te trekken, snap je dat? Je steekt nooit een hand uit, het enige wat je kunt doen is: hallo, o, ik ben waarschijnlijk weer verdwaald in de mist. Maar nu concentreer je je, begrepen?'

Olga knikt terwijl dunne straaltjes van plotselinge tranen over haar wangen glijden. De ogen van Ronnie gaan gemeen vonken zoals altijd als anderen ruziemaken, terwijl Osmo een hand op Yasmines schouder legt en zegt: 'Rustig maar.'

Hij zegt niet 'baby' zoals hij altijd deed.

Maar het geduld van Yasmine wat Olga betreft is op, ze geeft een harde ruk aan de arm van Olga, die begint te kreunen terwijl ze opnieuw haar evenwicht verliest omdat ze geen puf meer heeft.

'Maar ik zal … laat …'

Yasmine laat haar los en gaat woedend energiek verder met het verzamelen van spullen. Olga blijft even bij de salontafel staan, alsof ze probeert wakker te worden en probeert uit te vissen wat ze moet doen, wat er van haar verlangd wordt. Ze pakt uiteindelijk de dingen op die op de salontafel staan, glazen en zakken, en brengt ze naar de keuken.

Osmo vraagt of hij Yasmines mobiele telefoon mag lenen en toetst een nummer in. Terwijl hij wacht tot het nummer wordt doorverbonden, loopt hij met rusteloze passen door de kamer heen en weer. Maar één keer kijkt hij in de richting van Kajs lichaam waarna hij weer vlug een andere kant op kijkt.

'Hoi ... We vertrekken nu ... Ergens in de nacht neem ik aan, er zijn wat dingetjes gebeurd ... dat hoor je later wel. Ja, iedereen is er klaar voor ... Doei.'

Osmo's stem klinkt droog en verbeten. Hij sluit af en geeft de telefoon terug aan Yasmine. Daarna buigt hij zich over Kajs lichaam. Ik kan niet zien wat hij doet, ik zit onderuitgezakt op het bed en wil niet opstaan om te kijken. Maar ik geloof dat hij Kajs zakken doorzoekt. Wanneer hij weer overeind komt heeft hij Kajs wapen in zijn hand. Hij stopt het in zijn binnenzak. Nu heeft Osmo twee wapens. Waarschijnlijk vertrouwt hij de anderen niet genoeg om hun een pistool te geven.

Osmo zegt tegen Olga dat ze naar beneden moet gaan en de auto op moet halen. Ze kijkt alsof ze niet begrijpt wat hij zegt. Nerveus stopt ze een haarlok achter haar oor en likt langs haar lippen terwijl ze op zoek lijkt naar het verband tussen Osmo's woorden.

'Maar je snapt toch zeker wel dat zij niet kan rijden', sist Yasmine. 'Ze kan niets doen. Ze kan immers nauwelijks op haar benen staan.'

Olga fronst haar wenkbrauwen en staart gekwetst naar Yasmine en Osmo. Maar ze kan haar blik nauwelijks focussen.

'Wat heb je geslikt?' vraagt Osmo. 'Jij hopeloze junkidioot, wat heb je naar binnen gewerkt?'

'Hou erover op, Oddi', zegt Yasmine. 'Als we haar maar meekrijgen, dan mag ze later wakker worden.'

'Oké, neem haar mee naar de auto. Ik kan haar hier niet meer gebruiken.'

Osmo geeft Olga een duw waardoor ze in de richting van

Yasmine struikelt. Met knipperende oogleden blijft Olga in de hal staan, ze probeert afwisselend haar blik te richten op Yasmine en Osmo. Yasmine kijkt hatelijk terug en Olga lijkt niet te begrijpen waarom ze een bron van irritatie is. Osmo weigert te reageren wanneer ze met haar smekende ogen vraagt om aandacht.

Met gespannen kaken sorteert hij de spullen in de donkerblauwe tas terwijl hij gehurkt op de grond zit.

'Haal haar weg', herhaalt hij.

'Maar wat heb ik gedaan?' mompelt Olga en Yasmine trekt haar naar zich toe, sist dat ze daar moet blijven staan en dat ze zo naar de auto zullen lopen.

Olga staat midden in de hal en blijft dapper vechten om haar ogen open te houden.

'Maar ik moet mijn spullen hebben …' zegt ze plotseling. 'Je weet, Yassie, mijn spullen. Waar zijn ze …'

'Ik heb alles gepakt wat je nodig hebt', zegt Yasmine resoluut. 'Nu loop je met me mee naar beneden en hou je gewoon je mond.'

Daarna gaat ze op haar hurken naast Osmo zitten en streelt hem over zijn rug. Ronnie zit op de bank en rookt. Hij kijkt naar hen alsof hij naar een toneelstuk kijkt. Een beetje ongeduldig rokend, alsof hij wacht op het moment waarop het drama zal beginnen.

'Ik neem haar mee, dan zien we elkaar over tien minuten beneden.'

'Mmm.'

Osmo kijkt nog steeds in zijn tas, kijkt Yasmine niet aan.

'Oké?'

'Ja, ik hoor je wel! Denk je soms dat ik doof ben?'

Er verschijnen rode vlekken in Yasmines gezicht. Zonder een woord te zeggen pakt ze een boodschappentas in haar ene hand en een grote tas in de andere terwijl ze Olga naar de deur duwt. Olga loopt met onzekere passen en klaagt een beetje omdat ze geduwd wordt. Ze moet dezelfde soort pillen hebben gehad die ik eerder heb gekregen.

Het wordt doodstil in de flat wanneer ze de deur achter zich hebben dichtgetrokken.

'We kunnen die meiden niet langer meeslepen', zegt Ronnie. 'Snap je niet dat alles bezig is in de soep te lopen ...'

'Hou je mond. Help me, jij draagt deze.'

Osmo geeft Ronnie de tas. Dan loopt hij naar binnen en trekt mij omhoog van het bed. Hij houdt me stevig bij mijn armen vast.

'Jij houdt je mond en komt gewoon mee', zegt hij.

Ik sta snel op en probeer Osmo aan te kijken, maar hij ontwijkt mijn blik. Hij kijkt strak voor zich uit terwijl hij mij naar de hal duwt. Ik stap in de te grote laarzen en trek de jas van de doofstomme aan. Door de stank van de jas komt het gevoel terug dat ik de dagen hiervoor had en de angst slaat toe, recht mijn maag in. De angst komt er als een gejammer uit.

Ik wil het niet, maar voor de stank van de jas kun je je niet afsluiten.

'Doe nu gewoon wat ik zeg, dan laat ik je straks vrij', zegt Osmo tegen mij. Hij kijkt me strak aan, maar het voelt niet als daarvoor. Osmo heeft iets verloren, eigenlijk ziet hij er triest uit.

Ik probeer te knikken. Ik denk tenminste dat het mij gelukt is te knikken.

'Maar je weet dat ik je doodsla als je iets doms uithaalt', zegt Osmo en hij kijkt me onafgebroken op zijn nieuwe, trieste manier aan. En het beangstigt me meer dan voorheen. Want Osmo heeft iets opgegeven. In zijn ene hand houdt hij zijn wapen en door zijn veranderde manier van doen lijkt het niet onmogelijk dat hij evengoed het pistool tegen zijn slaap zou kunnen zetten en zou kunnen afdrukken.

Of tegen mijn slaap.

Er is iets gebeurd wat ik niet begrijp. Ik heb nu een aantal dagen met deze mensen geleefd en toch begrijp ik niet in welke relatie ze tot elkaar staan. Osmo staat bij de deur in de hal met zijn wapen half verborgen onder zijn jas en hij houdt mij stevig vast.

'Kom op dan', zegt hij tegen Ronnie. 'Zeg Kajsa gedag, dan gaan we.'

Osmo kijkt volkomen uitdrukkingsloos wanneer hij over Kaj praat en hij kijkt niet naar hem. Ronnie drukt zijn sigaret uit, maakt een halfslachtige zwaai in Kajs richting en komt aanlopen met de tas die er zwaar uitziet.

Wanneer we in het trappenhuis komen probeer ik zo veel mogelijk van de omgeving in me op te nemen, in tegenstelling tot eerder, toen de angst de overhand had, waardoor ik niet in staat was ook maar iets op te merken. Maar nu ben ik van plan me zo goed mogelijk te oriënteren. Osmo en Ronnie luisteren gespannen naar geluiden. We nemen de trap, ze lopen langzaam en zwijgend, blijven staan bij het minste gekraak of geruis. Onze ademhaling is verder het enige geluid dat ik hoor.

Wanneer ze bij de laatste trap komen kan ik op een van de benedenwoningen de naam KARLSSON lezen, en dan zegt Osmo tegen Ronnie dat hij naar buiten moet gaan om te kijken.

Ronnie loopt met snelle passen naar beneden en verdwijnt door de voordeur. Wanneer we een zacht gefluit horen trekt Osmo mij mee naar buiten. De lucht is koud en werkt als een verfrissende, verkwikkende balsem. Wanneer ik de auto met de getinte ruiten zie word ik bijna sentimenteel. Net het welbekende, zinkende schip. Het zal nooit varen, denk ik met verwarrende weemoed. Ze zullen elkaar afmaken. En op een wonderlijke manier heb ik, ook al is het maar heel even, medelijden met hen allemaal.

Ze lijken zo hulpeloos.

Maar wanneer Osmo mij de auto in duwt verdwijnt het weemoedige gevoel. Ik formuleer die zin voor mezelf, maar met een gevoel van paniek waardoor ik koude rillingen krijg. Het lukt nooit, ze zullen elkaar afmaken.

En ze zullen mij afmaken.

We zijn weer op weg, ik zit vast in de auto en het kan allemaal heel erg misgaan. Yasmine stuurt schokkerig en Osmo sist tegen haar dat ze zich moet concentreren. Ik hoor haar af en toe snotteren, maar ik kan haar niet zien in de achteruitkijkspiegel, dus ik weet niet zeker of ze huilt.

Ik leun met mijn hoofd tegen de getinte ruit en lees alle borden die ik zie, probeer uit te zoeken waar we zijn. En ik weet dat we onderweg zijn naar de plaats waar de inrichting staat. Ik meen de geur van Kaj nog te kunnen ruiken, waardoor de dood nog meer doordringt in de sfeer.

'Kaj …' begint Ronnie, maar hij gaat niet verder.

'Pas over een paar weken komt er iemand naar de flat', zegt Osmo. 'Hij ligt daar goed. Hij gaat pas over een tijdje ruiken.'

Ik zie hoe Osmo de bundel bankbiljetten van Sigge uit een van zijn borstzakken tevoorschijn haalt. Hij bladert door de stapel om te kijken of al het geld er nog is.

'Dat geld hebben we in elk geval', zegt Ronnie. 'Daarmee kunnen we hier weg, zomaar. De balans met Bobby is weg, of hoe je dat ook moet noemen. En hij heeft echt ruige contacten …'

'Ja, dat doen we …'

Yasmine wordt zo enthousiast dat ze zich een paar keer omdraait, waardoor de auto gaat slingeren.

'Dat doen we! De pot op met Bobby!'

Haar stem klinkt licht en enthousiast.

'Hij zal toch zo stoer doen nu Kaj en Kalle er niet bij zijn', gaat ze verder. 'We nemen dat geld en vertrekken, zomaar. Alsjeblieft, kom op! Ik ben als de dood voor Bobby en zijn mannen.'

Osmo antwoordt niet, maar stopt het geld weer in zijn binnenzak.

Yasmines enthousiasme ebt weg, ze zucht diep en ze zit met hangende schouders achter het stuur. Ik probeer mijn overtuiging dat dit voor mij goed gaat aflopen nieuw leven in te blazen. Moet ontsnappen, moet ontsnappen, denk ik, want wanneer ik naar Osmo kijk, vermoed ik dat hij eigenlijk het idee heeft opgegeven nog netjes te zijn tegen wie dan ook.

En dan komt het weer, de onwerkelijkheid. Het gevoel er niet bij te zijn, niet echt, alsof het niet lukt om deel te nemen aan wat er gebeurt. En ik vraag me af hoelang je in de onwerkelijkheid kunt leven zonder gek te worden. Voordat je zo ver van de aarde bent opgestegen dat je niet meer terug kunt komen.

Wanneer ik terugdenk aan de drie jaren met Johannes is het gevoel van onwerkelijkheid het tastbaarste van de herinneringen aan hem. Die situatie is nu ook het moeilijkst uit te leggen. Hoe het gevoel van onwerkelijkheid allesoverheersend wordt. Hoe je door het leven kunt gaan alsof je slaapwandelt.

Hoelang heeft het geduurd voordat ik voor mezelf moest erkennen dat mijn relatie met Johannes een grens overschreed?

Veel te lang. Misschien een jaar of meer. Toen waren er al verschillende gebeurtenissen geweest waardoor ik dingen had kunnen beseffen.

Ik herinner me nog de dag dat ik me realiseerde dat ik in zo'n relatie zat, zo'n relatie waar je alleen maar over leest en waarbij je dan denkt dat het anderen overkomt, maar jou niet. Het overkomt andere mensen, mensen die tot een andere sociale klasse of tot een andere nationaliteit behoren.

Hij had me toen al drie keer geslagen en elke keer had ik er een goede verklaring voor gevonden. Bijvoorbeeld die keer dat we met elkaar naar bed zouden gaan en ik onhandig was toen ik zijn lid aanraakte. Dat was begrijpelijk, nerveus als hij was. Wat wist ik over mannen en seks? Niets. Ik was nog maagd toen het gebeurde. Ik dacht dat ik me zodanig had gedragen dat geen enkele man het met me uitgehouden zou hebben.

De tweede keer: een harde duw zodat ik omviel. We hadden geschaatst en Johannes was plotseling onderuitgegaan. Hij was een getrainde en goede schaatser, in tegenstelling tot mij. Waarschijnlijk had ik een geamuseerde trek om mijn mond, zoals Johannes beweerde.

Hij sloeg me recht op mijn mond zodat mijn lip barstte. Later vertelde ik mijn vader en moeder dat ík was gevallen.

En tegenover mezelf, zoals gezegd: ik overtuigde mezelf ervan dat ik er net zo honend uit moet hebben gezien als Johannes beweerde. En dan is het ook wel te begrijpen.

Zelfs de derde keer: Johannes had een tentamen slecht gemaakt. Drie dagen daarvoor had hij een onvoldoende gehaald en we praatten veel over mogelijke oorzaken. Hoe slecht zijn leraar was, hoe slecht de informatie was geweest over welke literatuur belangrijk was. Op de derde dag zat ik in de kamer van Johannes te leren. De dag daarop hadden we een proefwerk. Ik weet nog dat het biologie was en dat het over het zenuwstelsel ging. En ik vond het interessant.

Johannes overhoorde mij en het ging goed. Ik zei iets grappigs over dat er in elk geval niets mis was met mijn zenuwbanen.

Pats. Een oorveeg. Johannes' gezicht was verwrongen van razernij toen hij naar me riep wie ik eigenlijk wel dacht dat ik was. Dat ik het lef had om hem de gek aan te steken. Wist ik niet wat voor nul ik was, vergeleken met hem?

En ik begreep dat het zo uitgelegd kon worden. Het was werkelijk niet mijn bedoeling, probeerde ik te troosten terwijl mijn ene wang bleef kloppen na de klap.

Sorry, sorry, Johannes.

Maar toen kwam de dag dat ik niet meer voor de waarheid weg kon lopen. Dat Johannes iemand was die sloeg. Het waren geen toevalligheden. Het was een patroon. Het paste in een structuur waarin ik een rol had die voor mij bedoeld was.

We waren in de enige moderne kledingwinkel van Avesta en ik paste een spijkerbroek. Johannes stond bij de toonbank in de winkel. Hij was degene die besliste welke spijkerbroek ik moest passen. Hij keek naar de pasvorm en de kleuren, terwijl ik ernaast stond, bang dat mijn slechte smaak of mijn op z'n minst niet bestaande goede smaak, aan het licht zou komen.

Johannes dacht hardop: 'Die daar misschien … nee, daarin zou je er te dik uitzien … of die? Tja, hoewel ik me afvraag of je er daarin ook niet te mollig uit zou zien ...'

Ten slotte gaf hij me een broek en ik stapte de paskamer in. Ik weet nog dat toen ik naar het kaartje met de maat keek, me afvroeg of hij me bewust een te kleine broek had gegeven.

Hij wilde dat ik steunend in de paskamer stond te passen. Dat ik met een vuurrood gezicht gedwongen zou zijn om door een kier in de deur beschaamd te zeggen dat deze helaas te klein was.

En hij zou mij met zijn hoofd scheef onderzoekend aankijken en 'oei' zeggen over de broek die tot halverwege mijn achterste kwam, om met een geamuseerd gezicht met een andere broek te komen. 'Ik heb maar meteen twee maten groter gepakt.'

Maar deze keer paste de spijkerbroek. En hij was prachtig. Ik stapte de paskamer uit en de jonge verkoper riep uit dat die spijkerbroek me als gegoten zat. Ik zag mezelf in de spiegel en werd blij over wat ik zag. Zo verschrikkelijk dik was ik toch niet! En waarom had ik het idee gehad dat mijn achterwerk zo vormeloos was en op een ballon leek?

De verkoper zei dat het leuk was om te zien dat die broek iemand zo goed stond. En ik knikte naar hem en vervolgens zag ik Johannes. Zijn gezicht was lijkbleek. Toen hervond hij zichzelf en zei iets tegen de verkoper in de trant van 'Ja, die zit werkelijk super.' Maar hij zei het op een ironische toon, en knipoogde samenzweerderig tegen de verkoper. Alsof zij zagen hoe hopeloos de broek zat, eigenlijk.

De verkoper was in verwarring. Ik bloosde en liep onmiddellijk de paskamer weer in om de spijkerbroek uit te trekken, vlug, voordat het nog pijnlijker werd. In de eerste plaats dacht ik aan de verkoper. Zodat hij zich niet dom hoefde te voelen.

Toen ik de spijkerbroek teruggaf had ik zo'n haast dat de ene broekspijp nog steeds binnenstebuiten gekeerd was. De verkoper kreeg de broek als een in elkaar gepropte bal. Johannes stond bij de buitendeur te wachten.

'Hij stond je prachtig', zei de verkoper toen hij de broek aanpakte terwijl hij me vriendelijk glimlachend aankeek. Misschien zelfs troostend. Hij zag iets en toen ik me omdraaide om met Johannes mee naar buiten te gaan, zag ik het ook.

Er was iets echt fout. Dit was niet goed.

Er werd niets gezegd toen we naar huis liepen. Hij was boos, dat was duidelijk. Lijkbleek en grimmig. Maar in mij was er iets anders ontkiemd. Iets roods, opstandigs en zenuwachtigs.

We hadden de deur nog niet achter ons dichtgedaan of de eerste aanval kwam.

'Hoe kon je zo verschrikkelijk gênant zijn?'

Een harde duw. Ik viel tussen de schoenen in de hal. Ik trok een paraplubak omver terwijl ik daar op de grond zat en me ongelooflijk belachelijk voelde toen hij me voor het eerst echt hard sloeg. Echt, echt hard. Een gebalde vuist op mijn schouder. Johannes hyperventileerde daarna.

'Zie je wat je hebt gedaan! Zie je wat je hebt gedaan!' brieste hij, steeds maar weer.

Ik durfde eerst niet op te staan. Bleef zitten en wreef over mijn schouder en daar, tussen de op de grond gevallen paraplu's, verdween de opgewonden blijheid, dat heerlijke verwachtingsvolle gevoel dat ik door het bezoek aan de winkel had gekregen.

Hoe kon ik denken dat ik zo verschrikkelijk knap was in die spijkerbroek? Hè? Had ik dan niet door wat voor gezichten de jongen achter mijn rug om maakte? Hij vond mij gênant, zoals ik daar stond te pronken in de broek, waarvan elk mens zo kon zien hoe belachelijk die mij stond! Zo bespottelijk ...

Nog een klap.

Zo bespottelijk. De telefoon ging en Johannes liep ernaartoe, nam op en klonk alsof het om het even welke dag, welke middag dan ook ging, alsof er niets aan de hand was.

'Dag mama ... Nee, Ingrid is hier ... We zijn net thuis ... Over een half uur? ... oké ... dat moet kunnen ... Tot zo.'

Vervolgens hielp hij mij omhoog en bood zijn excuses aan omdat hij zich zo had laten gaan. Hij kon het gewoon niet uitstaan dat andere mensen mij belachelijk maakten. Begreep ik dat? Maar nu moest ik hem helpen om een kleine lunch te bereiden want zijn moeder kwam zo thuis.

Ik geloof dat Johannes nog nooit zo aardig tegen me is geweest als de rest van die dag. Hij hielp me omhoog, hij kuste me op mijn mond, hij zette me op een stoel in de keuken en zei: 'Blijf daar maar zitten, lieverd, dan maak ik een omelet voor jou en mama.'

Wanneer ik terugdenk aan die dag, de lunch in het huis van Johannes' ouders, herinner ik me eigenlijk niet het voorval. Nee, ik herinner me dat we een gezellige middag hadden. Johannes' moeder kwam thuis met heerlijke spijsbroodjes met slagroom. Johannes leek blijer en vriendelijker dan ooit. Mijn handen trilden een beetje en het suisde een beetje in mijn hoofd, na de schok. Maar ik was ook opgelucht. Waarschijnlijk omdat ik wist dat ik respijt had gekregen. Hierna zou het weer een tijdje duren voordat Johannes weer gemeen werd. Ik had betaald voor een paar dagen rust en voor een vriendelijke behandeling tot Johannes' behoefte aan boetedoening afnam.

Zul je dit ooit kunnen begrijpen, Anders? Ik was dus voor schut gezet in de winkel, was geslagen en geduwd door Johannes, en zat daarna te praten en te lachen bij de koffie met een spijsbroodje en vond dat het een gezellige middag was geworden.

Dat ik dankbaar en opgelucht was over hoe vriendelijk en vertrouwd het plotseling voelde.

De prijs die ik betaalde was de onwerkelijkheid. Ik was niet meer thuis in de werkelijkheid. Buiten voor het keukenraam pikte een koolmees op een stuk spek en ik vond dat hij er zo lief uitzag, dat weet ik nog. De winterzon scheen en de sneeuw fonkelde en het samenzijn in de keuken was kalm en gezellig. Ik zei iets over de koolmees en Johannes' moeder was het met me eens en Johannes glimlachte en knipoogde waarderend, ik was opgenomen in een gemeenschap.

Maar midden in de euforie ging ik mezelf plotseling van

buitenaf bekijken. Alsof ik een ander was. Eerst maakte het me bang. Ik weet nog dat ik extra voorzichtig van mijn spijsbroodje at en mijn gevoel van paniek verborg in het eten. Na een tijdje verdween de onrust en ik vond het mooier in de onwerkelijkheid. Ik was liever in een mooie onwerkelijkheid dan in een moeilijk te hanteren en gemene werkelijkheid.

Maar zo gemakkelijk ontsnap je er niet aan. Later, op weg naar huis, voelde ik de blauwe plek op mijn schouder kloppen en ik bedacht dat ik ervoor moest zorgen dat ik me thuis een tijdje niet naakt vertoonde. Ik herhaalde de zinnen steeds maar weer: niet mijn blauwe plek laten zien. Ik ben mishandeld en wil mijn blauwe plek niet laten zien. Ik huiverde bij de gedachte en bekeek dit inzicht van alle kanten met angstaanjagende fascinatie: mijn vriend heeft me geslagen en er is iets mis met hem. Hij is er zo een waar je over leest. Wij zijn zulke mensen waar je over leest. Hij is iemand die mishandelt en ik ben het slachtoffer.

Hoe moet ik dit uitleggen, Anders? Dat het eerste gevoel op zo'n moment er een van bevrijding en triomf is. Hij was het en niet ik. Op een bepaalde manier had ik het overwicht gekregen. En ik had iets gekregen dat te zien was en dat tastbaar was. Er was een diagnose, een patroon waar het in paste.

Oppervlakkig gezien voelde ik me een tijdje daarna vrij goed. Ik praatte meer, lachte en je zou kunnen zeggen dat Johannes en ik het een tijdje beter dan ooit hadden.

Maar mijn echte ik was verdwenen. Mijn echte ik was geschokt, verward, eenzaam en verstijfd van schrik en had het veld geruimd. Wat er over was, was een overdreven, babbelende jaknikker. Aangezien mijn doen-alsof zo goed functioneerde en me zo veel opleverde, was ik niet bijzonder geïnteresseerd om iemand anders, een andere ik, naar voren te halen.

Begrijp je dat, Anders? Ik begrijp het zelf nauwelijks.

En wanneer ik met Osmo, Ronnie, Olga en Yasmine in de Chrysler met de getinte ruiten zit, merk ik dat het gevoel van onwerkelijkheid van nu net zo allesomvattend is geworden als toen.

Kaj is vermoord, zeg ik tegen mezelf, steeds maar weer. Kaj is vermoord terwijl jij, bedwelmd door een of andere drug, op dezelfde bank zat te slapen. Het is onmogelijk om in zo'n werkelijkheid te leven. In geen enkele situatie van de laatste dagen is te leven.

Het is niet waar dat mensen de meest weerzinwekkende of de meest angstaanjagende omstandigheden kunnen verdragen, zoals af en toe wordt beweerd. Dat de mens een verdraagzaam wezen is.

Als je naar het strikt fysieke overleven kijkt, heeft de mens een groot incasseringsvermogen. Maar dat is iets anders.

De ziel van de mens daarentegen is broos. De ziel van de mens krimpt, deformeert en groeit scheef. Daar is niet veel voor nodig. Een kleinigheid is daarvoor voldoende.

De symptomen van het ontkennen van de werkelijkheid waarin ik steeds verder glijdt, zijn slaperigheid, traagheid, krachteloosheid en onhandigheid. Het is alsof je je in water beweegt, je denkt langzaam, voelt minder, mocht je al iets voelen.

En ik weet, terwijl ik in de auto zit, dat je ten slotte jezelf moet dwingen eruit te komen. Dat er niets gebeurt als je jezelf er niet toe dwingt.

Ik haal rustig een paar keer diep adem door mijn neus en zeg tegen mezelf dat ik de werkelijkheid nu in me op moet nemen, moet voelen wat er gebeurt, wakker moet worden. Je moet wakker worden en durven het onder ogen te zien.

Niemand in de auto zegt iets. Olga is in slaap gevallen op de bijrijderstoel, haar hoofd is opzij gegleden en haar rode lokken hangen op haar schouder. Achterin zijn twee rijen stoelen. Osmo en ik zitten op de achterste rij, Ronnie zit voor ons. Ik kijk naar Ronnies achterhoofd. Zijn haar is vet en plakt aan elkaar en vormt kronkelende scheidingen op zo'n manier dat daaronder strepen lichtroze schedel te zien zijn. Ik zie de strepen en ik weet dat er gebieden in Ronnies hoofd zijn waar ik inzicht in heb.

Hoe kan ik erbij komen? Hoe kan ik ze bereiken zodat ze

zichzelf toestaan weer mens te worden en mij zodanig respecteren dat ze me vrijlaten?

Smeken gaat niet. Smeken heb ik geprobeerd en ik heb jullie allebei gebruikt, Kleintje en Anders. Ik moet iets anders bedenken.

Naast mij zucht Osmo. Hij zit onderuitgezakt in de stoel, hij heeft zijn armen over elkaar heen geslagen met zijn kin in de boord van zijn trui.

'Jullie moeten wel erg moe zijn', zeg ik.

Osmo draait zich verbaasd naar me om en kijkt me aan, hij ziet er wantrouwend uit. Daarna knikt hij kort en zegt ja. Het wordt stil en ik verbeeld me dat ze zich nu allemaal realiseren hoe moe ze eigenlijk zijn.

'Je moet deze dagen en nachten nauwelijks hebben geslapen', ga ik verder. 'Je moet wel bijna omvallen.'

Osmo reageert niet. Het is weer stil. De duisternis van het sombere, ondoordringbare sparrenbos begeleidt ons kilometer na kilometer. Verder is er niets te zien. Weinig andere auto's en geen politieversperringen.

'Ik heb verdomme ook niet geslapen', zegt Ronnie plotseling. 'Ja, ja vanavond dan. Maar verder niet.'

'Ja, het was uitgerekend gisteren ook wel een erg goede gelegenheid om te slapen', moppert Osmo.

Weer stilte.

'Ik ben ook helemaal op', ga ik verder en ik meen een soort gemeenschappelijke zucht te horen van zowel Yasmine, Osmo als Ronnie. Maar ze vragen me in elk geval niet om mijn mond te houden.

'Nu heb ik wel een beetje geslapen, in tegenstelling tot jullie', ga ik verder. 'Het moeten die pillen zijn geweest die ik van jou heb gekregen, Osmo. En ik was zo bang dat ik zo nu en dan tussendoor gewoon van de wereld ben geweest. Hebben jullie dat nooit gehad? Dat je zo bang was dat je gewoon in elkaar bent gestort?'

Osmo wendt zich af en kijkt in plaats van naar mij, naar buiten door de ruit. De anderen zeggen ook niets. Ronnie schudt langzaam en ontkennend zijn hoofd.

Yasmine probeert contact te krijgen via de achteruitkijkspiegel.

'Waar ben je mee bezig?' vraagt ze na een tijdje. 'Waarom vraag je dat soort dingen?'

'Ze probeert ons week te maken', zegt Ronnie en hij draait zich om. 'Ja toch? Waarschijnlijk ben je met zoiets bezig.'

'Jullie zijn zulke bikkels dat ik die hoop allang heb opgegeven', zeg ik en terwijl ik het zeg moet ik mijn hand voor mijn mond houden, want ik voel iets van een glimlach op mijn gezicht verschijnen.

Ik ben nog steeds bang. Toch moet ik van binnen lachen wanneer ik mezelf zo hoor. Ronnie bestudeert me wantrouwend. Zijn pony plakt op zijn voorhoofd. De huid van zijn gezicht is grauw door de nicotine en hij heeft blauwlila wallen onder zijn ogen.

'Je weet dat wij ook paranoia zijn', zegt Osmo zonder me aan te kijken, zijn ogen nog steeds naar buiten gericht. 'Waar jij mee bezig bent is gewoon flauwekul.'

'Iedereen denkt dat criminelen de grootste bikkels zijn', zegt Yasmine. 'Dat ze altijd alles onder controle hebben en nooit janken en überhaupt nooit bang zijn zoals kleine jongetjes dat kunnen zijn. Maar zo is het toch niet.'

Ze zoekt mijn ogen weer in de achteruitkijkspiegel en deze keer kijk ik haar recht aan.

'Nee', zegt Ronnie knorrig en hatelijk. 'Hoe zit het dan, Yasmine, als jij weet hoe de criminele mannen zijn?'

'Ach, dat heb ik nou ook weer niet gezegd. Ik bedoel gewoon dat er zoveel niet klopt van wat de mensen geloven.'

'O, zoals wat dan bijvoorbeeld?'

Ronnie vraagt, maar Yasmine zegt niets en ik vermoed dat ze overdenkt waar dit toe kan leiden. Osmo heeft zijn kin uit de boord van zijn trui gehaald.

'Ja, zoals wat dan bijvoorbeeld?' benadrukt hij. 'Wat wil je eigenlijk zeggen?'

Ik zie hoe Yasmine haar blik onrustig heen en weer laat gaan tussen Ronnie en Osmo terwijl ze in de achteruitkijkspiegel kijkt en ik ben bang dat ze van de weg kan afraken. Ze is nerveus en heeft spijt van waar ze aan begonnen is. Een tegemoetkomende vrachtauto zorgt ervoor dat Yasmine haar aandacht weer op de weg richt.

'Ik bedoel alleen maar…' begint ze, nadat ze voor de vrachtauto is uitgeweken, maar dan zwijgt ze weer.

'Ja, wat bedoel je? Zeg het nu of stop de auto zodat ik je er uit kan zetten.'

Osmo's stem is donker en dreigend. Olga wordt wakker en kijkt verschrikt naar achteren, naar hem en naar mij. Yasmine knippert nerveus met haar ogen.

'Waar ben je mee bezig, Oddie?' zegt ze met een piepstemmetje. 'Hou op, snap je niet dat ik bang word. Doe niet zo … raar.'

'Maar zeg het dan! Hoe zijn criminele mannen? Schijtluizen, of hoe wil je het hebben?'

'Ik bedoel alleen maar dat jullie geen monsters zijn', schreeuwt Yasmine terug. 'Meer niet!'

Osmo antwoordt niet, maar hij is razend. Hij snuift en hij pakt zijn pistool, dat hij op zijn knie legt. Ronnie draait zich om en houdt hem in de gaten, verwonderd, maar ook geamuseerd. De gedachte dat hij met Osmo een team vormt, tegen de meisjes, lijkt hem wel aan te staan.

'Dat was niet echt wat je zei', zegt Ronnie tegen Yasmine en hij draait zich daarna vlug om naar Osmo alsof hij wil laten zien waar zijn sympathie ligt.

'Jaja, nu zegt ze niets meer', zegt Ronnie met een wijsneuzige knik naar Osmo. 'Nu zijn we opeens niet meer zo zelfverzekerd over hoe de mannen zijn.'

'Ik bedoel alleen maar …'

Yasmine lijkt koortsachtig naar woorden te zoeken en ik begin me nu serieus zorgen te maken dat ze van de weg af zal rijden. De sfeer in de auto is dermate gespannen dat niemand zich er druk over lijkt te maken. Voor de behoorlijk opgefokte hysterie zou zo'n onderbreking welkom zijn. De auto schommelt heen en weer, Yasmine vecht knipperend met haar ogen tegen de tranen en zoekt met haar aandoenlijke, met tranen gevulde ogen contact met Osmo in de achteruitkijkspiegel.

'Wat is er met je, lieverd? Ik snap het niet! Waarom doe je zo verschrikkelijk raar? Hè? Wat heb ik gedaan?'

'Ja, dat weet je zelf het beste,' zegt Osmo, 'wat je hebt gedaan. Moet je mij dat vragen?'

Yasmine richt haar aandacht op Olga.

'Snap je dat?' vraagt ze en Olga schudt haar hoofd.

'Ik probeer alleen maar te zeggen dat criminele mannen niet de gevoelloze bikkels zijn zoals zij daar, de dominee, beweert.'

Yasmine probeert het Olga uit te leggen.

'Ingrid begon hiermee. Het is haar schuld en toen ik de jongens wilde verdedigen ...'

Yasmines stem breekt en ze begint te huilen.

'... toen werd Oddie helemaal gek en hij zit me alleen maar aan te gapen en pakt zijn pistool en godverdomme, ik word bang ...'

'Maar jullie zijn stoer', zegt Olga lauw en Ronnie barst in lachen uit. Zelfs Osmo moet glimlachen, want het klinkt zielig en komisch tegelijk. Olga is nog steeds niet in het heden beland, ze begrijpt niet goed wat er te lachen valt. Yasmine houdt het stuur stevig vast, ze lijkt er zelf erg van geschrokken te zijn dat ze een paar keer bijna de macht over het stuur verloren is.

'Dus jij vindt dat we dat zijn', zegt Ronnie. 'Mooi dat we dat weten.'

'Het was niet mijn bedoeling om onenigheid tussen jullie te veroorzaken', zeg ik. 'Het enige wat ik wilde zeggen is dat jullie allemaal wel erg moe en uitgeput moeten zijn. Dat was alles.

Bezorgdheid. Het andere was dat jullie wel echt stoer moeten zijn. Want dat zijn jullie. Grote jongens en zo. Maar ik bedoel meer dat jullie dat wel moeten zijn om zoiets te kunnen bedenken en uit te voeren …'

Verward zwijgen in de auto. Heer, mijn God, het bouwen van muren van wantrouwen is de manier van de mens om zich tegen de ander te beschermen. De verdediging is ingesteld op aanvallen en kwaadaardigheid. Vriendelijkheid en bezorgdheid zijn zelden iets waar je rekening mee houdt en zij kunnen de windvlaag worden die het hele gebouw laat instorten.

Niet dat er op dat moment iemand in de auto in zou gaan storten. Maar opeens wist niemand meer hoe ze zich moesten gedragen.

'Hou daarmee op', zegt Osmo.

'Hoezo?'

Ik doe mijn best om er onschuldig uit te zien. Ik weet niet waar ik mee bezig ben. Maar ik heb iets naar boven gehaald, en ik wil het luik verder open hebben, ook al voel ik dat ik beter wat voorzichtig kan zijn.

'Je weet heel goed waar je mee bezig bent', zegt Osmo. 'Je bent bezig met psychologische spelletjes. Hou ermee op. Daar trapt niemand hier in.'

'Ja, hou ermee op', beaamt Yasmine en ze klinkt opgelucht om haar ongenoegen op iemand anders te kunnen schuiven. 'Jij probeert ons alleen maar te breken, dacht je dat wij dat niet doorhadden?'

'Omdat ik zeg dat ik denk dat jullie erg moe zijn? Dat jullie de verdediging in stand moeten houden? Is dat wat er nodig is om jullie te breken?'

Aan het eind van de zin breekt mijn stem een beetje. De angst steekt de kop weer op. Ik realiseer me dat ik me op gevaarlijk terrein begeef. Ik wil jullie ongenoegen niet op mij gericht hebben. Anders, help me. Verdomde rot-Anders, waarom kun je me niet helpen? Waarom kan niemand me helpen?

'Maar ik zal er niets meer over zeggen', zeg ik en ik merk dat er tranen over mijn wangen biggelen.

'Ik zal jullie idiote stoerheid met rust laten. Ik zal die nooit meer in twijfel trekken, als het zo gevoelig ligt. Als jullie me gewoon ergens loslaten hoeven jullie me überhaupt niet meer te zien. Dan kunnen jullie klaarwakker zijn ook al hebben jullie niet geslapen, en doen alsof jullie alles onder controle hebben en wat jullie ook maar willen. Het kan me niets schelen!'

Op het moment dat ik aan jou denk, Anders, begin ik te huilen. Word ik week, zoals mijn medepassagiers zouden zeggen. En Kleintje …

Wanneer ik aan jou denk, Kleintje, gaat er een stuiptrekking door mijn lichaam. Het klinkt als luid snurken, een geluid dat te groot is om in je keel te blijven. Ik snik en schudt. Je kroop tegen me aan, Kleintje, met jouw geur en de contouren van jouw ronde, kleine lichaam.

'Hou daarmee op', sist Osmo. 'Zo zielig ben je niet.'

'Nee, eigenlijk niet', zegt Yasmine en ze werpt een snelle blik naar achteren, naar mij. 'Je neemt zo verdomde veel ruimte in met je geblèr.'

Olga draait zich om en kijkt naar me. Ze lijkt de samenhang beter te begrijpen, maar toch bestudeert ze me met een soort verwarde verwondering.

'Wij zijn allemaal niet te benijden', zegt ze ten slotte. 'Jij hebt je man en je dochter in elk geval nog en ze leven en jij komt bij hen terug en jullie kunnen jullie hele leven verder gelukkig zijn. Of niet? Hoe zou jij dan zo beklagenswaardig kunnen zijn?'

Plotseling voel ik dat iedereen me haat. Alle aandacht is op mij gericht en alle frustratie die zich heeft opgehoopt heb ik aan mezelf te wijten.

'Het is gewoon dat …' piep ik, maar raak in verwarring.

Het verlangen, hoe moet ik dat aan hen uitleggen? Hoe mijn verlangen naar jou, naar jullie, mij in elkaar doet storten.

'Ik verlang zo', probeer ik, en ik meen een eenstemmig gesnuif van de anderen in de auto te horen.

'Verlangen', zegt Ronnie op een sarcastische toon. 'Verlangen, moet dat iets zijn om over te grienen? Ik zal je dit zeggen ...'

Hij draait zijn lichaam zodat hij helemaal naar mij toegewend zit. Zijn ogen versmallen en hij knippert met zijn oogleden omdat zijn piekerige plukken haar erin vallen.

'Verlangen is een verdomde luxe, snap je dat? Geen enkele idioot in de bak kan zich de luxe van verlangen veroorloven. Dat soort gegrien, daar kan niemand tegen. Dat is voor mensen zoals jij. Wij, wij mogen al blij zijn als we een beetje onze gevoelens kunnen laten zien wanneer we een keer bezoek krijgen. Maar de rest van de tijd ... dat is gewoon een kwestie van knop omzetten. Zou iemand gaan zeuren en blèren dat hij naar iets verlangde, dan zou hij een klap op zijn bek krijgen. Daar kan niemand naar luisteren.'

'Nee, zo is dat', zegt Osmo en hij kijkt alsof hem door wat Ronnie vertelt iets duidelijk is geworden. 'Verlangen heeft toch geen zin voor het soort mensen als wij. Je kunt ermee doorgaan, maar doe het zwijgend. Als je erover gaat janken, dan sla ik je.'

Ik zucht en probeer niets te voelen. Of er in elk geval uit te zien alsof ik niets voel. Ik doe dat verbeten en in een reflex.

Mijn God, wat ben ik dat dreigen met een pak slaag zat.

En het merkwaardige en absurde is dat een steek van een slecht geweten mij treft. Ik ben bereid om me te schamen voor mijn zelfmedelijden. Ik ben bevoorrecht, aangezien ik Kleintje en jou heb. In dat opzicht beschouw ik me zo goed bedeeld dat ik bereid ben excuus te vragen aan hen die me als gijzelaar hebben vastgehouden, meerdere dagen in angst hebben laten zitten.

Wat gebeurt er als grenzen vervagen voor wat redelijk is? En hoelang zou het duren voordat ik het normaal vind dat ik van mijn vrijheid ben beroofd?

Hoelang heeft het geduurd voordat ik het heel normaal vond dat ik in angst voor Johannes leefde? Dat ging vrij vlug. Vrij snel realiseer je je dat je voorzichtig voortbeweegt door het mijnenveld, alsof het je vanzelfsprekende manier van bewegen is.

Er komt een zekere alertheid in je lichaam, zonder dat je eraan denkt. Het stuurt je zonder dat je je daarvan bewust bent.

Daar niet lopen. En daar niet. En als je toch verkeerd stapt en het ontploft, dan kun je alleen jezelf daar maar de schuld van geven.

Je weet niet hoe het gebeurt, maar plotseling is het gewoon zo. De kaarten zijn opnieuw geschud, grenzen zijn verplaatst. Je hebt het ontzettend druk met je te heroriënteren en er is geen ruimte om eraan te twijfelen of het er werkelijk zo uitziet zoals het zou moeten.

En daar in de auto besef ik dat het ongepast van me was om over het verlangen te praten, gezien met wat voor soort mensen ik in de auto zit. Dat het ze bijna gelukt is mij zover te krijgen dat ik vind dat ik niets heb om over te huilen.

Ik begin mijn houvast te verliezen en de vaste punten in mijn leven kwijt te raken, het evenwicht tussen de levensvoorwaarden. Ik haal diep adem en strek mijn nek.

'Een klein detail is dat jullie mij gevangenhouden en mij hebben geslagen en mij een aantal keren gedreigd hebben te doden', zeg ik. 'Jullie vinden het vervelend dat ik daar om moet grienen, zoals jullie dat noemen. Maar ik wil hier niet bij jullie zijn en ik ben bang. Er zijn drie mensen gestorven. Eentje is er mishandeld. Ik probeer stil te zijn. Maar niemand van jullie heeft het recht om zich ermee te bemoeien hoe ik me voel, hoe ik denk en wat mijn verlangens zijn.'

Ik strek mijn benen, strek ze uit naar de stoel voor me en wanneer ik naar dat zwarte pluche kijk, naar de broek die Yasmine voor me heeft gekocht, jaagt er een golf van woede door me heen. Stomme broek, domme pech.

Niemand reageert op wat ik zeg en de stilte die volgt leg ik uit als een triomf. Ik krijg mijn gelijk omdat ik het morele recht aan mijn zijde heb. Ik heb ze in een discussie gelokt waarin ze verleid worden om verantwoording af te leggen, en ze raken daardoor van hun stuk.

'Godverdomme, smerissen.'

Yasmine zegt het zacht en hees. Ik buig me een beetje naar voren en zie de politieauto langs de kant van de weg staan. Osmo heeft slim gedacht. Ze hebben de weg afgezet in de tegengestelde rijrichting van die van ons. Zij die diezelfde kant op rijden als wij, minderen vaart, maar worden snel door gebaren te kennen gegeven door te rijden. Aan de andere kant van de weg staat een hele rij. Ik geloof dat het vrijdag is en veel mensen zijn op weg naar het platteland of naar wat mensen zoal doen in de vrije wereld.

'Ik kan dit niet', jammert Olga.

'Duik op de bodem. Het is alleen maar goed wanneer het lijkt dat ik als vrouw alleen ben', zegt Yasmine grimmig.

Vlak voor de wegversperring van de politie zie ik een kiosk. Ik kan het aanplakbiljet van beide avondkranten lezen. Op de ene staat INGRID IS IN ESTLAND GEZIEN en met kleine letters daaronder NIEUWE GETUIGE MELDT ZICH. Op het andere aanplakbiljet staat INGRID KAN DOOD ZIJN en dat is iets wat een of andere schrijver van detectives heeft gezegd.

Ik begin te snikken. Het voelt hopeloos. Er is een agent slechts honderd meter bij me vandaan en tegelijkertijd lees ik dat men denkt dat ik al in een ander land ben. Of dat ik niet meer leef.

Niemand schijnt te geloven dat ik er nog ben. Niet in de buurt, misschien niet eens meer in leven.

We komen dichterbij en door de getinte ruit kan ik zien hoe het gezicht van de agent nadert. Ik richt me op dat punt. Hij kan me niet zien door de getinte ruit, maar ik probeer mijn gezicht tegen de ruit te drukken, zodat er misschien iets te zien valt. Osmo trekt me weg. Met een harde greep om mijn nek drukt hij me naar beneden tussen de twee stoelen. Hij en Ronnie doen hetzelfde. De politie geeft Yasmine een teken dat ze het raampje naar beneden moet draaien. Het is nat op de bodem van de auto en er ligt grind. Ik hoor hoe Osmo gespannen ademhaalt. Hij drukt de loop van het pistool in mijn zij. Olga is op de voorbank in elkaar gedoken. Het is een hoge auto en ik geloof niet dat iemand van ons te zien is als je de auto niet opent en naar binnen kijkt. Ik voel de frisse, koude lucht als Yasmine een raampje opendraait.

'Wat is er aan de hand?' vraagt Yasmine en ik bedenk dat ze op dit soort momenten laat zien dat ze keihard is, ondanks alles. Ze zoekt contact met de agent, probeert zijn aandacht te trekken. Alsof ze absoluut niet bezig is met een vluchtpoging, integendeel.

'Hallo, is er iets gebeurd?'

'We kijken uit naar een paar ontsnapte gevangenen', hoor ik de agent zeggen. 'Ben je alleen?'

'Ja, of denk je dat ik mannen in de kofferbak heb, hè?'

Yasmine lacht dapper.

'Oké ..., We moeten misschien ...'

'Doe wat jullie moeten doen ... maar weet je, ik heb wat haast ... je kent het wel, crèche en zo.'

'Ja, bedankt, ik weet het', antwoordt de agent en hij klinkt aardig. Ik slik mijn tranen in omdat hij zo aardig klinkt. Aardig zoals je in de gewone, vrije wereld kunt zijn. Gewoon aardig, en ik verlang, de brok in mijn keel verstikt me bijna, maar ik verlang zo naar gewoon een beetje aardigheid. Ik haal diep adem en voel het bloed in mijn aderen kloppen. Nu, nu, nu ...

Net op dat moment hoor ik een auto luid toeteren en een opgewonden woordenwisseling. Iemand roept iets naar de agent die met Yasmine praat.

'Dronken', constateert de andere politiestem. 'Echt straalbezopen en in een gestolen auto. Erg lawaaierig zoals gebruikelijk. Heb hier hulp nodig.'

De agent die met Yasmine praatte zegt tegen haar dat ze door kan rijden, maar dat ze voorzichtig moet zijn.

De auto begint langzaam te rijden en ik hoor hoe Yasmine op het knopje drukt zodat de ramen weer dichtgaan.

'Help!'

Ik kan één keer schreeuwen. Een schreeuw om hulp. Daarna voel ik Osmo's harde hand over mijn mond. Eén keer. Eén keer help. En ik realiseer me dat niemand het heeft gehoord. De auto is al buiten gehoorsafstand. Ik ontworstel me aan Osmo's greep en gooi me naar achteren. Krabbel weer overeind op de stoel en zwaai naar de achterruit. Ik zie dat de agent ons achternakijkt, maar dat een hoog oplopende discussie tussen een paar figuren aan de kant van de weg zijn aandacht opeist.

'Waar is dat verdomme goed voor?'

Olga spuugt de woorden eruit en de verachting vonkt uit haar ogen.

Osmo draait zich om en staart naar de politieversperringen. Daarna begint hij schel en hees te lachen.

'Dat heb je goed gedaan', zegt hij tegen Yasmine. 'Verdomme, wat heb je ons daar knap doorheen gekregen.'

Hij schenkt geen aandacht aan mij, maar de manier waarop hij zijn kaken op elkaar klemt maakt me bang. Hierna vertrouwt niemand me nog. Mijn schreeuw om hulp hangt nog in de auto, als een echo die niet alleen hen bang maakt, maar ook mezelf.

'Nu kun je schreeuwen zo veel je wilt', zegt Osmo en hij draait zich langzaam naar me om. 'Niemand die je hoort. Maar als er nog een versperring komt, zal ik je op een of andere manier de mond snoeren.'

Buiten begint het te schemeren en ik merk dat er een rust over de anderen neerdaalt. Ze zijn door de politieversperring gekomen en de vraag is of er nog meer zullen opduiken, in aanmerking genomen dat we precies in de andere richting rijden dan verwacht.

'Ik begin moe te worden', zegt Yasmine. 'Kan Olga niet een tijdje rijden?'

'Ik kan rijden', zegt Olga snel.

Yasmine rijdt naar de kant van de weg, naar een parkeerplaats. De banken en de tafel zien er treurig verlaten uit in de grijze sneeuw. Yasmine stapt uit de auto en rekt zich geeuwend uit. Olga loopt om de auto heen en gaat achter het stuur zitten. Ik vraag of ik even de auto uit mag om te plassen. Niemand reageert. Osmo houdt me in een stevige greep, maar zegt niets. Kijkt niet eens naar me. Ronnie stapt uit en gaat vlak naast de auto plassen. Wanneer hij terugkomt zegt Osmo tegen hem dat hij bij het portier moet blijven staan en mij in de gaten moet houden terwijl hij zijn blaas leegt.

Ronnie kijkt naar me terwijl hij naast de auto staat.

'Ik moet ook', geef ik aan.

Ronnie reageert niet, maar kijkt me aan met een kille verachting. Wanneer Osmo terugkomt zeg ik hetzelfde tegen hem. Osmo wenkt me naar buiten. Hij vertrekt geen spier. Wanneer ik uit de auto ben gekrabbeld zegt hij tegen me dat ik dicht bij het portier moet gaan zitten. Ik hurk en wanneer ik de schoenen van zowel Osmo als Ronnie zie, word ik opnieuw getroffen door het gevoel dat ik een compacte luchtbel van onwerkelijkheid om me heen heb.

Net wanneer ik overeind kom, komt er een auto aan van de andere kant. En zonder er echt over na te denken heb ik me langs Osmo gewurmd en heb ik mijn ene hand opgestoken en diep ademgehaald om te schreeuwen. Osmo stoot zijn elleboog bliksemsnel in mijn middenrif. De pijn doet me dubbelklappen en ik geef hevig over, zo in de sneeuw. Toch lukt het me mijn hoofd zo te draaien dat ik zie dat de auto werkelijk vaart mindert. Hij stopt niet, maar het lijkt dat hij me toch heeft zien zwaaien.

Osmo duwt me in de auto en Olga schreeuwt tegen Yasmine die aan komt rennen terwijl ze haar broek nog niet goed aan heeft kunnen trekken. Olga houdt het stuur vast en schreeuwt luid en doordringend 'snel, snel'. Ik sla met mijn hoofd tegen de stoel voor me wanneer Osmo me in de auto duwt en hij gedeeltelijk bovenop me gaat zitten. Hij heeft nog maar nauwelijks het portier dicht of Olga rijdt al.

'Waar was dat goed voor!'

Olga brult tegen me en ik weet het niet. Gewoon dat ik mezelf niet helemaal meer in de hand heb. Mijn wangen zijn gloeiend heet van opwinding en schaamte. Ik voel me belachelijk. Tot dusver hervond ik mezelf steeds weer en nu is het alsof ik mezelf niet meer onder controle kan houden.

'Hè?'

Olga brult weer.

'Kun je me daar antwoord op geven? Waar was dat goed voor? Moeten we ons te pletter rijden? Is dat wat je wilt? Oké, dan doen we dat! We rijden ons te pletter en dan is dat verdomme jouw schuld!'

Ze drukt het gaspedaal in en we worden door de snelheid in de stoelen naar achteren gedrukt. Osmo duwt me van zich af, naar mijn kant van de stoel. Hij haalt een bevende hand over zijn kruin en ademt heftig met trillende neusvleugels. Ronnie blijft onrustig naar achteren kijken.

'Verdomme, ze stoppen, ik durf te wedden dat ze de smerissen bellen.'

Hij staart naar achteren. Ik ondersteun mijn hoofd met mijn handen en sluit mijn ogen. Het bonkt in mijn hoofd door zowel de angst als een waanzinnig vertrouwen dat er iets gaat gebeuren, toch. Dat de werkelijkheid, mijn wereld, mijn werkelijkheid, een kans zal krijgen. Dat ik ernaar zwaaide, dat die er is, dat ik er ben.

Ik heb zo'n pijn in mijn maag. Ik buig me voorover, hou mijn handen tegen mijn buik en probeer te voorkomen dat ik ga braken. De snelheid, het geschommel van de auto en mijn maag, ik denk dat het is afgelopen. Op elk moment kan de klap komen. Op elk moment kan ik dood zijn. De smaak in mijn mond, ijzer, braaksel, angst, zo smaakt het wanneer je doodgaat.

'Wat doen we nu? Hè?. Wat doen we nu?'

Ronnie schreeuwt tegen Osmo. Olga blijft hard rijden en schreeuwt opnieuw tegen me of ik nu mijn zin heb? Osmo schreeuwt tegen haar dat ze rustig moet blijven.

'Als je zo blijft rijden, dan krijgen we alleen al daarom de politie achter ons aan', schreeuwt hij.

'Maar ik wil niet', schreeuwt Olga. 'Ik wil ons niet klemrijden, ze moeten ons niet inhalen, we moeten niet ...'

'Stop de auto!'

Yasmine schreeuwt in het oor van Olga, die veel te abrupt remt en naar de kant van de weg slingert.

'Aan de kant', roept Yasmine en het lijkt alsof ze Olga van de bestuurdersplaats weg klauwt. Olga slaat om zich heen, maar slaagt er in elk geval in om plaats te maken voor Yasmine, die met een verbeten gezicht gaat zitten en weer de weg op rijdt.

'Ik hou het niet meer vol', schreeuwt Olga terwijl ze haar handen voor haar oren houdt. 'Ik kan gewoon niet meer!'

'Hou je mond!'

Ronnie pakt Olga stevig bij haar rode haren beet en trekt er hard aan. Hij is zo kwaad dat hij haar naar zich toe trekt en je kunt zien hoe lokken van het rode haar losscheuren in zijn stevige greep. 'Hou je waffel, jij hysterisch wijf!'

'Auauau!'

Olga rukt zich los uit zijn greep en gilt onbeheerst. Yasmine valt haar bij en begint ook te gillen en dan begin ik ook. Ik gil zo luid in het luchtledige dat mijn keel pijn doet en het is oorverdovend. Nu gaan we dood, nu gaan we dood en nu kan ik niet meer, nu kan niemand meer, nu verliezen we de controle en het voelt heerlijk om te gillen.

'Het eerstvolgende hysterische rotwijf dat een kik geeft, dump ik', brult Osmo en hij overstemt ons allemaal. En we zijn stil. Ik in een soort van verbazing, aangezien ik niets liever wil dan langs de weg gedumpt te worden.

'Ja, dus niet levend, als je dat soms mocht denken', zegt Osmo, alsof hij zich realiseert dat hij dreigt met mijn droomscenario.

'Maar doe het dan', snikt en snottert Olga. 'Kun je haar niet doden? Alsjeblieft? Ze werkt me op de zenuwen. Ze zal alles verpesten. Snap je dat dan niet? Alles is misgegaan alleen maar omdat zij mee moest.'

Yasmine werpt ongeruste blikken op Osmo.

'Maar is dat nu wel zo slim?' werpt ze tegen en ik ben haar dankbaar.

'We zouden het allemaal … we zullen helemaal … nee, dat kan ik niet aan', gaat Yasmine verder en ze werpt hatelijke blikken naar Olga. 'Hou je mond nu even, Olga. Je wordt hysterisch van alle pillen die je geslikt hebt. Het is afgelopen nu.'

Osmo en Ronnie kijken me aan alsof ze overwegen te doen wat Olga heeft gezegd. Ik doe mijn uiterste best om te denken dat ze alleen maar bang willen maken. Hun kille minachting, ze weten wat je moet doen, ze weten exact hoe je moet kijken om ervoor te zorgen dat andere mensen zich klein en bang voelen.

Ronnie staart als een psychopaat. Hij spert zijn ogen open en laat zijn pupillen bewegen en wegdraaien. Het klinkt misschien belachelijk, maar ik kan je verzekeren, Anders, dat het niet zo voelt. Osmo is wreder en voorspelbaarder. Hij voert de druk op met zijn blik, die brandt in. Je kunt je niet bewegen, je durft niet eens een eigen gedachte te hebben.

Ze willen me bang maken. Ik probeer mezelf in te beelden dat dat het is wat ze doen, maar het helpt niet. Ze proberen me alleen maar bang te maken. Ik klamp me daar zo goed mogelijk aan vast.

'Misschien is het wel zo', zegt Osmos lijzig. 'Olga heeft wel een punt. Er is veel misgegaan door jou. En je lijkt daarmee te willen doorgaan. Dus wat hebben we te verliezen? We zijn immers toch niet van plan om in dit land te blijven. In elk geval niet voor lange tijd. Geen van ons hoeft zich te bekommeren om een paar jaar erbij vanwege jou.'

Ronnie glimlacht gemeen en beaamt het.

'Nee, dat doet er toch niet meer toe.'

Ik draai mijn gezicht van hen af en kijk uit het raam. Zwart dennenbos, een paar auto's, borden met nieuwe plaatsnamen en wisselende getallen die afstanden in kilometers aangeven. Het voelt als ongelooflijk langgeleden dat ik vrij was. Als in een ander leven, zoals men dan zegt.

Als in een ander leven.

'Ik zal rustig zijn.'

Mijn stem is nauwelijks hoorbaar.

'Maar hoe moeten we je kunnen vertrouwen, Ingrid?' vraagt Osmo en de toon die hij aanslaat is als de stem van iemand van een instantie. Alsof hij iemand is die achter een bureau zit van de overheidsdienst waaronder het gevangeniswezen valt of in de kamer van de directeur van de inrichting. Ik ben degene die zich moet verantwoorden.

'Hè? Dat kunnen we immers niet, Ingrid? Je hebt nu zo vaak gezegd dat we je kunnen vertrouwen. Maar dan verzin je weer iets.'

'Ja, de hele tijd', zeurt Olga.

En het doet pijn dat ze me zo gemakkelijk laat vallen.

'Ik heb het gehad met haar. Het is zij of ik', zeurt Olga verder.

'Kun je nu ophouden', sist Yasmine tegen Olga. 'Kun je gewoon je mond eens een keer houden ...'

'Waarom zit iedereen op mij af te geven?' gaat Olga verder met zeuren. 'Iedereen is tegen mij en zij daar achterin schreeuwt alleen maar zodra ze de kans krijgt en Kaj is dood en Kalle is dood en de oude man en nu heb ik het gehad.'

De tranen stromen over Olga's wangen. Ze heeft zich omgedraaid in mijn richting en kijkt me verwijtend aan. Ik snik opnieuw dat ik rustig zal zijn. Dat ik het echt meen. Ze kunnen iets over mijn mond plakken, ze kunnen me vastbinden als ze me niet geloven, maar ik beloof het. Niet meer nu. Ik ben rustig nu.

Een tijdje zegt niemand iets. In de auto ruikt het bijna alsof er iets uitgebrand is. Al onze ontladingen liggen als zwart verstikkend roet over ons heen. Ik weet niet wat er zich in de hoofden van de anderen afspeelt. Maar ik geloof dat we allemaal het dak of de vloer of de bodem voelen, of alleen maar iets wat aangeeft: tot hier, en daarna barst het. Tot hier, en daarna barst ik.

Vandaar het zwijgen van uitputting. Eigenlijk draait er maar één bewuste gedachte in mijn hoofd rond: ik moet rustig zijn, ik moet rustig zijn, rustig blijven, geen geluid, ik moet rustig zijn.

Olga snikt af en toe. Yasmine kijkt woedend en geconcentreerd achter het stuur en de vraag is hoelang ze nog kan rijden. Niemand durft te riskeren dat Ronnie of Osmo voor iedereen zichtbaar achter het stuur gaat zitten. Ik loer naar Osmo naast me. Hij lijkt diep in gedachten verzonken te zijn. Hij staart voor zich uit naar de weg, en zijn gezicht is uitdrukkingsloos. Ronnie zie ik alleen maar van achteren, maar zijn hoofd lijkt te hangen, het helt over naar zijn ene schouder.

'Ik bel Bobby', zegt Osmo plotseling. 'We komen daar niet. Het is onmogelijk. Hij moet naar ons toe komen. We moeten een of ander stom huis in het bos vinden en daar moet hij maar met de poen komen zodat we ons daarvandaan kunnen opdelen.'

Ronnie draait zich om naar Osmo en kijkt wantrouwend.

'Tss. Dat doet hij nooit ... Hij zou nooit ...'

Yasmine snuift verontwaardigd en probeert oogcontact met Osmo te krijgen, terwijl ze tegelijkertijd haar aandacht op de weg probeert te houden.

'Maar snap je niet dat hij ons dan besodemietert? Waarom zou je hem vertrouwen? Het is krankzinnig!'

'Nee, waarom zou ik iemand vertrouwen?' antwoordt Osmo. 'Het is idioot. Maar ik heb hier zo genoeg van. Het duurt zeker een week voordat we bij Bobby zijn, op z'n minst. En zo lang houden we het niet uit als we ons hier ergens verbergen. Dus nu gaat het zoals ik het zeg. We moeten een andere auto jatten, aangezien Ingrids geschreeuw deze gebrandmerkt heeft', gaat Osmo verder, en hij slaat mij hard met een gebalde vuist op mijn schouder wanneer hij mijn naam noemt. Ik kerm, maar zeg niets. Ik probeer echt stil te zijn.

Dat Osmo's voorstel met scepsis wordt ontvangen is wel duidelijk. De stilte die valt is vol gepieker en ingeslikte tegenwerpingen. Ik vraag me af wat het betekent, dat er contact moet worden opgenomen met deze Bobby. En waar gaan we naartoe?

De eerste de beste mogelijkheid die zich aandient om te vluchten moet ik benutten.

We rijden een of twee uur zonder iets te zeggen. Af en toe kijk ik in de achteruitkijkspiegel naar Yasmines blik op de weg. Ze knippert met haar ogen en ik maak me zorgen dat ze achter het stuur in slaap zal vallen. Tegelijkertijd durf ik niets te zeggen. Als ik erin wil slagen om ervandoor te gaan, moet ik me gedeisd houden. Van Olga zie ik alleen maar een pluk rood haar. Ze vroeg Osmo mij te doden. Ik kan dat moeilijk verteren.

Ik haat hem.

Olga's stem toen ze dat zei komt bij me terug als een rilling over mijn rug. Een ander beeld: Olga die boterhammen voor me smeert, die me in vertrouwen neemt. Olga, de Russische pop. Je weet nooit wie ze is. Je weet nooit wie je ziet.

'Stop daar verderop.'

Osmo wijst naar een gedeeltelijk verborgen oprit. Yasmine slaat af, en Osmo zegt tegen haar dat ze alle lichten moet doven terwijl hij uitstapt om Bobby te bellen. Ronnie zegt, een beetje chagrijnig, dat hij meegaat om te luisteren. Osmo lijkt het niet te kunnen schelen.

'Maar jullie blijven hier zitten en houden jullie klep dicht', zegt hij tegen mij, Olga en Yasmine.

Hij heeft nog maar nauwelijks het portier dichtgedaan, of Olga sist tegen me dat ik niet goed wijs ben en dat het net goed zou zijn als iemand mij in elkaar sloeg.

Vanaf de plek waar wij zitten is er buiten nauwelijks iets te onderscheiden, slechts de gloed van Ronnies sigaret en de oplichtende display van Osmo's telefoon.

Ik krijg kippevel op mijn armen, zo spookachtig en onaangenaam voelt Olga's sissende stem, veel nuchterder en meer onder controle dan een moment geleden.

'Maar …'

Ik begrijp er niets van en kan geen woord uitbrengen. Yasmine zucht diep en veelbetekenend, alsof ze het met Olga eens is hoe dom ik me heb gedragen.

'Als je hier levend uit wilt komen,' gaat Olga verder, 'dan luister je goed naar wat ik nu ga zeggen.'

Ze praat zo zacht dat ik me naar voren moet buigen om het te horen. Ik loer nerveus door de ruit naar waar Osmo en Ronnie zijn, ongerust dat ze ons zullen zien smoezen.

'We gaan die idioten daar bedonderen, snap je. Als jij je nu gewoon gedeisd houdt, laten we je gaan zodra we ons deel hebben gekregen. Maar zij … Als je niet doorhebt dat ze je zullen mollen zodra ze de kans krijgen, dan ben je dommer …'

Het geluid van een hand op de hendel van het portier doet Olga zwijgen. Het portier wordt geopend en de geur van Ronnies sigaret vermengt zich met de koude avondlucht die de auto instroomt. Ronnie zegt niets, maar hij laat het autoportier openstaan, alsof hij er zelf achter is gekomen dat het niet zo slim was om ons de gelegenheid te geven te praten buiten gehoorsafstand van hen. Ronnie blijft bij het autoportier staan en volgt zo Osmo's gesprek daarbuiten.

' … maar hou je mond … maar hou je mond …'

Osmo probeert er een woord tussen te krijgen bij degene die verontwaardigd is aan de andere kant van de lijn. Ik vraag me af of het verbeelding was, wat Olga zonet zei. Of het iets is wat ik heb gedroomd, een hallucinatie. Maar haar manier van ademhalen op de bijrijderstoel, de manier van zwijgen van Olga en Yasmine, getuigen ervan dat het geen inbeelding was. Ze zijn geconcentreerd en ik vermoed dat ze zich tot het uiterste inspannen om te kunnen horen wat er daarbuiten over de mobiele telefoon wordt besproken.

Osmo vindt de aandacht voor zijn telefoongesprek niet prettig. Hij wendt zich af, hij praat zacht in de telefoon met de rug naar ons toegekeerd. Wanneer Ronnie een stap dichterbij komt, sist hij 'achteruit, godverdomme'.

Iemand aan de andere kant van de lijn lijkt nu rustig te luisteren. Osmo vindt gehoor voor zijn idee. Wanneer we een bepaalde plek hebben gevonden, zal iemand hierheen komen. En ik begrijp dat er ergens geld is waarvan iedereen een geheim detail moet geven om redenen van veiligheid.

'Ja, maar, Kalle was ook gek om met die vent te praten', hoor ik Osmo zeggen. 'En Kaj heeft waarschijnlijk ook gekletst. Beetje onder druk zetten, hè? Nee, hier is het alleen maar een puinhoop. Het is dat meisje uit de bajes, weet je. Ja, doe ik. Ja, tot binnenkort. Oké, wanneer we een plek hebben. Tot horens.'

Ronnie en Osmo gaan weer in de auto zitten en Osmo zegt kortaf dat we nu vertrekken.

Wat is er tussen Osmo en Yasmine gebeurd?

Ze strekt haar hand naar hem uit en hij streelt die onhandig. Niet meer dan dat. Yasmine start de auto en ik zie hoe ze ongerust probeert iets van zijn gezicht af te lezen.

'Hoe ging het, baby?' vraagt ze dan na een tijdje, als Osmo nog steeds niets heeft gezegd.

'Goed. We doen het zoals ik heb gezegd. Ik weet een plek waar we naartoe kunnen rijden, ongeveer twintig kilometer verder, maar daarvóór moeten we een andere auto hebben.'

We komen in de buurt van een bouwmarkt. Aan het grote aantal parkeerplaatsen en aan de hoeveelheid vastgeketende winkelwagentjes buiten is te zien dat dit een drukbezochte plek is. Er staan nog twee auto's op de parkeerplaats.

'Neem de oude Mercedes', zegt Osmo tegen Ronnie. 'We rijden naar de oprit, en dan kom jij daar met die auto. Daarna wisselen we van auto voor we verder rijden. Neem Olga mee.'

'Maar ik ...'

Olga klinkt opnieuw zeurderig en hysterisch. Maar Osmo noch Ronnie trekt zich daar iets van aan. Ronnie stapt de auto uit en opent haar portier. Olga klautert uit de auto en begint demonstratief luid met haar tanden te klapperen zodra ze een stap doet uit de warmte van de auto.

Ronnie loopt weg met de handen in zijn jaszakken. Yasmine

rijdt van de parkeerplaats af. Eerst begrijp ik niet waarom ze niet gewoon daar van auto kunnen wisselen, maar al vrij snel realiseer ik me dat ze de Chrysler zo goed mogelijk willen verbergen.

We rijden terug naar de plek waar Osmo zonet nog belde. Het is maar een heel klein eindje. Yasmine zet de motor af en het is donker en stil in de auto.

'Lieve gekke Oddie', zegt Yasmine met klem. Ze draait zich naar ons om.

'Je moet me vertellen waarom je zo vreemd doet', gaat ze verder. 'Al sinds we de flat hebben verlaten doe je vreemd. Denk je dat ik die arme donder van een Kaj heb vermoord? Je snapt toch zeker wel dat Ronnie …'

'Nee, dat snap ik misschien niet', zegt Osmo. 'Maar aan de andere kant: ik snap zo veel dingen niet. Zoveel snap ik in elk geval wel.'

'Kom eens hier.'

Yasmine steekt haar ene hand uit naar Osmo. Deze keer pakt hij Yasmines hand.

'Kun je niet even hier komen zitten? Bij mij?' vraagt Yasmine en haar stem klinkt teder. Plotseling voel ik hoe Osmo me bij mijn handen beetpakt. Hij bindt ze vast, stevig, met iets wat voelt als een touw. Daarna pakt hij mijn ene been beet, daarna het andere. Hij bindt mijn voeten vast, hard en woedend.

'Je blijft heel stil liggen, verdomme', zegt hij en hij drukt me naar beneden op de achterbank. 'Geen enkele beweging.'

Hij stapt de auto uit en gaat naast Yasmine zitten op de voorbank. Ik ga liggen op de bank met mijn kloppende schouder, die vreselijk pijn doet van de klap die ik een tijdje terug van Osmo gekregen heb. Ik lig met mijn gezicht naar beneden, met mijn handen vastgebonden op mijn rug.

Binnenkort ontsnappen. Niet nu, maar binnenkort.

Ik hoor geluiden van Osmo en Yasmine die elkaar kussen. Ze murmelt lieve woordjes tussen de kussen door.

'Baby, snap je niet hoe ongerust ik word. Kom hier, laat me, o lieverd, laat mij, ja, dat is lekker, is het niet ...'

Yasmine gaat aan het werk. Het zijn haar woorden die ik hoor, haar ademhalingen. Dan klinkt er plotseling een kreun van Osmo en ik realiseer me dat ze een of andere vorm van seks hebben voorin. Yasmine stelt zich ter beschikking. Ze wil hem bereiken, ze doet daar alles voor. Na een luid, diep zuchtend gekreun van Osmo is het een tijdje stil en daarna hoor ik weer kusgeluiden.

'Zo ja, nu begint Yassie Oddie weer te herkennen. Kom maar, mijn lief, je handen hier als ik je mag ...'

Ik weet niet wat ze doen en druk mijn ene oor tegen de bank, alsof dat zou helpen om mijn gehoor af te sluiten.

We gaan die idioten belazeren. Zijn Olga en Yasmine daarmee bezig? De pijn snijdt door mijn maag. Ze denken dat ze dat redden, maar daar geloof ik niets van. Osmo is al wantrouwend. Daar getuigt zijn veranderde gedrag van.

'Doe hem uit', hoor ik Osmo met hese stem zeggen en het klinkt alsof er een of ander kledingstuk uitgaat of dat er een riem wordt losgemaakt; ik wil me gewoon afsluiten en het niet horen, niet weten. Niet uit preutsheid of gêne. Nee, dat stadium zijn we al gepasseerd in ons merkwaardig samenzijn. Ik wil hier heel gewoon geen deel van zijn.

'Jij kleine hoer', hoor ik Osmo zeggen, bijna onhoorbaar zacht en mompelend.

'Mmm ... jij ...'

Yasmines stem klinkt weer ongerust, maar ze durft niet tegen te spreken, durft niets anders te doen dan mee te spelen. Osmo begint te kreunen.

'Loeder. Daar ... meer daar ... loeder ... jij loeder ...'

Snikt Yasmine? Ik wil aan iets anders denken. Ik wil niet hier zijn, ik kan niet hier zijn. Anders, kom. Anders, wees hier, jij, met mij.

Waar ben je nu? En kun je je in je wildste fantasieën voorstellen in wat voor soort situatie ik me bevind?

In de liefde gaat het veel over een warme wens om harmonie.

Het idee dat je in feite alles deelt. Dat er een gevoelsmatige band bestaat: wanneer ik ongelukkig ben, ben jij het ook, om mij. Ben ik vrolijk, word jij vrolijk met mij. Als ik verdrietig ben, maak jij je zorgen.

Anders, mijn fantasieën over wat liefde is lijken zo kinderlijk. Na Johannes creëerde ik grootse verwachtingen. Het tegenover-gestelde van hoe het was met Johannes. Met hem als tegenbeeld stelde ik me de liefde voor zoals die zou moeten zijn. En daarin werd ik streng. Ik keek om me heen en meende dat ik overal onoprechtheid en huichelarij zag.

Ik overtuigde me ervan dat, mocht ik later de liefde tegenko-men, die zuiver, goedaardig, lief, opbouwend moest zijn. En har-monieus. Dat was het belangrijkste. Nooit meer Johannes' slecht verborgen voldoening wanneer iets voor mij niet goed ging. Nooit meer zijn geforceerd beklagen wanneer ik verdrietig was.

De harmonie zou volledig moeten zijn op die dag dat ik een nieuwe relatie begon. En ik dacht lange tijd dat wij dat hadden, Anders. Ik wilde zo graag geloven dat we op die manier samen-leefden.

Ik herinner me nog het moment dat ik besefte dat het niet altijd klopte.

We hadden ongeveer een jaar samengewoond. Ik was verdrietig na een deprimerend bezoek aan mijn vader. Zijn vrouw Kerstin was op reis en ik ging ernaartoe, alleen, in een onuitgesproken, hooggespannen verwachting om echt contact te hebben.

Maar mijn vader en ik praatten vanaf het moment dat ik daar was over koetjes en kalfjes, tot het moment dat ik weer naar huis terugreisde. Misschien wisten we er aan het eind een beetje warmte uit te persen in de bevestiging dat we dit nog een keer moesten doen, vaker. Maar we waren eigenlijk opgelucht dat het bezoek eindelijk was afgelopen.

Ik belde je, Anders, vanuit de trein op weg naar huis. Weet je het nog? Ik kon mijn tranen niet inhouden. Je troostte me zo goed als je kon en vertelde dat je helaas met twee oude vrienden van de middelbare school had afgesproken. Maar daarna, wanneer je thuiskwam, zouden we praten.

Ik was de hele avond neerslachtig. Ik lag op de bank met een ineengefrommelde zakdoek in mijn hand en stelde me voor hoe jij, Anders, ongerust over me was en naar een verontschuldiging zocht om vroeg naar huis te kunnen gaan. Maar toen je eindelijk thuiskwam, was het duidelijk dat het helemaal niet was gegaan zoals in mijn fantasie. Je struikelde in de hal en het was duidelijk dat je te veel had gedronken. En je was vrolijk! Jullie hadden het zo leuk gehad! Je borrelde gewoon over van enthousiasme en het duurde even voordat de boodschap van mijn door huilen getekende gezicht tot je doordrong.

'Maar jij ... Hoe is het met jou ...'

Daarbij trok je een gezicht dat medelijden moest uitdrukken. Het lukte niet echt goed. Jij zat nog in de sfeer van de gezellige avond in de kroeg. Je was eenvoudig in een te goede bui. Ik siste iets van 'laat maar' en stampte gekwetst de slaapkamer in. En de harmonie die ik niet voelde toen ik de deur achter me dichtdeed, was schokkend en zette alles op z'n kop. Op dat moment besefte ik dat je zelfs in een levende en intieme liefdesrelatie in wezen alleen bent. Geen mens kan je overal in volgen. Kan alles delen.

U kunt het, Heer. Maar een mens niet.

Je vindt waarschijnlijk dat dit belachelijk klinkt en overdreven, Anders. En wat moet ik zeggen? Ik ben het met je eens. Het is een zielig restant van toen ik klein was, een verlangen naar een symbiose dat je nooit echt kunt loslaten.

Ik zie ook hoe je me aankijkt, sceptisch. Alsof ik zo harmonieus met jou zou zijn? Waarschijnlijk denk je dat. Hoe bezorgd lijk ik te zijn wanneer je verdrietig bent, wanneer je ruzie hebt gehad op je werk, wanneer je je hebt klemgezet in je gezinsrelaties?

Oké, ik weet het. Een deel gaat langs me heen. Een groot deel. Over sommige dingen kan ik zelfs in het geheim grappen maken. Jouw bezorgdheid belachelijk maken. Maar kijk me niet zo aan. Ik schaam me, maar dat is een paar keer gebeurd.

En ik zeg je dit: ik kan niet meer voldoen aan die harmonie. Toch is die er. De verwachting. Zoals nu: ik geloof dat je weet wat ik denk. Wat ik voel. Ik praat tegen je en de wind neemt het mee en het vindt zijn plekje in jouw hersenen.

Hoofdstuk veertien

Het is zo onbehaaglijk en treurig met Yasmine en Osmo voor in de auto. Twee eilanden die zich op een of andere manier met elkaar hebben verenigd, maar toch oneindig ver van elkaar verwijderd lijken te zijn. De ene bedriegt misschien zelfs de ander. Of ze bedriegen elkaar.

Voor in auto wordt het stil en wat ze ook hebben gedaan, ze zijn klaar. Na een tijdje hoor ik Yasmine.

'Ik ben jóúw loeder. Alleen van jou. Toch?'

Ze klinkt smekend, ik vermoed dat de benaming loeder haar heeft gekwetst, maar dat ze niet boos durft te zijn. Osmo antwoordt niet. Yasmine begint te jammeren, ik stel me voor dat ze haar hoofd in zijn schoot duwt. Plotseling zie ik een koplamp de auto van binnen verlichten. Het enige wat ik kan zien terwijl ik met mijn gezicht naar beneden lig, is de stoel waarop ik lig en een heel klein stukje van de stoelen voor in de auto.

Osmo opent het portier en stapt uit. Hij doet het weer dicht en op hetzelfde moment hoor ik Yasmine fluisteren, terwijl ze zich naar me omdraait.

'Heb je het nu begrepen? Hou je gedeisd en sta aan onze kant, dan loopt het goed met je af. Dus hou gewoon je mo…'

Meer kan ze niet zeggen, het portier gaat open en Osmo vraagt, geïrriteerd, waar ze op wacht. Yasmine stapt de auto uit en Osmo komt bij de achterbank en trekt datgene los waarmee mijn benen vastgebonden zijn. Ik krabbel overeind in een halfzittende houding. Osmo slaakt een diepe zucht. Hij ploft naast me neer.

'Misschien zou ik je weer moeten vastbinden en je hier gewoon moeten achterlaten', zegt hij alsof hij het tegen zichzelf heeft. 'Je zou na verloop van tijd gevonden worden, maar het zou wel even duren …'

'Ik zou nooit …' begin ik, maar verder kom ik niet.

'Ach. Je hebt te veel moeilijkheden veroorzaakt. Je zou vast wel weer iets verzinnen. Je moet maar meekomen. Wie weet? Misschien hebben we je nog nodig. Zoals die keer toen we van de weg waren geraakt.'

Hij opent het portier en blijft ernaast staan wachten terwijl ik me al schuivend met mijn handen vastgebonden op mijn rug uit de auto werk. Wanneer ik er bijna uit ben pakt hij me aan mijn ene arm vast en trekt mij eruit. Ik struikel en aangezien ik me niet met mijn handen op kan vangen, kom ik hard op mijn knieën terecht. Het is koud en modderig op de grond en het vocht dringt snel door mijn broek heen. Ik kan niet opstaan. Mijn knieën zijn weggezakt in iets drassigs, mijn voeten voelen vreemd aan nadat ze vastgebonden zijn geweest en dragen me niet.

'Kom op.'

Osmo is ongeduldig en prikt me met zijn voet in mijn zij. Opnieuw probeer ik op te staan, maar ik zak door mijn enkel en ik val achterover, plat op mijn achterste. De nattigheid dringt daar ook snel door mijn broek heen, ik voel hoe zelfs mijn onderbroek nat wordt en ik begin te klappertanden en de tranen beginnen te stromen. Ik kan onmogelijk overeind komen, maar ik weiger Osmo om hulp te vragen. Hij staat gewoon een paar meter bij me vandaan en doet geen enkele moeite om me een hand toe te steken.

Het is vrij donker, maar wanneer Olga de koplampen van de Mercedes, waar de anderen in zitten, aandoet, zit ik midden in het licht. Nog steeds doet niemand iets om mij te helpen. Ik draai me om en kom weer op mijn knieën terecht. Het moet een of twee graden boven nul zijn, want de sneeuw is aan het smelten. Ik zit in een plas smeltwater en wanneer ik bedenk dat ik toch al zo nat ben dat het niet meer uitmaakt of ik probeer zo droog mogelijk te blijven, krijg ik eindelijk schwung in mijn voorwaartse beweging en slaag ik erin zwaaiend overeind te komen.

Godzijdank houden de laarzen van de oude man vrij goed het vocht tegen. Ik voel alleen in één laars een ijskoude stroom water bij de zool naar binnen komen. Wanneer ik probeer te lopen zuigt de koude, natte klei mijn laarzen vast en ik heb er moeite mee om vooruit te komen. Ik kan weer vallen.

'Ik kan het niet.'

Ik staak mijn pogingen om verder te komen en stop een paar meter bij de Mercedes vandaan die Ronnie en Olga zojuist hebben gestolen. Olga opent het portier aan de bestuurderskant. Zij gaat nu rijden.

'Maar kom nu toch. Waar zijn jullie mee bezig?'

Osmo pakt me bij mijn ene arm en trekt me naar de auto. Ik strompel voorovergebogen verder en wanneer hij het portier opent en me naar binnen duwt, sla ik met mijn slaap tegen de rand van het portier.

Wanneer ik daarna ingeklemd tussen Osmo en Ronnie in de oude gestolen Mercedes zit, ben ik vanaf mijn middel tot aan mijn voeten kletsnat en een muffe moerasgeur verspreidt zich.

'Maar wel godverdomme', zegt Ronnie en demonstratief schuift hij zo ver mogelijk bij me vandaan. 'Wat heb je gedaan? Je maakt alles smerig.'

Ik geef geen antwoord, maar de nattigheid doet me klappertanden. Er is iets met vocht en kou, Anders. Het maakt je gek. Het duurt niet lang voordat het alles overheerst. Het enige wat er op dit moment in mijn hoofd zit, is dat ik die natte kleren uit wil trekken en iets droogs aan wil doen.

'Ik moet … uitdoen … moet iets droogs aanhebben …'

Mijn tanden klapperen wanneer ik probeer te praten. Ik realiseer me tegelijkertijd dat er slechts een kille stilte heerst en dat de anderen ook nu niet in het minst geïnteresseerd zijn om me te helpen. Ze zijn me zat, zijn elkaar zat, zichzelf zat, de vlucht zat.

Niemand heeft de puf om zich er druk over te maken. Het gaat hen maar om één ding, en dat is zo snel mogelijk het geld ophalen, wat kennelijk het doel van de hele ontsnapping is geweest. Ik doe mijn ogen dicht en probeer de nattigheid weg te denken. Dat is niet gemakkelijk, maar ik begin het te leren. Het heeft zijn prijs, maar tot op zekere hoogte kun je je afsluiten. Je kunt jezelf dwingen om ergens anders te zijn. Je verkleint je bestaan tot een hele kleine, voorzichtige ademtocht en doet alsof je lichaam er niet bij hoort.

Ook Osmo schuift bij me weg. Yasmine, die nu voorin naast Olga zit, draait zich om en kijkt me aan.

'Waarom moet je alles zo moeilijk maken?' vraagt ze. 'Waarom moet je het zo lastig maken? Kun je niet gewoon eens een beetje … ja, rustiger zijn. Hè?'

'Ik ben gevallen', antwoord ik en ik huiver. 'Ik struikelde omdat ik een duw kreeg en omdat Osmo mijn handen had vastgebonden. Ben ik dan degene die moeilijk doet?'

'Waarom moet je ineens zo zelfverzekerd doen?'

Yasmine blijft me strak aankijken, ze heeft zich naar me omgedraaid en ziet er ontzettend moe uit. Haar blonde haren pieken vanaf haar hoofd alle kanten op als naar licht hunkerende kiemen. Haar gezicht heeft de hoop en de scherpte verloren, het ziet er op een bepaalde merkwaardige manier een beetje omgevormd uit. Olga rijdt en ze lijkt goed wakker te zijn geworden sinds ze met Ronnie op dievenpad is geweest. Ze is geconcentreerd en heeft al haar aandacht op de weg gericht.

'Ik ben niet zelfverzekerd. Je vroeg me iets en ik gaf antwoord', zeg ik en ik probeer mijn stem vast te laten klinken.

'Hoor haar', zegt Yasmine en ze wil bijval hebben van de anderen. 'Ze doet stoer, dat doet ze toch, of niet?'

'Ik kan stil zijn als jullie dat liever willen', zeg ik.

Niemand geeft me antwoord. De gespannen, vermoeide stilte daalt weer neer. Het is een soort droge, gebarsten stilte, de fut is eruit, niemand heeft nog energie, niemand neemt nog initiatief. Af en toe vraagt Olga 'En nu?' over de route. Osmo stuurt haar met een kortaangebonden rechts of links als antwoord. Na een half uur rijden dreigt Yasmine in slaap te vallen. Haar hoofd glijdt weg. Krijg ik koorts? Ik krijg koude rillingen door de nattigheid, en ik voel me duizelig zoals wanneer je koortsig bent.

'Hier, sla hier af', zegt Osmo plotseling.

We zijn misschien drie uur rijden van de inrichting verwijderd, nu vanuit de tegengestelde richting dan waar we de eerste keer vertrokken. Ik herken dingen op deze weg. Het is eigenlijk mijn weg naar huis, de weg terug naar Stockholm. Het wegrestaurant Gyllene Ratten. Daar heb ik gepaneerde schol gegeten met remouladesaus. Een schijfje citroen ernaast en een takje dille op de vis.

Nu verbaas ik me erover dat ik daar in het restaurant heb gegeten, in mijn vorig leven, en schol heb gegeten en onbezorgd ben geweest op een manier zoals ik dat nooit meer zal zijn. Wanneer er iets schokkends en angstaanjagends in iemands leven is gebeurd, zoals nu in mijn leven, verdwijnt er iets voor altijd. Daar ben ik van overtuigd. Je verliest je onbevangenheid, maar nog iets meer, iets anders.

Een banale waarheid dringt tot mij door met een verpletterend gevoel dat je voor het eerst begrijpt hoe waar het is: alles kan je in een seconde worden afgenomen. Niets is vanzelfsprekend. Dat waarvan jij dacht dat het alleen maar anderen kon overkomen, kan ook jou overkomen. Je zult nooit meer onbezorgd een schol eten in een restaurant.

We rijden van de snelweg af en Osmo en Ronnie kijken elk aan hun kant door de autoruit. We rijden in een gebied met zomerhuisjes en ik vraag me af of ze naar een huis zoeken waar ze kunnen inbreken. Of heeft die veelbesproken Bobby hen een tip gegeven?

Ik wil niet vragen. Ik wil er geen onderdeel van zijn.

'Wat verdomd veel huizen hier', zegt Ronnie. 'Waar zei Bobby dat het zou kunnen?'

'Een eindje verderop, geloof ik. Rij nog maar een stukje door. Het moet meer afgezonderd liggen.'

Hoe kom je in opstand? Hoe vaak in mijn leven ben ik in opstand gekomen? Hoe vaak heb ik dergelijke dramatische statements gemaakt?

In de gezonde voorstelling van de dramaturgie van het leven leidt onderdrukking tot opstand. Gebogen nekken worden langzaamaan gestrekt. De onderdrukking wordt herkend, en wordt daarna weggewerkt met behoud van trots. Zo wil je zijn. Zo wil je het oplossen.

Maar je wordt zo gedeformeerd door onderdrukking en misbruik. Door angst en door het onder de duim gehouden worden. Wanneer ik eraan denk hoe ik werd toen ik bij Johannes was, is mijn eerste gedachte dat ik saai werd. Kleurloos. Ik verloor nuances en contouren, glans en alles wat me op een of andere manier kon onderscheiden. In het begin nam Johannes daar genoegen mee. Maar het irriteerde hem steeds meer. En misschien zit er een passieve agressie in het kleurloze. Je geeft niets. Uit angst, dat is het primaire. Maar ook omdat je diep van binnen kwaad bent. Je geeft niets weg. Geen enkele nuance.

Johannes kon mij nadoen. Hij maakte me belachelijk met de manier waarop ik 'niets' zei, wanneer hij vroeg waar ik aan dacht. Dat ik nooit aan iets bijzonders dacht, dat 'niets bijzonders', 'zeg jij het maar' of 'ik weet het niet' de steeds terugkerende antwoorden op zijn vragen werden.

Ten slotte was ik bijna verbaasd als iemand mij zag wanneer we buiten waren. Zei iemand: 'Hoi Ingrid, hoe is het met je?' dan wilde ik me omdraaien en over mijn schouder kijken. Ik dacht dat ik mezelf had uitgewist tot ik onzichtbaar was.

Johannes, die eerst werd geprovoceerd door het minste gebaar van mijn kant, raakte nu steeds gefrustreerder. 'Ben je niet goed wijs?' kon hij briesen. 'Ben je helemaal suf?'

'Ik? Nee, hoezo? Er is niets met mij. Een beetje moe, misschien.'

'Hier.'

Olga parkeert de auto naast een huis dat afgelegen ligt bij een strand. Het heeft een prachtig terras over de breedte van de bakstenen gevel.

'Mijn god, dit ziet er verdomde poenerig uit', zegt een slaapdronken Yasmine.

'Mm. Bobby kent de vent die dit stulpje bezit. Iemand die bij hem op het advocatenkantoor werkt. Hij is op reis. Hier kunnen we een paar dagen bivakkeren als we ons gedeisd houden.'

Osmo stapt als eerste uit de auto. Hij kijkt goed om zich heen. Het is helemaal stil om ons heen. Het huis ligt echt afgelegen. Osmo toetst een code in en een garagedeur gaat omhoog. Hij stapt naar binnen en komt na een tijdje terug om ons te wenken mee te komen.

Olga en Yasmine rekken zich uit en zeggen bijna tegelijk dat ze helemaal kapot zijn. Ronnie trekt me aan mijn arm mee wanneer hij uit de auto stapt. Ik klappertand hevig en mijn benen trillen zo dat ik nauwelijks kan lopen.

'Kom dan snel naar binnen als je het zo koud hebt', zegt Yasmine geïrriteerd. 'Sta daar niet zo.'

En met mijn grote laarzen, waarvan de ene sopt van het water, loop ik de garage in. Het ruikt schoon en lekker daarbinnen, heel anders dan de smerige garage van de doofstomme. Geen auto te zien, en we lopen door de garage naar een deur die naar een trap leidt, het huis in. We komen in een moderne en schitterende keuken. Het aanrecht bevindt zich voor een groot panoramaraam en buiten glinstert de winterse baai in het maanlicht.

'Wat een prachtige plek!' roept Yasmine uit en Olga knikt instemmend.

'Ja, inderdaad', zegt Olga. 'Waarom konden we hier niet meteen naartoe rijden? Waarom moesten we die oude man hierin betrekken?'

'We hadden ons hier nooit vanaf het begin kunnen verbergen', zegt Osmo. 'Dan hadden ze ons gevonden. Ik wist ook niet van deze plek. Ken de kerel niet van wie dit is.'

Ik blijf staan en kijk uit het raam naar de baai. De maan is helder en rond. Op een matte en pretentieloze manier is die mooi. Yasmine doet de plafonnière aan en de plafondverlichting kan net een keer knipperen voordat Osmo bij haar is en Yasmines hand wegslaat en het licht weer uitdoet.

'Maar ben je nou echt zo achterlijk!' brult Osmo.

Yasmine ziet er verward uit en Olga staat met halfopen mond verbouwereerd te kijken. Door het maanlicht dat door het raam naar binnen schijnt zien hun gezichten er spookachtig uit.

'Niemand mag ons hier zien, dat snappen jullie toch wel. Mijn god, wat een amateurs zijn jullie! Stelletje kippen. Kakelen, dat is wat jullie kunnen! Ronnie, jij dumpt de auto ergens en dan kom je terug. En wij moeten hier in het donker zitten en bij de ramen wegblijven. Snappen jullie dat? Of denken jullie dat dit een vakantietochtje is? Hè?'

'Jaja …'

Yasmine lijkt gekwetst te zijn en ze ontmoet mijn blik, en daarin ligt iets wat me herinnert aan wat ze eerder in de auto duidelijk wilde maken. *We gaan die idioten belazeren.* Olga en zij denken eraan om er zelf vandoor te gaan. Olga haatte Kalle en ik geloof dat Yasmine, tenminste op dit moment, Osmo ook haat.

Ronnie zucht diep, maar gaat weg om de auto te verstoppen. Osmo loopt naar de koelkast, die leeg blijkt te zijn. Hij opent de deur van een grote vrieskist en rommelt wat tussen de bevroren spullen die tegen elkaar bonken en stoten.

'Maak hier iets van.'

Hij geeft een paar bevroren pakjes aan Olga, die ze op haar beurt doorgeeft aan Yasmine.

'Maar hoe kan ik …? Ik zie immers niets', zegt ze zeurderig en nog steeds op een gekwetste toon.

'Gebruik de magnetron of de oven of iets anders daar. Doe het gewoon. En hou op met dat verongelijkte gezeur. Zit niet zo te simmen.'

Yasmine trekt de bevroren pakjes naar zich toe. Ze loopt naar het fornuis en gaat op de vloer zitten, doet een aansteker aan terwijl ze leest wat erop staat. SCHAALDIERROERBAK. KIPPENROERBAK. SCHAALDIERROERBAK, nog een keer.

'Dit soort dingen moet je bakken. Als ik hier moet staan bakken en het gaat walmen, dan zal dat te zien zijn. Dit soort dingen kun je niet in een magne… Au … Wat doe je godverdomme!'

Osmo heeft Yasmine stevig bij haar haren beetgepakt en trekt haar zo terug naar de vriezer. Hij rukt de deur open en duwt haar hoofd in de koude vrieskist.

'Zoek iets anders uit, wat je in de magnetron kunt opwarmen of wat dan ook', brult hij. 'Ik begin jou en dat gezeur van jou toch zo verdomde zat te worden.'

Yasmine schreeuwt en duwt Osmo van zich af. Hij staat met een opgeheven vuist voor haar en ze zakt op de grond met haar handen boven haar hoofd. Olga pakt Osmo's gebalde vuist beet en trekt eraan en schreeuwt, zij ook.

'Je raakt haar niet aan! Hoor je dat, jij vet zwijn! Je raakt haar niet aan!'

Osmo geeft haar een duw, en Olga valt ook op de grond. Osmo staat nog steeds met opgeheven gebalde vuist, en het door de maan verlichte lichtrood en helblond geverfde haar van de vrouwen aan zijn voeten ziet er als een spookachtige, onwerkelijke warboel uit. Ik deins achteruit, doe een paar stappen en denk dat nu, misschien …

Maar mijn handen zitten nog steeds vastgebonden op mijn rug.

Osmo haalt diep adem en laat zijn vuist zakken. Hij helt zijn hoofd achterover, doet zijn ogen dicht en hij probeert zich te bezinnen. Yasmine en Olga hebben allebei hun handen op hun hoofd en ze huilen om het hardst.

'Sta op', zegt Osmo met een lage stem. 'Opstaan jullie, nu.'

Yasmine en Olga krabbelen gehoorzaam overeind. Ze bewegen zich langzaam en afwachtend. Ik ben gestopt met achteruitlopen en sta roerloos, durf nauwelijks adem te halen. Ze moeten er niet achter komen dat ik probeerde weg te sluipen. En op datzelfde moment kijkt Osmo mijn kant op.

'Waar ben je? Kom hier', zegt hij, en ik durf niet tegen te stribbelen.

Ik ga toch een klein eindje bij ze vandaan staan. Yasmine en Olga snotteren nog steeds.

'Doen jullie mee?' vraagt Osmo. 'Wanneer Bobby opduikt moet ik het weten. Doen jullie mee of niet?'

Yasmine en Olga knikken en hun gesnotter vermindert.

'Dus nu is het gewoon een kwestie van volhouden, of niet? En stoppen met zeuren, want dat begin ik nu onderhand ontzettend zat te worden.'

Ze knikken weer. Olga pakt Yasmines arm beet, als om steun en troost te krijgen.

'Ik zal kijken wat ik kan vinden', zegt Yasmine mat en ze trekt de deur van de vriezer weer open. Ze stopt de roerbakpakketten er weer in en pakt opnieuw de sigarettenaansteker. Ze trekt er een paar andere pakketten uit,

'Lasagne. Daar hou je toch zo van, Oddie.'

Ze laat een liefdevolle hand over Osmo's buik glijden, en terwijl ze dat doet kijk ik naar Olga, die meteen een vies gezicht trekt. Olga en Yasmine lopen samen naar de magnetron en Olga leest wat er op de achterkant van het pakket staat terwijl ze de sigarettenaansteker brandend voor zich heeft. Ze leest hardop en Yasmine probeert uit te vissen hoe de magnetronoven werkt.

Ik realiseer me dat ik het nooit zal redden als ik ontsnap in de natte kleren die ik nu aanheb. Als het me zou lukken om ervandoor te gaan, zou ik onderweg doodvriezen.

'Is er iets wat ik in plaats van dit natte spul aan kan trekken?' vraag ik Osmo.

Hij draait zich langzaam naar me om en in het maanlicht ziet hij eruit als het standbeeld van een of andere serieuze leider in een dictatuur.

'Waarom zou ik me daar druk over maken?'

Osmo zegt het lijzig en heel even weet ik niets terug te zeggen.

Is het geklapper van mijn tanden een antwoord?

'Waarom zou iemand zich bekommeren om iemand anders?' weet ik bibberend uit te brengen en het is een echo van de gesprekken die Osmo en ik in de inrichting hebben gehad. Dat soort dingen kon hij mij toen vragen. Waarom zouden mensen zich om elkaar bekommeren en ik veronderstelde dat hij wilde horen: vanwege de medemenselijkheid.

'Kom.'

Osmo pakt me bij mijn arm beet, maar hij doet het niet zo hard als daarvoor. We lopen het keukengedeelte uit en Osmo drukt voorzichtig de kruk omlaag van een deur van een andere kamer. Daar staat een groot tweepersoonsbed en een kledingkast met spiegeldeuren er recht tegenover. De slaapkamer heeft ook uitzicht op het meer. Dezelfde spookachtige maneschijn. Er is geen kans op inkijk als je het licht niet aandoet.

Osmo trekt voorzichtig aan een van de deuren van de kledingkasten. Die glijdt soepel open en dat geeft dezelfde kostbare indruk als de rest van het huis. Het is de kledingkast van een vrouw. Het ruikt naar parfum en de kleren zijn schitterend, de meeste lijken bedoeld voor feestelijke gelegenheden.

'Kijk maar of je iets kunt vinden. Maar een beetje voorzichtig, probeer niet alles aan te raken. Probeer het een beetje discreet te doen.'

Osmo maakt, zie ik nu pas, de sjaal los waarmee hij mijn handen eerder heeft vastgebonden. Ik masseer ze een tijdje. Mijn vingertoppen zijn ijskoud en mijn vingers lijken moeizamer te bewegen dan daarvoor.

Osmo laat zich op het bed zakken en ondersteunt zijn hoofd met zijn handen. Hij wrijft in zijn ogen en het lijkt of hij probeert de vermoeidheid uit zijn ogen te wrijven. Aan het hoofdeinde heeft het bed een gewatteerd schot en hij laat zich er langzaam tegenaan zakken. Hij kijkt naar buiten, naar de baai en met de zware oogleden gaan zijn ogen langzaam dicht en daarna weer open.

Het voelt vreemd om tussen de naar parfum geurende exclusieve kledingstukken te rommelen. In het donker heb ik moeite om de maat te onderscheiden. Ik laat mijn hand over de kledingstukken glijden en ik voel pailletten en glad, schitterend materiaal. Er ligt een stapel op de grond en ik vermoed dat het trainingskleren zijn. Daar vind ik een zachte vrijetijdsbroek. Die pak ik en ik pak er nog een, die er meer uitziet als een lange broek.

Wanneer ik wil vluchten moet ik misschien ver lopen.

Osmo kijkt nog steeds naar de baai en ik probeer snel de stinkende, koude, natte broek uit te trekken. Het gaat moeilijk, ik begin te hijgen. Terwijl ik aan de broek sjor kijkt Osmo plotseling naar me. Ik sta gedeeltelijk in mijn blote achterwerk nog steeds te worstelen met de natte broek.

'Sorry', zegt hij zacht en hij kijkt weer naar buiten.

Ik kan me er niet meer druk over maken. Dat iemand me in deze vernederende situatie naakt ziet, ik weet niet, maar waarom zou ik me daar druk over maken? Het hoort bij een andere wereld. De oude wereld waarin je je druk maakt over hoe je overkomt.

'Het was nooit de bedoeling dat jij mee zou gaan', zegt Osmo plotseling, nog steeds met zijn blik naar buiten op het water.

'We wilden die blauwe meenemen. Niet jou. Ik hoop dat je begrijpt dat het niet goed voelt, dit.'

Ik trek de lange broek aan. Hij is kort en eigenlijk te klein, maar het doet er niet toe. Ik trek met mijn handen aan de droge stof en voel hoe mijn huid eronder meteen droog en warmer wordt.

Osmo keert zich om naar mij.

'Voelt dat beter nu?' vraagt hij.

Ik knik en trek de andere, dikkere broek over de lange broek aan. De trui is bij de boord een beetje nat, maar ik besluit dat ik dat zo maar laat. Het is zo heerlijk met de warme broek aan dat ik bijna slaperig word, aangenaam slaperig.

'We laten je later vrij', zegt Osmo. 'We laten je gaan en dan ga je terug naar je vent en je kind en dan komt alles goed, toch? Er is niks veranderd? Je moest gewoon een paar dagen met ons mee. Hè? Dat is toch niet zo erg?'

Osmo knippert met zijn ogen. Hij ziet er moe en gelaten uit. Hij kijkt me smekend en tegelijkertijd geïrriteerd aan. Misschien bekruipt hem een onaangenaam gevoel wanneer hij me ziet, misschien begint hij zich af te vragen wat hij me heeft aangedaan. Nu wil hij dat ik zal zeggen dat het niet zo erg was, dat alles weer goed komt en vergeten kan worden.

Ik kijk hem aan en denk dat hij een arme idioot is. Deze reis heeft woede in me losgemaakt en ik meen alles helderder te zien dan ik ooit heb gedaan. Voor Osmo's smekende ogen voel ik nog een restje van de impuls om te troosten, om te zeggen dat het niet zo erg is, dat als ik maar weer vrij ben, dat dan alles weer goed wordt.

Maar het milde deel van mijn ik is verdwenen. Ik voel hoe mijn lippen krullen in de richting van een gemene trek om mijn mond. Geen glimlach, maar zoiets dergelijks.

'Ik ben een aantal dagen doodsbang geweest, ik ben geslagen en bedreigd en vernederd. Wat denk je? Dat het iets is dat je gewoon van je afschudt?'

Osmo geeft geen antwoord, maar zit met hangende schouders uitdrukkingsloos voor zich uit te staren.

'Het is allemaal gewoon zo'n puinhoop geworden', zegt hij na een tijdje met een vlakke stem. 'Alles wat je doet … het was allemaal zo veelbelovend. Je hebt plannen gehad en dromen … maar het gaat alleen maar gigantisch mis. Het wordt alleen maar een enorme puinhoop.'

De oude Ingrid legt een hand op Osmo's vermoeide, hangende schouder. De oude Ingrid zegt dat het zo niet hoeft te gaan. Dat het nooit te laat is.

Maar de pas ontwaakte Ingrid briest van binnen. Wil je dat ik je zal tróósten? Ik, gevangengenomen, mishandeld en nu degene tot wie je je wendt met je zelfmedelijden?

'We hebben het er eerder over gehad, en je weet dat ik vanaf het begin me mijn leven zo niet had voorgesteld', gaat Osmo verder.

Nu ben ik degene die zucht. Ik ga in een stoel in de slaapkamer zitten. Die is bekleed met een glimmende stof. In het zwakke licht kan ik zien dat het gestreepte stof is, maar niet welke kleur. Op de zitting ligt een vacht. Een wollige, gekrulde, kortharige vacht. De luxe in het huis haalt iets anders bij ons naar boven. Osmo lijkt zich minderwaardig te gaan voelen. Mij geeft het een gevoel van eigenwaarde. De luxe in het huis vertegenwoordigt waar ik voor sta. Overwicht. Dat ik in de groep, toch, een vanzelfsprekend overwicht heb doordat ik bij de heersende klasse hoor. De anderen horen bij een lagere, niet geaccepteerde klasse.

Je beseft, Anders, dat het niet zo'n fraaie gedachte is. Maar zeg er nooit iets wijsneuzerigs over. Niet voordat je zelf tot naar de bodem bent gedwongen.

Overwicht is iets waarvan ik in de vrije, oude wereld doe alsof het niet bestaat. Ik heb mijn contacten gehad in de inrichting. Iemand naar wie ze toe konden gaan. Tot wie je je kon wenden voor begeleiding en steun. Zo is het geweest. Ik heb geholpen. Maar ik ben aan de andere kant geweest. Degene die een natuurlijk overwicht heeft, degene die mag komen en gaan, degene die normale gewoonten en routines heeft. Degene die datgene heeft waar criminelen lak aan proberen te hebben, of wat ze bespotten of ook nastreven wanneer ze dat kunnen.

Het simpele overwicht doordat je een functionerende, geaccepteerde medeburger bent. Er is iets in het huis wat ervoor zorgt dat ik me zo voel, op een mooie, gepaste en superieure manier.

'Er zijn maar weinig dingen die zo worden zoals je ze hebt voorgesteld', zeg ik en het klinkt stom, dat hoor ik.

'Eigenlijk zijn het de eenvoudige dingen die je nooit voor elkaar krijgt', gaat Osmo verder. 'Misschien niet meteen de Volvo en het huis. Maar iets in die richting. Iemand om mee samen te zijn. Met wie je het goed hebt.'

'Je hebt Yasmine. Je hebt immers iemand.'

Osmo kijkt me onderzoekend aan. Hij lijkt te zoeken naar sporen van hoeveel ik heb begrepen van wat er tussen hen is gebeurd. Maar ik weet het niet. Er is iets gebeurd, dat begrijp ik, maar ik begrijp niet wat.

Osmo zegt niets, maar hij schudt langzaam zijn hoofd. Ik zeg ook niets, maar leun achterover in de heerlijk warme stoel.

Ik heb jullie. Kleintje en jou, Anders. Hij heeft gelijk. Mij zijn de eenvoudige dingen gelukt, ondanks dat het eenvoudige zo verschrikkelijk moeilijk is. Waarom maken we het allemaal zo gecompliceerd, lieve Anders? Waarom raken we überhaupt verstrikt in een wirwar van tegenstrijdigheden en kleine woordenwisselingen in een relatie?

Ik hou van Kleintje. Ik hou van jou. Het andere is gewoon onhandigheid. De verwardheid die in mij zit en waarvan ik niet weet hoe ik me ervan moet ontdoen.

'Je kunt niemand vertrouwen, dus dat valt weg', zegt Osmo. 'Je bent een loser als je gelooft dat je iemand kunt vertrouwen.'

'Ik zou zeggen dat het eigenlijk andersom is', zeg ik. 'Degene die je in de steek laat is de loser.'

Osmo ziet eruit alsof hij zijn hersenen aan het pijnigen is.

'Wat bedoel je?' vraagt hij na een tijdje. 'Degene die bedrogen wordt is de loser. Hoe zou het anders kunnen zijn?'

Ik haal diep adem om antwoord te geven, maar raak in verwarring. Wat bedoel ik eigenlijk?

'Ik geloof dat ik dit bedoel', zeg ik na een korte aarzeling. 'Als iets überhaupt zal kunnen ontstaan, dan moet je de wil en het vermogen hebben om op anderen te kunnen vertrouwen. Wanneer je dat vermogen hebt, dan kan die persoon slagen in de gewone dingen, gewoon met iemand samen te zijn.'

Osmo zegt dat hij snapt wat ik bedoel. Zelf walgt de ontwaakte agressieve Ingrid van de pedanterie in de redenatie. Maar ik heb gelijk, Anders, dat heb ik toch zeker?

'Maar je hebt het toch mis.'

Osmo laat zijn hoofd op het kussen zakken en hij staart naar het donkere plafond.

'Hoezo mis?'

Osmo aarzelt even met zijn antwoord.

'Ja, je hebt het erover dat het aan een enkel persoon is of hij iemand moet vertrouwen of niet. Zo werkt het niet. Je kunt vertrouwen tot je een ons weegt, maar het helpt niets als die andere persoon je verraadt, toch? Integendeel. Je komt alleen maar over als de stomste idioot. En dan kan je praatje nog zo mooi zijn, maar dat is niets waard. Helemaal niets.'

'Je hebt het geprobeerd. Als je later verliest heb je het in elk geval geprobeerd.'

Osmo zucht.

'Oké. En dat is nu net wat je tot de ergste loser maakt. Een sukkel. Iemand die je achter zijn rug om uitlacht. En als dat iets is wat je herkent ...'

Ik wacht even, maar Osmo maakt zijn zin niet af.

'Vind je dat het vaak zo is?'

'Meiden willen dat je een zwijn bent. Zodra je soft wordt vertrappen ze je.'

'Dat geloof ik niet ...'

'Ja', onderbreekt Osmo me. 'Zo is het precies. Maar niet nog een keer, snap je? Deze keer zal het haar niet lukken.'

De deur gaat open en Yasmine verschijnt in het maanlicht dat door het raam naar binnen valt.

'Het eten is klaar', zegt ze en ze kijkt wantrouwend.

'En waar hebben jullie het over?' vraagt ze daarna en ze probeert een leuke toon aan te slaan tegen Osmo, maar dat lukt niet goed. Eigenlijk is ze woedend op hem, dat is duidelijk, en nu denkt ze bovendien dat er geheimen tussen hem en mij worden besproken.

Osmo staat snel op en loopt de kamer uit. Ik loop hem achterna en Yasmine trekt mij zachtjes aan mijn arm.

'Waar hadden jullie het over?' vraagt ze met een zachte stem.

'Jullie keken zo schuldig toen ik binnenkwam.'

Osmo blijft staan en draait zich naar ons om en hij is de gewone, ruwe Osmo weer.

'Was er iets?' vraagt hij Yasmine.

'Nee, nee, ik vroeg me alleen maar af waar jullie het over hadden', zegt ze en ze probeert opnieuw grappig te klinken en tegen Osmo te glimlachen. Maar niet alles in haar werkt mee.

Olga staat bij het aanrecht en prikt met een vork in een bakje van folie dat zilverwit oplicht in het licht dat door het raam naar binnen valt.

'Ze zijn binnenin nog steeds koud', zegt ze.

Yasmine trekt een stoel bij de etenstafel die voor het panoramaraam staat. Osmo blijft er een eindje vanaf staan.

'Niet zo dicht bij het raam. We eten daarbinnen, op de banken', zegt Osmo kortaf.

Het bankstel in de woonkamer is opzichtig, met veel dikke kussens. Ik loop Osmo achterna en ga zitten in een stoel en plotseling lijkt het alsof hij en ik in een restaurant zitten en worden bediend door Yasmine en Olga.

'Hier kunnen we toch wel een paar kaarsen aansteken', zegt Yasmine en ze glimlacht vleierig naar Osmo. Ondertussen knipt ze een aansteker aan en steekt daarmee een paar dikke kaarsen aan die op de salontafel staan. Mij geeft ze een harde en veelbetekende blik. Olga komt binnen met een bord voor Osmo.

'Je kunt die van jou zelf halen als je iets wilt hebben', zegt ze zacht tegen mij.

Ik begin op te staan, maar Osmo drukt me weer op de bank.

'Haal het bord voor Ingrid', zegt hij tegen Olga en ze loopt weg om dat te doen.

Het is een in de magnetron opgewarmde kant-en-klare lasagne die van binnen nog steeds koud is. Ik eet alles op. Dat doet Osmo ook. Olga en Yasmine staan in de deuropening, een eindje bij ons vandaan, ons te bestuderen. Het is moeilijk om in het donker hun gezichten te onderscheiden, dus misschien verbeeld ik het me dat ze met een hatelijke blik naar me kijken. Het licht van de kaarsen die Yasmine heeft aangestoken verspreidt een gezellige, bijna romantische gloed rond mijn en Osmo's maaltijd.

Ik wil me niet druk maken om hun interne spanningen. Alleen tot zover dat ik er enigszins controle over heb, zodat ik een opening kan vinden waardoor ik kan ontsnappen. En op het ogenblik voelt het beter om aan Osmo's kant te staan. Hij is degene die de macht heeft, ondanks alles.

'Bedankt', zeg ik en ik probeer opnieuw overeind te komen met mijn lege bord. Maar Osmo houdt me tegen en zegt tegen Yasmine en Olga dat ze de vuile borden moeten komen halen. Ze komen heel snel naar ons toe en pakken elk een bord. Olga pakt dat van mij en Yasmine dat van Osmo.

'Moeten jullie niet eten?' vraag ik en ik wil toch de groeiende spanning neutraliseren.

'Waarom maak jij je daar druk over?' vraagt Yasmine venijnig. Tegelijkertijd probeert ze nog sluwer tegen Osmo te glimlachen. Hij kijkt uitdrukkingsloos terug.

'Waarom geef je niet op een wat aardiger manier antwoord als Ingrid je iets vraagt?' zegt Osmo. 'Zo geef je iemand toch geen antwoord?'

Yasmines bewegingen stokken. Ze is verward.

'Ja, we hebben gegeten toen jullie weg waren', zegt Yasmine en ze probeert een aardige toon tegen me aan te slaan. Maar ze is onzeker, het laatste woord 'weg' gooit ze eruit in een berustende zucht. Ze gaat naast Osmo op de bank zitten.

'Lieverd, zeg wat er is', zegt ze en ze doet haar best om kalm en beheerst te klinken, terwijl je achter elk woord de hysterie vermoedt als een dreigende bosbrand.

'Hè?' vraagt Osmo en hij kijkt haar koud aan.

'Maar je doet zo vreemd!'

Yasmine houdt het niet langer. Nu komen de tranen en haar stem slaat over. Olga loopt naar haar toe en gaat voorzichtig een eindje bij Yasmine vandaan zitten. Ze legt een troostende hand op haar ene knie.

'Ik doe niet vreemd. Ik heb nu gegeten en ik voel me goed. En daar komt Ronnie.'

We horen allemaal de deur opengaan en Ronnie komt luid en kouwelijk blazend binnen.

'Verdomme, wat is het koud! Maar de auto staat nu in elk geval een eindje verderop.'

Hij komt binnen en gaat op de bank zitten en zegt iets over hoe gezellig het eruitziet. Brandende kaarsen en *supercosy*. Olga loopt weg en haalt voor hem ook een bord eten. Op het moment dat ze het voor Ronnie neerzet, zegt Osmo tegen hem dat hij mij nu even in de gaten moet houden.

'Jij en Olga hebben de wacht. Ik trek me even terug in de slaapkamer met Yasmine. Ik moet … wat rusten.'

Osmo grinnikt, in zijn stem klinkt vermoeidheid en verdriet door. Yasmine loopt met gebogen hoofd wanneer ze met Osmo meeloopt naar de kamer waar hij en ik net in de kleerkast naar kleren hebben gezocht. Olga kijkt hen ongelukkig na.

Ik krijg het te kwaad. De vermoeidheid neemt bezit van me, maar de frustratie is nog groter. Hoe kan ik hier zitten en wachten? Ronnie smakt, verdeelt de lasagne met de zijkant van de vork en schuift grote happen naar binnen. Af en toe kijkt hij mij en Olga aan, hij kijkt tevreden en vrolijk, alsof hij elk moment in lachen uit kan barsten. Ronnie voelt de spanningen en zoals gewoonlijk geeft hem dat energie.

'Jaha. En wat zullen wij eens doen, terwijl Yasmine en Osmo zich aan het vermaken zijn? Wat zeggen jullie? Zullen we canasta spelen, misschien? Hè? Of strippoker?'

'Vergeet het maar', moppert Olga.

'Waarom niet? We kunnen toch ook wel een beetje plezier maken …'

Ronnie zet zijn bord op de salontafel en strekt zijn hand uit naar Olga's knieën. Hij streelt die hardhandig en klunzig. Olga slaat de hand weg en schopt naar hem.

'Maar verdomme! Waar ben je mee bezig?'

In het lichtschijnsel verandert Ronnies gezicht. Van plezier naar gekwetste woede. Hij gooit zich over Olga op de bank. Met zijn ene hand graait hij naar Olga's kruis.

'Denk je dat ik niet weet wat voor een je er bent', kermt Ronnie. 'Denk je dat ik niet weet waar je mee bezig was? Kalles Russische hoertje? Een hoer voor één persoon betekent een hoer voor iedereen, heb je dat niet begrepen? Dus hou maar op met die houding. Doen alsof je een keurig iemand bent, iemand die mag zeggen …'

Olga schopt en slaat woedend om zich heen om Ronnie van zich af te krijgen. Hij heeft zich met zijn hele lichaamsgewicht op haar gestort. Ze draait haar hoofd weg. Ik sta op en trek aan Ronnies schouder.

'Hou op! Laat haar los!'

Ronnie staat snel op en geeft me een duw zodat ik achterover val. Ik struikel over een voetenbankje en ik probeer mijn val te breken met mijn ene elleboog voordat ik op de vloer terechtkom. Het klinkt alsof er daarbinnen iets breekt en het doet zo'n pijn dat het even zwart voor mijn ogen wordt. Of beeld ik me dat in? Door de pijn denk ik dat ik mijn bewustzijn verlies, maar tegelijk zegt een wijsneuzige stem in mijn hoofd dat als ik mijn bewustzijn had verloren, ik dat niet had kunnen denken. Zo vreemd, denk ik, midden in dit hele gebeuren. De gedachten versplinteren in duizend zieke invallen.

'Au, auauau.'

Ik hoor mezelf kermen en er is echt iets gebeurd met mijn elleboog. Ik kan mijn arm niet buigen, en hij voelt gloeiend aan en klopt pijnlijk.

Olga en Ronnie trekken zich van mij niets aan. Ronnie heeft Olga's ene pols stevig beet. Ze slaat hem met haar andere hand in zijn gezicht en hij slaat haar nog harder terug. Hij geeft haar een duw zodat ze op de bank valt. Daar gaat hij bovenop haar zitten terwijl ze op haar rug ligt, hij zit op haar bekken en buik en terwijl hij daar zo zit, lacht hij en hij haalt een hand door zijn haar. Hij wil de schijn ophouden dat hij weer enigszins de controle heeft overgenomen, maar zijn hand trilt en zijn blik is onrustig.

Hij kijkt naar mij. Ik zit op de grond met mijn bewegingloze arm stijf als een plank op mijn schoot.

'Olga is een hoertje. Maar dat had je vast al wel begrepen, of niet soms? Dat zie je toch, als je goed kijkt.'

Ik weet niet wat ik moet antwoorden. De pijn heeft de overhand, dwingt me om de kracht die ik nog heb te gebruiken om stil te blijven zitten en me te concentreren, zodat de pijn het niet overneemt en over me zegeviert. Ik durf nauwelijks te denken, aangezien zelfs een gedachte als een pijnscheut door mijn aderen zou schieten en mijn elleboog zou passeren, en de pijn daar ondraaglijk zou zijn.

'Ja toch, Olga? Zo noemde Kalle je in de bak. Mijn Russische hoertje, zei hij dan. O, wat verlang ik naar mijn Russische hoertje. Als jullie eens wisten wat ze kan, mijn Russische hoertje. Zo was hij bezig.'

Olga antwoordt niet. Ze ligt stil met het hoofd afgewend naar de rug van bank. Ronnie heeft haar handen stevig vast, hij houdt ze boven haar hoofd terwijl hij op haar zit. Hij buigt zich over haar heen.

'Dus ik weet wat je kunt', zegt hij hees. 'Ik weet precies waar je goed in bent. Wat je kunt doen. Zalige dingen.'

'Je bent walgelijk', zegt Olga. 'En dat met Kalle is niet waar. Hij zou nooit … nee, hij zou nooit …'

Ronnie grinnikt.

'Dus dat denkt iedereen. Stel je voor dat hij het echt heeft verteld. Hoe je hem pijpte voor zakgeld toen je dertien was. Hè? Dacht je dat we dat niet wisten? Hij schepte over je op. Arme kleine meid doet alles voor geld. Maar hoe ze het doet! O jee, o jee. Klein en mager en nauwelijks borsten. Maar strak en zalig …'

279

Olga draait bliksemsnel haar hoofd in Ronnies richting en spuugt hem in zijn gezicht. Ronnie blijft glimlachen met de klodder speeksel druipend in zijn gezicht.

'Strak en zalig', herhaalt hij en hij veegt zijn gezicht af door het tegen de schouder van zijn trui te wrijven. 'Ja, dat werd er gezegd onder de jongens, zie je ...'

Olga is tot rust gekomen. Ze kijkt naar Ronnie met een on-doorgrondelijke uitdrukking op haar gezicht.

'Hoewel ik daar niets verkeerds in zie', gaat Ronnie verder. 'Je was toch arm, of niet soms? En we weten hoe dat voelt. Je hebt niet wat alle anderen hebben. Je moet elke kans aangrijpen. Pakken wat je pakken kunt. En jij, wat had je nu in dat gat in het oude Rusland? Wat kon je doen? Oké, schoonmaken bij oude mannen. Maar toen je begreep dat als ze een beetje in je mochten knijpen, als je wat toeschietelijk deed, ja, dan begon opeens de poen binnen te stromen en was je tenminste niet meer zo hart-verscheurend arm. Misschien begon je jezelf een beetje bijzonder te voelen. Voelde je dat zo, daar in het Russische gat? Kon je je tienervrienden trakteren op sigaretten en cola, waarvoor je het geld bij elkaar had gekregen door je door grote broer Kalle te la-ten betasten? En toen hij zei dat je hier naartoe kon komen, naar Zweden, dacht je dat je hier iets zou kunnen worden? Hè? Dacht je dat? Fotomodel of popster of iets, wat alle domme meiden graag willen? Maar wat werd het? Oude mannen aftrekken, hier ook, hè? Dat had je je toch wel iets anders voorgesteld?'

Olga's lichaam is nu ontspannen. Ze verdedigt zich niet meer en Ronnie lijkt geen zin meer te hebben. Hij klautert van haar af, gaat staan om vervolgens een eindje van haar af te gaan zit-ten. Hij haalt een sigaret uit zijn broekzak en steekt die op. Mijn pijn wordt een raster waar ik Ronnie en Olga doorheen zie, ik zie pijn ook in hen, ook in Ronnie. Hij doet zijn best om er on-aangedaan uit te zien, maar hij voelt zich beroerd omdat hij Olga heeft gekwetst.

Er zit een pijn in Ronnie, hoewel hij het niet wil weten. Hij rookt en kijkt naar Olga zoals ze daar stilletjes op de bank ligt.

'Dus, ik meen het', zegt hij en hij probeert zijn stem vriendelijk te laten klinken. 'Ik vind het oké dat je hebt gedaan wat je hebt gedaan. Ik bedoel, als je helemaal geen kansen hebt gehad, wat kun je anders doen? Toch? Je had immers geen geld en Kalle vertelde hoe jij en je broer moesten ploeteren. Dat jullie vader en moeder, ja, wat was er ook al weer met hen gebeurd?'

Olga geeft geen antwoord. Ik probeer op te staan door te steunen op de arm die niet gewond is.

'En wat is er met jou aan de hand?' vraagt Ronnie, nog steeds met de aardige stem. 'Heb je je pijn gedaan?'

Ik geef een heel klein knikje terwijl ik overeind kom. Door de inspanning gaat mijn elleboog nog meer kloppen. Ik betast hem behoedzaam met mijn andere hand, de huid staat strak en gloeit. Er is iets kapotgegaan in mijn elleboog.

Oneindig langzaam ga ik op de bank zitten. Langzame bewegingen. De pijn niet forceren met haastige bewegingen of inspanning.

'En straks, Olga,' gaat Ronnie verder, 'straks wanneer we de poen hebben kun je ophouden met de hoer spelen. Misschien maak je nu een kans bij Bobby, na Kalle. Jij kunt het toch zo goed met hem vinden? Hè? Zou dat niet iets zijn? Hij is een man met keurige gewoonten. Of wij samen? We krijgen de poen en vertrekken naar Thailand. Je weet wie ik ben. Ik heb het vroeger ook niet zo gemakkelijk gehad. We kunnen elkaar begrijpen, jij en ik. Dat we het soort mensen zijn die hebben gedaan wat nodig was. Ik zal het niet tegen je gebruiken, dat je een hoer bent. Ik weet immers hoe het zo is gekomen.'

Olga staat langzaam op.

'Moet alleen even …'

Haar stem is dun en zwak en ze heeft haast om weg te komen, alsof ze moet overgeven. Ronnie kijkt naar mij en hij kijkt ongemakkelijk.

'Ik denk dat ze het goed met mij zou kunnen krijgen', zegt hij.

'Ik zal het niet tegen haar gebruiken, dat hoer spelen.'

Ronnie buigt zich naar me toe en praat met zachte stem verder.

'Maar Kalle heeft het echt verteld. Ze verkocht zich verschrikkelijk goedkoop omdat ze nauwelijks borsten had. Hij zorgde voor haar. Deed dat zodat ze daar niet mee door hoefde te gaan. Ja, behalve met hem dan. Toen hij voor haar zorgde, hoefde ze dat soort dingen niet meer met anderen te doen. Hier in Zweden deed ze schoonmaakwerk en zo. Zoals bij die oude man, je weet wel, hij, die dode. Nu geloof ik wel dat Kalle een beetje goedgelovig was. Dat Olga geld verdiende met van alles en nog wat toen hij in de bak zat. Zij en Yasmine zijn dat soort meisjes. Maar ik mag Olga wel, en als ik gewoon voor haar mocht zorgen, dan ...'

Plotseling zie ik Ronnie verstijven. Olga staat een paar meter bij hem vandaan. Ze loopt op kousevoeten en ze heeft het pistool van Osmo in haar hand.

'Neem dat terug', fluistert ze. 'Neem alles wat je daarnet hebt gezegd terug.'

'Maar ik heb toch gezegd dat ik het snap! Dat ik juist vind dat het sterk was, dat je de zaken in eigen hand hebt genomen. Niemand kan je verwijten dat je een hoer bent, eigenlijk ...'

Hoe moet je beschrijven hoe een pistoolschot klinkt? Het klinkt zo vreselijk hard en snel. Ronnie wordt naar achteren geworpen, het schot raakt zijn hoofd en ik zie waar het naar binnen gaat in het voorhoofd, en ik schreeuw. Ik schreeuw en schreeuw en Olga schreeuwt en daarna houden we op, ongeveer tegelijkertijd, en hyperventileren in hetzelfde tempo terwijl we Ronnie zien zitten met het kogelgat in zijn voorhoofd, en het is volstrekt onwerkelijk. Volstrekt onwerkelijk en wat kun je wanneer de onwerkelijkheid de hele tijd telkens een beetje onwerkelijker wordt. Ten slotte geloof je dat je geen vaste grond meer onder je voeten hebt, dat het oppervlak waarop je staat het niet zal houden, dat alles weg zal glijden, dat je in het duister blijft tasten.

'Ik ben geen hoer', snikt Olga, het pistool hangt in haar hand.

'Ik ben echt geen hoer. Hij … hij … hij loog. Dat deed hij. Ik ben geen …'

Een deur wordt opengeslagen en ik hoor hoe Osmo en Yasmine zich onze kant op haasten. Osmo blijft plotseling staan wanneer hij Olga ziet met het pistool. Hij loopt naar haar toe en pakt het uit haar handen met de zelfverzekerde autoriteit die hem eigen is.

'Maar wat … hij is dood', zegt Yasmine en ze kijkt naar Olga alsof ze niet echt gelooft wat er is gebeurd. Alsof ze hoopt dat Olga iets anders zal beweren.

'Hij … hij wilde me verkrachten', snikt Olga. 'Hij wierp zich gewoon op me en wilde me verkrachten en Ingrid probeerde hem tegen te houden, en toen duwde hij haar weg en viel ze hartstikke hard neer. Maar het kon hem niets schelen, hij ging gewoon door …'

'En toen, toen stond je op en jatte een pistool uit mijn jaszak om hem tegen te houden? Dan kan hij je niet al te stevig hebben vastgehouden, toch?'

'Maar hij zou niet zijn opgehouden. Hij zou het blijven proberen. Of niet, Ingrid? Hij zou waarschijnlijk zijn doorgegaan?'

Hoe ben ik geworden? Anders, hoe ben ik geworden?

De golf van angst die in me opwelt betreft mezelf. Over hoe ik geworden ben, dat ik mezelf niet meer herken. Over de angst dat ik mezelf nooit meer terug zal vinden. Ze kijken me aan, Yasmine, Osmo en Olga en ze willen iets van me, maar het schot galmt nog na in mijn hoofd, ik zie het beeld van Ronnie met de schotwond in zijn voorhoofd, en ik weet niet meer wie ik ben. Ik doe een stap naar achteren, ik voel hoe ik mijn hoofd schud, maar de onwerkelijkheid zorgt ervoor dat ik me er niet eens van bewust ben dat ik mijn hoofd schud, omdat ik niet meer mezelf ben.

Zal ik dat ooit weer worden? Of zal ik voor altijd hier ergens blijven? In een shocktoestand die me voor altijd in zijn greep zal houden?

'Hoe had je verdomme gedacht dat het nu verder moet?' brult

Osmo tegen Olga. 'Hoe moeten we nu het respect van Bobby afdwingen? Hè? Hij zal ons volledig naar de kloten helpen.'

'Ja, dit is toch zo verdomde stom! Wat is er met je, ben je niet goed bij je hoofd?'

Yasmine kiest Osmo's kant en ze doet erg haar best om dat te laten zien. Olga heeft zich op de vloer laten zakken, ze zit in elkaar gedoken met haar armen om haar benen heen geslagen te jammeren.

Osmo laat zijn blik door de kamer glijden. Nog steeds branden er alleen maar kaarsen, die hun flakkerende schaduwen werpen over Ronnies gezicht, over zijn ogen die gebroken zijn en vol verbazing lijken. Nu is zijn leven afgelopen, denk ik terwijl ik als gehypnotiseerd naar hem sta te kijken, misschien omdat ik probeer iets te begrijpen, nu is zijn leven hier op aarde voorbij. Olga meende het recht te hebben om er een punt achter te zetten, Olga voelde zich zo gekwetst dat ze vond dat hij, Ronnie, niet het recht had om verder te ademen en nog langer te leven.

Waarschijnlijk heeft ze er al spijt van en lijkt zijn vroegtijdige dood zelfs zinloos in haar ogen, de ogen van een dader. Zoals zo vaak het geval is.

'We moeten hem hier weghalen. Bobby wordt strontchagrijnig als hij dit ziet. Als het er hier vuil uitziet of als er iets in het huis is gebeurd, zal hij het ons nooit vergeven', zegt Osmo en hij ziet er grimmig uit. Hij is bang voor Bobby, dat is overduidelijk. Ik moet weg zijn voor deze Bobby komt, die gedachte dringt zich door de chaos heen die er in mijn binnenste heerst. Als het niet eerder lukt, dan in elk geval voor zijn komst. Die man is gevaarlijk.

Osmo loopt naar Ronnie toe en duwt voorzichtig zijn hoofd van de rugleuning naar voren. Als hij ziet hoeveel bloed er op de bank zit, vloekt hij.

'Wat vind je dat we hiermee moeten?' vraagt hij Olga. Ze komt langzaam overeind en zegt dat ze kan gaan kijken of er iets is om het mee schoon te maken.

Ronnies stem hangt nog steeds in de kamer. In het geladen, angstige etmaal dat is verstreken, is hij degene geweest die de hele tijd het meest te horen was. Alle geluiden die er zijn, die er waren, kwamen van Ronnie: zijn constante, hijgende gepaf, zijn droge, ratelende lach, zijn manier om sarcastisch door zijn neus te snuiven, zijn venijnige manier om zijn woorden zo hard mogelijk te laten aankomen. Het hangt er allemaal nog als een echo en het is niet voor te stellen dat alles nu dood is, samen met zijn lichaam. Ik hoor hem zijn eigen dood becommentariëren. Hij zegt iets denigrerends en laatdunkends tegen Olga, hoe dom het was om hem te doden, en zijn ogen schitteren in afwachting van het conflict tussen Olga, Yasmine en Osmo dat er aan zit te komen. Het is balsem voor zijn rusteloze gemoed.

Geef hem vrede, Heer. Geef hem eindelijk vrede.

'Ik ga Olga helpen zoeken naar een schoonmaakmiddel', mompelt Yasmine en ze leidt Olga naar de keuken. Ik hoor dat ze beginnen te mompelen zodra ze denken buiten gehoorsafstand te zijn en ik vraag me af of Osmo het ook hoort. Het lijkt hem helemaal niets te kunnen schelen. Hij gaat op een van de voetenbanken zitten en staart naar het pistool dat hij in zijn hand houdt. Ik sta in het donker, ik ben achteruitgelopen, uit het kaarslicht, en ik hou me doodstil.

'Hoe heeft het zover kunnen komen?' zegt Osmo voor zich uit. Ik weet niet of hij het tegen mij heeft, of dat hij zo luid in zichzelf praat.

'Hoe heeft het zover kunnen komen, wat gebeurt er, hoe heeft het zover kunnen komen?'

Osmo zit met zijn hoofd in zijn handen. Dan kijkt hij naar Ronnie.

'Verdomme, Ronnie', zegt hij. 'Ronnie, verdomme. Je zou immers … Hoe dacht je … Wat moet ik doen … Wat moet ik in vredesnaam doen …'

Vanuit de keuken zijn Olga en Yasmine te horen, lage opgewonden stemmen en stromend water. De stilte na het gebeuren met Ronnie, de stilte na wat Osmo net heeft gezegd, drukt zwaar in de kamer. Ik blijf langzaam achteruitlopen in het donker. Om in de hal te komen moet ik door de keuken. Ik wacht. Mijn hart bonst. Mijn elleboog klopt. Kan ik desondanks rennen?

Osmo toetst een nummer in op zijn mobiele telefoon en de display licht blauw op in de donkere kamer.

'Ja, hallo … Hoi, ik ben het … wilde even horen hoever jullie zijn gekomen … Over een uur … ja, dus, er is hier iets gebeurd … O, we kunnen het dan wel bespreken. Oké. Nee, hier is het goed. Tuurlijk. Tot ziens.'

Hij sluit af en zucht. Ik durf nauwelijks adem te halen. Ik sta roerloos in het donker en hoop dat ze me zullen vergeten. Olga en Yasmine komen de kamer in met een emmer tussen hen in.

'We kunnen misschien het kussen omkeren', zegt Yasmine. 'Wanneer ze merken hoe de andere kant eruitziet zijn we hier niet meer. We kunnen iets in de kamer sprayen zodat je het niet ruikt.'

Yasmine loopt naar de bank en draait het kussen om. De stof aan de andere kant is anders. Heel even weet Yasmine niet wat ze moet doen. Daarna draait ze het kussen weer terug en pakt een plaid en legt die over de vlek. Olga staat er met hangende armen naar te kijken.

'Wat zal ik met je doen?' zegt Osmo zacht en hatelijk tegen Olga. 'Je hebt mijn vriend doodgeschoten. Je bent bezig het hele zaakje in het honderd te laten lopen. Wat zal ik met je doen?'

Olga kucht en kijkt nerveus naar Yasmine. Ze maakt een heftige beweging met haar hoofd in Osmo's richting, alsof ze wil zeggen: kom maar op dan, geef hem het antwoord dat hij wil hebben.

'Hij deed dingen … hij was niet netjes …'

Osmo staat op van de voetenbank. Hij prikt herhaaldelijk hard met zijn wijsvinger op Olga's voorhoofd. Ze probeert haar hoofd recht te houden en niet met haar ogen te knipperen.

'Hoezo niet netjes, wat doet dat ertoe? Hij was er niet bij om netjes tegen jou te zijn. Dacht je dat? Dat hij erbij was om een nette kerel voor jou te zijn?'

Olga blijft met haar ogen knipperen, ondanks haar pogingen om het niet te doen. Ze zegt niets.

'Maar hij was een lastige figuur', zegt Yasmine ter verdediging van Olga. Yasmine legt een hand op Osmo's arm. 'Dat was hij, ja, toch? Hij was de hele tijd bezig. En je snapt toch ook wel dat hij Kaj heeft vermoord? Wie weet wat hij verder nog bekokstoofd heeft. De volgende keer was misschien een van ons aan de beurt geweest.'

'Ronnie heeft Kaj niet vermoord.'

Zowel Yasmine als Olga verstijft.

'Wat bedoel je?' vraagt Yasmine. 'Zo was het toch?'

'Nee.'

Osmo staart in het kaarslicht.

'Ik was het.'

Ik word koud van angst. Het voelt onbeschrijflijk onaangenaam. Osmo was toch degene met zelfbeheersing en verstand? Nu staart hij mij, Yasmine en Olga beurtelings aan, als om zich ervan te vergewissen dat het tot ons doorgedrongen is.

'Ik was het', herhaalt hij.

'Maar zo was het toch niet?' zegt Yasmine nadat zij en Olga even niets hebben gezegd. 'Waarom zou je dat doen? Het was Ronnie! Zoals zij de hele tijd aan het bekvechten waren, hij had er gewoon genoeg van, hij werd ...'

Yasmine glimlacht naar Osmo, een onzekere glimlach, een smekende glimlach om het terug te nemen. Osmo kijkt haar uitdrukkingsloos aan.

'Hoor je wat ik zeg? Ik was het. En ik zal vertellen waarom. Omdat ik zo dom was om van je te gaan houden. Dom genoeg om een paar kinderlijke ideeën te hebben dat we van elkaar zouden houden ...'

'Maar dat doen we toch!'

Yasmine pakt Osmo bij zijn arm en probeert die om haar

schouder te leggen, maar Osmo trekt hem terug.

'Ja, toch. Hoezo?'

'Maar waar ben je mee bezig! Ik snap niet ...'

Yasmine probeert het met Osmo's hand, maar die trekt hij ook terug.

'Het was in die flat. Jij was weg en Olga en Ingrid waren van de wereld. Kaj vertelde over jou en Bobby. En dat hij ook ... Hij zat daar met zijn domme, lelijke kop en vertelde dingen. Zijn domme grijns. Daar kon ik niet tegen. Ik zorgde ervoor dat jullie allemaal iets slikten die avond. En het wurgen van die klootzak was het heerlijkste wat ik ooit heb gedaan. Hij keek zo verdomde tevreden toen hij daar zat te praten. Dat ik, baas Osmo, een zwak had voor iemand die de hoer uithing met iedereen die het vroeg. Die rotzak likte zich om zijn mond. Maar daarna was het afgelopen met hem. Ik wurgde hem langzaam en genoot ervan.'

'Maar waarom heb je niets gezegd? Ik had het kunnen uitleggen ...'

'Nee, dat was nu net wat je niet kon. Het was zoals het was. Het is zoals het is. Wanneer Bobby komt moeten jullie maar proberen jullie deel te krijgen en jullie moeten maar zo goed mogelijk uitleggen wat er is gebeurd. Jij en Bobby kunnen misschien ... Hoewel hij waarschijnlijk niet ... Nu hij het een keer met je heeft gedaan is hij waarschijnlijk niet meer geïnteresseerd ...'

Yasmine geeft niet op. Ze pakt beide armen van Osmo stevig beet, houdt hem vast aan de mouwen van zijn trui. Terwijl ze praat schudt ze de hele tijd haar hoofd, ze verloochent zichzelf met elke beweging.

'Maar je moet me geloven, Oddie, het was niets, wat Kaj zei was alleen maar om je te plagen, je moet niet alles geloven ...'

'Het kan me nu niets meer schelen', kapt hij haar af. 'Het is afgelopen nu. Ik heb een tijdje mijn hoofd er niet bij gehad, maar nu ben ik weer helder en nu geen uitvluchten meer met kletspraatjes. Begrepen?'

Een vaag gejammer komt over Yasmines lippen. Er volgt een

halfslachtig protest. Haar ogen worden donker en om haar mond verschijnt een woedende grimas.

'Dus de hele tijd … Deze dagen … Toen je zo vreemd was … Je hebt gewoon gewacht. Mij voor de gek gehouden … Bah, wat gemeen. Bah wat gemeen!'

Yasmine pakt een nat vaatdoekje uit de emmer en gooit het naar Osmo. Hij vangt het op. Het doekje kletst en spettert. Olga kijkt ongerust van Yasmine naar Osmo. Ze weet niet wat dit betekent, en ik heb ook geen idee. Ik sta in mijn duisternis en ben een geworden met de schaduwen, steeds meer een toeschouwer geworden, iets wat kijkt, maar er niet is. Osmo gooit met volle kracht het doekje terug naar Yasmine. Ze duikt weg, het treft een vaas met een paar droge takken die op een laag stereotafeltje achter haar staat. Yasmine ademt snel, ze kijkt boos naar Osmo, ze tasten elkaar af, proberen erachter te komen wat de volgende stap is. Osmo begint te snuiven, alsof hij haar uitlacht. Yasmine begint ook te snuiven, ze trilt, het scenario dat zich aan haar openbaart lijkt schokkender te zijn dan de aanblik van de dode Ronnie.

'Na alles wat ik voor je gedaan heb', zegt ze hees. 'Na alles wat ik heb gedaan en na al die keren dat ik voor je heb klaargestaan. Alleen om een beetje geroddel. Voor niets anders dan een beetje geroddel. En ik die … alles … heb …'

'Ach, je hebt helemaal niets voor mij gedaan', schreeuwt Osmo met een rood gezicht. 'Alles wat je hebt gedaan is voor jezelf geweest. Voor jou en Olga. Dacht je dat ik dat niet doorhad? Dacht je dat we dat niet allemaal doorhadden?'

De stilte die valt is vol verwarde, maar intense gevoelens. De mond van Yasmine staat open en af en toe bewegen de lippen om iets te zeggen, maar ze raakt de draad kwijt en ze komt niet verder. Olga houdt haar mond stijf dicht. Ze lijkt minder geschokt te zijn, maar meer verbeten en verbitterd. Alsof dat is wat je van zo iemand als Osmo kon verwachten.

Ongelooflijk langzaam schuifel ik de kamer uit. Osmo en

Yasmine zijn op elkaar gefocust. Olga heeft haar volle aandacht bij wat er tussen Yasmine en Osmo gebeurt. Haar tengere gestalte lijkt een gespannen boog die het risico loopt om te knappen en weg te schieten.

Wanneer ik door de deuropening ben geslopen en in de keuken sta, bonst mijn hart. Ik krijg de smaak van bloed in mijn mond. Als ik mijn mond dichthou zal het overheersen, dan ga ik braken. Daarom hou ik mijn mond open. Wanneer ik mijn gewonde elleboog pak kreun ik, want het doet zo'n pijn. Maar dan stop ik mijn gekreun en ik luister scherp of ik Olga, Yasmine en Osmo hoor.

Daarbinnen is het merkwaardig stil. Ik begrijp niet wat het betekent. Ik strompel stilletjes door de keuken en verder de hal in. Stap in de grote laarzen die van de doofstomme man zijn geweest. Pak de deurkruk beet en druk hem omlaag. De buitendeur gaat open en door de ijskou die me tegemoetkomt lijk ik wakker te worden. Ik draai me om en loop weer naar binnen om mijn jas te pakken. Daarna loop ik weer naar buiten. Niemand houdt me tegen en ik kijk niet om. Ik loop alleen maar, vastberaden, met mijn ogen naar de grond en ik wil er niet aan denken dat er elk moment iemand achter me aan kan komen. Ik verdring die gedachte, concentreer me alleen maar op mijn eigen voetstappen. Het is donker en waarschijnlijk wel tien graden onder nul. Door de plotselinge kou is de natte sneeuw weer bevroren. Mijn benen trillen en ik sleep me voort op de veel te grote laarzen. Had ik een paar andere schoenen moeten pakken? Hoe ver kan ik komen met deze laarzen?

Ik heb naar de kou verlangd en heb me die voorgesteld als fris en bovendien als een verlichting voor mijn elleboog. Nu hakt de kou in mijn elleboog en ik begin te snikken terwijl ik me verder voortsleep. Het is glad en ik zoek voorzichtig mijn weg. Er staan straatlantaarns en de weg is bestrooid met zand, dus het is wat gemakkelijker om hier vooruit te komen. Dan hoor ik de buitendeur openslaan.

'Ze is hier ergens! Zoek!'

Ik geloof dat het Olga is die schreeuwt, ze roept vanuit het huis. Ik verstar en bedenk me hoe ik zo dom kon zijn om op de verlichte weg af te lopen. Langzaam loop ik van de weg af, het bos in naast de weg. Wanneer ik de laarzen weer voel wegzakken in de sneeuw druk ik mijn hand tegen mijn mond om niet luid te kreunen. Maar ik ben zo oneindig moe, ben het zo verschrikkelijk zat om door de sneeuw te ploeteren met angst in mijn keel, ik kan het gewoon niet. Ik sjok verder, de tranen lopen over mijn wangen van inspanning wanneer ik bij elke stap die ik doe de laars mee omhoogtrek. Het zweet staat in mijn nek, het is zo zwaar, goede God, lieve Heer, het is zo zwaar. God, mijn God, draag me hier doorheen.

Anders, ik zou je willen zeggen dat ik reuzenkracht kreeg in deze omstandigheden, dat ik, God weet hoe, alleen maar rende en rende, maar de sneeuw werkt tegen en ik hoor mezelf mopperen 'godverdomde klotegod, godverdomde, godverdomde klotegod', omdat ik zo teleurgesteld ben dat ik niet die buitengewone krachten voel waarover ik zo veel heb gelezen en over heb horen spreken. Dat je auto's zou kunnen optillen en bergen zou kunnen verzetten als je leven op het spel staat. Waarom ben ik in de steek gelaten, waarom heb ik het gevoel dat de sneeuw en de onmogelijke opgave en de kou tegen me zijn, het van mij dreigen te winnen? Waarom word ik niet getroffen door de roes van de overlevingsdrang?

God, mijn God, waarom word ik in de steek gelaten?

Ik hoor iemand achter me aan komen, voetstappen op de weg, het geluid van iemand in het bos, in de sneeuw, iemand die achter me aan zit. Het gehijg komt steeds dichterbij, maar ik kijk niet om. Ik loop verder, elke stap is een worsteling, de sneeuw valt in de laarzen, ik moet mijn voet aanspannen opdat de laarzen met elke stap die ik zet niet in de sneeuw blijven steken.

Wanneer ik de greep om mijn arm voel blijf ik staan en mijn wangen zijn ijskoud van de tranen, ik sta daar maar en mijn ademhaling gaat zo snel dat ik het gevoel heb dat mijn borst op het punt staat te barsten. Iemand trekt aan me, hard, maar ik draai weg, weiger te kijken, negeer het. Iemand trekt zo hard aan mijn jas dat we allebei omvallen, en ik weet het niet, maar ik geloof dat ik door de ademhaling weet dat het Olga is. Zo lang en intensief zijn we met elkaar omgegaan, dat we onder elkaars huid zijn gaan zitten.

Olga trekt hard aan mijn arm, ze heeft me nog steeds stevig bij mijn jas vast en ze trekt en rukt eraan met beide handen, schudt me heen en weer, woedend en hard.

'Jij schopt ook alleen maar steeds alles in de war! Waarom kon je ons niet gewoon vertrouwen! Waarom kon je niet gewoon mij en Yassie laten doen wat we wilden doen! Dan zou het goed zijn gegaan, ook voor jou!'

'Laat me los!'

Dat is het enige wat ik uit kan brengen. Laat me los, laat me los, laat me. Ik probeer mijn jas uit Olga's handen te trekken, ik trek mijn armen naar me toe, maar mijn elleboog doet zo verschrikkelijk pijn en Olga moet begrijpen dat ik mijn bewustzijn ga verliezen als ze me niet loslaat.

'Laat mijn elleboog los voor ik je sla!'

Olga en ik liggen allebei in de sneeuw, we worstelen en trekken en snuiven en dreigen en ik ruik de geur van haar adem, we zijn dicht bij elkaar. Ik heb haar gezicht nog niet eerder zo dicht bij me gehad, misschien toen we gedrogeerd van de pillen naast elkaar op het bed lagen en toen ze praatte over hoeveel ze Kalle haatte.

'Jullie en jullie geld en de rest kan me helemaal niets schelen', brul ik recht in haar gezicht dat nat is van de sneeuw. 'Snap dat dan een keer! Ik wil alleen maar weg! Ik wil alleen maar naar huis!'

Olga laat mijn jas los en pakt met haar handen mijn keel beet. Ze drukt haar duimen vlak boven het sleutelbeen, ze drukt hard.

'Jij verwend Zweeds rotwijf', sist ze. 'En jij zou dominee zijn! Het enige waar jij iets om geeft is jezelf en je gezin. Je kunt Yassie en mij niet eens deze kans geven! Begrijp je waar wij tegen hebben moeten vechten! Denk je dat wij het leuk vinden om hoer en schoonmaakster en kokkin en oppasser te zijn voor dat stelletje apen! En zij maar denken dat we tevreden en verliefd zijn? Hoe dom denken ze dat we zijn? Wat zouden we met ze moeten? Het enige wat ik en Yassie willen is geld. Want met geld kunnen we doen wat we willen. En jij gaat dat niet verpesten! Snap je dat! En jij gaat dat niet verpesten!'

Ik weet niet of Olga zo intens gemeen is dat ze weet dat mijn elleboog gewond is en daar gebruik van maakt. Maar ze laat mijn keel los en pakt in plaats daarvan mijn beide ellebogen beet en knijpt er zo hard in dat het me zwart voor de ogen wordt. Het is een dikke, dreigende duisternis, een soort einde, een uitgebrand einde, ik bijt mijn tanden op elkaar, maar daarna open ik mijn mond en schreeuw het uit, ik schreeuw zo hard als ik kan en ik voel Olga's handen wanneer ze ze op mijn mond drukt. Ze drukt hard, mijn hoofd wordt naar achteren gedrukt in de sneeuw en ik heb haar bovenop me.

'Hou je bek', sist ze en ze slaat mijn hoofd op de grond. 'Hou je bek, hou je bek!'

Met gestrekte armen drukt ze haar handen zo hard ze kan op mijn mond. Ze zit bovenop me en ik zie de sterrenhemel en Olga's verwrongen gezicht. Ze is een razende furie. Is ze dat de hele tijd geweest, achter haar slome façade van pillenslikster?

Olga die zich de hele tijd wat op de achtergrond houdt. Olga die zich onderdanig angstig gedraagt tegenover Osmo en Yasmine. Heeft ze gewoon een rol gespeeld? Of is ze echt zo? Zwak en sterk tegelijkertijd. Onzeker en daadkrachtig, en ik besef dat de onzekerheid een strategie is. Nu legt ze haar vermomming af.

'Dit zal ons lukken, ook al moet ik je daarvoor ombrengen', sist ze met haar gezicht maar een paar decimeter van me vandaan. 'Eindelijk zullen we vrij zijn, snap je dat? Ons hele leven hebben we moeten kruipen voor dat soort idioten als Osmo en Kalle en Kaj en Ronnie! Meespelen en je dom gedragen! Maar dit zal ons lukken! En Osmo, hij krijgt alleen maar ...'

Ik geloof dat we het alle twee tegelijkertijd horen. De voetstappen die onze kant op komen. Olga houdt haar mond en kijkt over haar schouder. Het is te donker, maar ik ben ervan overtuigd dat ze Osmo herkent wanneer hij hijgend en baggerend door de sneeuw naar ons toe komt. Haar greep om mijn mond verslapt en ik draai mijn hoofd weg en schreeuw weer, brul het uit. Olga werpt zich opnieuw woest over me heen en drukt haar handen nog harder op mijn mond.

'Ze wil haar mond niet houden', hoor ik haar tegen Osmo zeggen, en nu is het opnieuw Olga's ietwat onderdanige stem, de smekende en vleiende stem.

Ik zie het niet, maar ik hoor hoe Osmo zijn pistool ontgrendelt.

'Oké, Ingrid, hoe zullen we het doen?' zegt hij. 'Alles is volledig uit de hand gelopen en ik geloof eigenlijk dat het me niets meer kan schelen hoeveel doden er tijdens deze tocht vallen. Het doet er nauwelijks meer toe in elk geval. Dus jij ... Serieus, ik geloof niet dat het veel zou uitmaken als jij ook ... Als je je mond ook maar eens hield en ... Hoewel, wat geeft het eigenlijk, ik heb dit nu al zo vaak tegen je gezegd. En elke keer zeg je dat je het niet zult doen blablabla. Maar daarna doe je het toch weer. Dus waarom zou ik ...'

'Alsjeblieft ...'

Ik jammer. Smeek en jammer. God, mijn God, help me hier doorheen. Olga vermindert de druk een beetje. Ze stapt van me af en gaat naast me zitten en wat ziet ze er voldaan uit. Tevreden omdat Osmo kennelijk niet heeft gehoord wat ze over hem en de anderen heeft gezegd, maar ook omdat hij mij onmiddellijk klein krijgt.

'We nemen haar mee naar binnen', zegt ze tegen Osmo. 'We zorgen er wel voor dat ze niet weer ontsnapt. We zijn hier binnenkort toch weg, of niet? Nu is het toch bijna voorbij?'

'Ik weet niet ...'

Ik kijk naar Osmo's silhouet, hij richt zijn pistool op mij, hij houdt hem met gestrekte armen ver voor zijn lichaam uit en ik denk: nu, nu schiet hij en ik smeek hem weer.

'Alsjeblieft niet doen.'

In plaats van te schieten plaatst Osmo de vingers van zijn andere hand over de pistoolkolf en tilt het op. Maar net op het moment dat de klap zal komen schiet Yasmine als een kanonskogel naar voren en gooit zich met volle kracht tegen Osmo aan. Osmo valt, voornamelijk van pure verbazing, geloof ik, zomaar op de grond. Zo snel als een wezel is Olga bij hem en geeft hem met haar hak een trap op de hand waarin hij het pistool houdt. Ze gooit het pistool naar Yasmine, die het elegant en zeker vangt.

'Zo, ouwe jongen, nu ben ik hier degene die beslist', zegt Yasmine en ze richt haar pistool op Osmo.

Haar glimlach blinkt in het halfduister, maar ik geloof dat ze voornamelijk bang is. Ze heeft een scheve en krankzinnige trek om haar mond. Haar mondhoeken hebben de neiging om naar beneden te gaan.

Osmo zit nog in de sneeuw en hij lacht. De lach weergalmt troosteloos in de zwarte nacht. Ik sta langzaam op, probeer opnieuw onzichtbaar te worden. Osmo slaat met zijn hand de sneeuw van zich af zodat het in de richting van Yasmine spat. Ze springt weg, maar ze verliest haar zelfbeheersing niet. Olga komt naast haar staan en drukt zich dicht tegen haar aan, alsof ze een muur van vastberadenheid vormen.

'Dat ben je niet gewend, hè, dat wij beslissen. Jij en je brullende kameraden. Zoals jullie over mij en Olga de baas spelen. We moeten gewoon precies doen wat jullie willen, en dan moeten we verliefd zijn en daarna is het belangrijk wie van jullie de eer zal krijgen om hem er in te steken. Alsof dat ons iets kon schelen. Dacht je dat ik nee zou zeggen wanneer die idioot van een Bobby of een idioot van een Kaj zou willen? Zou ik dan weigeren? Is het weleens bij je opgekomen dat het een luxe is voor mensen als Olga en mij om nee te zeggen? Hoeveel weigeringen denk je dat we hebben verzameld en hoeveel denk je dat we voor een betere tijd hebben gespaard? Hè? Wij willen geen pak slaag en we willen ons zien te redden. Zo simpel is het.'

Yasmine maakt een schoppende beweging met haar voet, zodat er een stortvloed van sneeuw in Osmo's richting komt. Hij duikt weg en houdt op met lachen. Maar hij staat niet op. Hij blijft zitten en ik geloof eigenlijk dat de hele situatie hem zo versteld doet staan dat hij niet op het idee komt om op te staan.

'Jullie denken dat jullie zulke dikke vrienden zijn', gaat Yasmine verder. 'Dat jullie zo netjes tegen elkaar zijn en dat jullie heel veel regels en afspraken en erecodes hebben. Jullie zijn gewoon een stelletje onbetrouwbare sukkels. Dat weten mensen als ik en Olga. Want ten eerste moeten jullie over andermans meisje heen zodra jullie de kans krijgen. Daarna moeten jullie elkaar gaan vergelijken en elkaar zwart maken. En wij weten wat er van ons verwacht wordt. Er zijn maar weinig dingen die jullie zo'n goed humeur bezorgen dan dat wij een beetje roddelen over jullie beste vriend. Het liefst iets pijnlijks. Dat jullie grienen of hem niet omhoogkrijgen. Jaja, dat levert iets op.'

Osmo komt moeizaam overeind. Yasmine en Olga drukken zich tegen elkaar aan als hij hoog voor hen optorent.

'Nu is het wel genoeg', gooit hij eruit. 'Nu wil ik geen woord meer van jullie horen. Want jullie zijn niets. Helemaal niemand. Jullie zijn alleen maar een stel hoertjes die niemand ...'

'En wie ben jij dan wel?' onderbreekt Yasmine hem. 'Je bent niets meer dan een waardeloze dief! Je denkt dat je cool bent met je spierbundels en je kale kop! Denkt dat mensen bang worden van je! Ze zijn toch ook niet stom? Want denk je echt dat iemand je cool vindt? Denk je dat? Ik zou daar maar niet zo zeker van zijn als ik jou was! Want ze zien een loser, dat is wat ze zien! Een echte dikke, kale loser!'

Plotseling ziet Osmo er grimmig uit. Het is niet leuk meer. Hij steekt zijn hand in de binnenzak van zijn jas. Het andere pistool. Hij heeft Kajs wapen ook. Maar het is Yasmine die schiet. Osmo zakt in elkaar, eerst op zijn knieën en daarna voorover, languit.

'Shit', zegt Yasmine en het klinkt angstig. 'Shit, wat heb ik gedaan?'

Ze valt op haar knieën naast Osmo en ze streelt een beetje met haar hand over zijn hoofd.

'Oddie', zegt ze zachtjes. 'Oddie, hoor je me. Dat was niet de bedoeling … hallo.'

Osmo beweegt zich niet. Zijn grote, zware lichaam ligt doodstil. Geen gekreun, geen enkel geluid of de minste beweging.

'Hij is dood', zegt Olga en ze zegt het met een heldere, zakelijke stem. 'Yassie, luister eens. Sta op. Hij is dood.'

Yasmine zit nog op de grond en ze strijkt met haar hand over Osmo's achterhoofd.

'Ik meende niet alles wat ik daarnet gezegd heb', gaat ze verder. 'Ik werd alleen zo verdomde kwaad.'

Ze snottert en veegt met de achterkant van haar hand haar neus af. Olga pakt haar bij haar schouder.

'Kom, we moeten gaan', zegt ze nerveus. 'Er kan iemand komen. We kunnen hier niet blijven. Kom op, alsjeblieft Yassie.'

Yasmine staat op. Waar ze nu staat is het zo donker dat ik haar gezichtsuitdrukking niet kan zien. Maar het silhouet van haar lichaam tegen de achtergrond van het zwakke licht van een straatlantaarn verraadt dat ze echt verdrietig is. Haar schouders hangen en ze kijkt naar beneden.

'Dag', zegt ze zachtjes tegen Osmo's lichaam.

Daarna kijkt ze naar mij. Ze heeft nog steeds het pistool in haar hand.

'Kom mee', zegt ze en ze maakt een kom-mee-gebaar met het pistool. Ik loop met haar en Olga mee, ploeter weer door de sneeuw met de te grote laarzen.

'Iemand moet het schot gehoord hebben', zegt Olga. 'Iemand moet het hebben gehoord en de politie hebben gebeld. We moeten hier weg voordat ze ons vinden.'

'Bobby is onderweg hierheen', zegt Yasmine. 'Hij kan hier elk moment zijn. Dan krijgen we het geld. Dan krijgen we in elk geval een deel van ...'

Olga schudt haar hoofd.

'Ik denk het niet. Ik geloof niet eens dat hij komt.'

'Hoezo?'

'Maar snap je dan niet, Yassie, dat we allemaal voor de gek zijn gehouden? Ik geloof helemaal niet dat Bobby hier komt om het geld te delen. Hij heeft begrepen dat Kalle en Kaj dood zijn. Er is niemand voor wie hij nog bang hoeft te zijn. Hoewel ... Osmo misschien, maar wanneer hij doorheeft dat ook hij dood is, dan heeft hij helemaal vrij baan. Hij zal ons helemaal niets geven', zegt Olga en haar stem klinkt droog en zakelijk. 'Mooie mannen zoals hij slagen er altijd in om aan het eind alles naar zich toe te trekken. Wacht ...'

Olga baggert terug door de sneeuw naar het lichaam van Osmo en ze doorzoekt zijn zakken. Om bij zijn binnenzakken te komen moet ze het hele lichaam op zijn zij rollen. Yasmine staat als vastgenageld en kijkt ernaar. Ze huivert.

'Ik ga Bobby met Osmo's telefoon bellen', zegt Olga opgewonden. Ze snottert ook terwijl ze alle hoeken en gaten van Osmo's kleding doorzoekt. 'Doen alsof Osmo leeft, maar gewoon ... Tja, boodschappen doet of zoiets. Als we hem hierheen kunnen krijgen met het geld, kunnen we misschien iets verzinnen ...'

'We moeten doen alsof de mannen ons dekken', gaat ze verder. 'En ...' Triomfantelijk houdt ze iets voor Yasmine omhoog. '... we hebben tenminste het geld dat ze van de dombo daar in dat huis hebben gejat! Daarmee kunnen we in elk geval een ticket kopen om weg te komen! Toch, schatje? We kunnen naar Thailand en daar vinden we wel iets. Met dat geld houden we het wel een tijdje uit. We vinden altijd wel een manier om rond te komen. We kunnen Bobby laten barsten. We zijn niet afhankelijk van hem ...'

'Maar het gaat om miljoenen ...'

'Jaja. Het loopt nu even anders. En we hebben in elk geval elkaar nog. Kom op. We sluipen terug naar het huis en dan verzinnen we iets slims. We zullen het hoe dan ook wel redden, ja toch Yassie? We redden ons altijd, toch?'

Het laatste klinkt smekend.

'Maar wat doen we met haar?'

Yasmine wijst met het pistool naar mij en ze vraagt het zich oprecht af. Nu is zij het die steun en hulp nodig heeft. De rollen van haar en Olga zijn omgedraaid.

'Ze mag mee naar het huis. Ik kan niet echt goed denken nu', zegt Olga.

En ik loop achter hen aan. Ik loop achter hen aan en tot mijn verbazing doet mijn borst pijn van verdriet. Pijn door de schok en van het verdriet. Osmo ligt als een zak afval achter ons.

'Het was niet mijn bedoeling', zegt Yasmine tegen mij, alsof ze vermoedt wat ik voel. 'Het was helemaal niet mijn bedoeling. Niet om gemeen te zijn en ook niet om dat allemaal te zeggen. Ik werd alleen zo vreselijk kwaad, snap je dat?'

Ik haal geloof ik mijn schouders op.

Het was niet mijn bedoeling. Wat is de bedoeling van iets? Ik weet zelf nauwelijks wat het betekent, dat iets niet zo bedoeld was. Moet het troost voorstellen? Een verontschuldiging? Ik heb geen woorden. Ze werken niet meer, de woorden zijn opgehouden met mij samen te werken. Ze zijn niet meer toereikend om mijn gedachten en mijn gevoelens uit te drukken. De woorden die ik wil zeggen zijn er niet. Ik doe mijn mond open, zoek in mijn innerlijk, maar welke woorden zou ik nu kunnen gebruiken? In welke volgorde moeten ze eruit komen?

Bang?

Veel meer dan dat.

Geschokt?

Veel meer dan dat. Ik ben ergens anders.

'Maar moet hij daar zo blijven liggen?' vraagt Yasmine hijgend aan Olga. 'Hij kan daar toch niet gewoon blijven liggen. We moeten toch ... verdomme ...'

Olga antwoordt niet, maar vormt de voorhoede op weg naar het huis. In de ene hand heeft ze, naar ik vermoed, de bundel bankbiljetten en in de andere Osmo's mobiele telefoon. Ze houdt ze dicht tegen zich aan gedrukt, bijna onder haar oksel.

'Maar waarom zou Bobby ons allemaal bedriegen?' gaat Yasmine hijgend verder. 'Waarom denk je dat?'

'Als hij niet zo bang geweest was voor Kalle en Kaj en Osmo, dan zou hij nooit een öre met wie dan ook delen. Hij is aan dat geld gewend', zegt Olga en ze loopt recht vooruit, zonder naar ons tweeën achter haar om te kijken.

Ik ga langzamer lopen. Yasmine is voor mij, en ik vraag me af waarom ik eigenlijk met haar mee zal lopen nu ze me lijkt te zijn vergeten.

Ik sta abrupt stil. Denk wat ik zo vaak heb gedacht. Nu. Nu het einde. Nu hiervandaan. Maar Yasmine draait zich snel om en sist tegen me dat ik niet moet proberen het in het honderd te laten lopen, 'want ik kan jou ook doodschieten!' Ze maakt een wegwerpgebaar met de hand waarin ze het pistool heeft, en de koude rillingen lopen over mijn rug omdat Yasmine onvoorzichtig en slordig met het pistool omgaat, met schokkerige bewegingen. Er kan elk moment een ongeluk gebeuren, en daarna zal ze zeggen dat het niet haar bedoeling was.

Deze keer is het dan mijn dood die niet de bedoeling was. Mijn dood die gewoon maar gebeurde.

Yasmine blijft staan zodat ik langs haar heen kan lopen. Nergens een teken van leven. Het huis dat we net hebben verlaten ligt afgezonderd van de andere huizen verderop langs de weg. Er is niets te horen behalve het geluid dat we zelf maken tijdens het lopen.

Wanneer we weer terug zijn in het huis loopt Yasmine resoluut naar de schuifdeuren tussen de keuken en de woonkamer waar Ronnie ligt. Ze sluit de deuren en ik voel me opgelucht. In de hal laat ik de laarzen van mijn voeten glijden, ik hoef alleen maar een beetje te schudden met mijn voeten en uit zijn ze, gelukkig maar. Wanneer ik de rits van de jas probeer open te maken trillen mijn vingers zo erg dat ik het onmiddellijk opgeef en hem aanhoud. We staan met zijn drieën besluiteloos in de keuken. Olga haalt Osmo's mobiele telefoon tevoorschijn en zoekt een nummer. Nadat ze het heeft gevonden belt ze het nummer.

Ze wacht even.

'Er neemt niemand op. Ik durf te wedden dat hij en zijn vrienden nu al ver weg zijn', zegt Olga. 'Ik durf te wedden dat hij alles te pakken heeft gekregen zonder de hulp van Osmo en Ronnie. Hij heeft ons met een schijnbeweging buitenspel gezet.'

'Maar zou hij dat durven doen?'

Yasmines stem klinkt ingehouden angstig.

'Tja, ik denk niet dat jij en ik hem nu echt angst aanjagen', gaat Olga verder. 'En ik denk ook niet dat hij zich druk maakt over ons, ook al heeft hij met ons allebei wat gehad. De praatjes die hij ons wijsmaakte over Kalle. Dat hij van plan was om jou en mij te bedonderen en dat we daarom Kalle moesten laten doodschieten door Göran. Bobby wilde Kalle er niet meer bij hebben. En waarschijnlijk was Kalle de enige voor wie hij echt bang was. Toen we belden en het hem vertelden, herinner je je dat nog? Toen we weggingen om de Chrysler te halen? Hij was zo ontzettend royaal, zoals je bent wanneer het je niets kan schelen. Je belooft van alles en nog wat omdat je weet dat je het toch nooit hoeft na te komen. Ik vond het zo rot om die arme doofstomme Göran erin te betrekken. Maar tegelijkertijd klopte het wel, wat Bobby zei. Hoe gemakkelijk het was. Om gewoon Göran wijs te maken dat Kalle gemeen tegen me was, zodat Göran met dat geweer zou gaan zwaaien. Hij had zo'n zwak voor mij, die arme man. Het was het afschuwelijkste dat ik ooit in mijn hele leven heb gedaan. Toen Göran daar plotseling met het geweer stond en op zijn akelige manier stond te huilen. Alleen dit, uhuhuhu. Dat het echt was, dat hij werkelijk had geloofd dat Kalle mij mishandelde en hoe hij stond te piepen en te janken. En Kalle dan, hij begreep er niks van. Nee, ik kan er nauwelijks aan denken zonder misselijk te worden.'

Yasmine en ik zwijgen. Olga doet haar handen voor haar gezicht. Ze lijkt te gaan huilen, maar er komt niets.

'Snap je dat ik daarna wel pillen moest slikken. Met dat beeld voor ogen kan ik nauwelijks leven. Ik haatte Kalle, maar toen hij naar mij keek alsof hij er niks van begreep, toen was het alsof … verdomme … ik kan er niet eens aan denken. En die stomme Göran, die met open armen en jankend naar me toe kwam toen hij Kalle had neergeschoten. Snap je dat? Alsof ik hem moest troosten. En daarna, toen ik wegrende om Kaj en Ronnie en Osmo te halen … had ik zo'n medelijden met die oude man. Ik had ontzettend met hem te doen. Hij begreep er immers niks van! Hij wees alleen maar naar mij en zag er zo … verward uit … Alsof het een grote chaos was in zijn hoofd. En dat was het waarschijnlijk ook toen Kaj plotseling op hem afstormde. Nee, ik moet er niet aan denken.'

Ik doe mijn ogen dicht en zak op de grond. Ik hou mijn handen voor mijn oren en knijp mijn ogen stijf dicht. Toch hoor ik nog geluid, het geluid van Yasmine die Olga troost en zegt: 'Je moest dat wel doen, schatje. Wat had je anders moeten doen? Je kon niet in opstand komen tegen Bobby, toch?'

Tegelijkertijd hoor ik een ander soort geluid. Het is de poging van de doofstomme om te praten. Ondanks dat ik hem nooit echt heb gehoord is het alsof het geluid zich een weg zoekt bij mij naar binnen, alsof hij iets gezegd wil hebben.

Onrechtvaardig. Heer, zijn dood is zo onrechtvaardig. Dat wil hij me zeggen.

Ik voel hoe iemand, het is Yasmine, me aan mijn arm omhoogtrekt en zegt dat ik moet gaan staan. Ik doe wat ze me opdraagt, ik doe het in trance, alsof ik iemand anders ben. Olga zegt dat ze me helaas moeten opsluiten terwijl zij nadenken over wat ze moeten doen.

Ze zegt 'helaas' en het klinkt oprecht verontschuldigend. Helaas moet ik je hieraan blootstellen.

Helaas moeten ze me opsluiten in de slaapkamer waaruit ik eerder samen met Osmo kleren heb gehaald. Ik ga op het bed liggen met de armen om me heen.

Wanneer ik op het bed lig en denk aan Kleintje en aan jou, Anders, dan denk ik aan afscheid. Mijn ogen branden, ik kan niet meer huilen, het zou pathetisch zijn om het zelfs maar te proberen. Huilen doe je wanneer je nog steeds bestaat. En als me één ding duidelijk is, terwijl ik daar in het donker lig en mezelf probeer vast te houden, dan is het wel dat ik ben verdwenen. Ik ben verdwenen. Mijn ik, dat wat verbonden is met Kleintje en met jou, wat de schakel is met jullie. Want er is veel gebeurd, want ik heb veel gezien.

Zal ik ooit weer bij jullie terugkomen? Mezelf terugvinden?

Wanneer ik terugdenk aan Johannes en mij, hoe het ging, zou ik je dat graag hebben willen vertellen, Anders, over hoe het ging toen ik rebelleerde. Dat ik dat deed, dat ik opstond uit mijn vernedering en Johannes ter verantwoording riep. Dat er een keerpunt was waarop ik mijn trots terugkreeg.

Maar het feit dat ik dat nooit heb gedaan is nu juist de reden dat ik er nooit over heb willen vertellen.

Zo'n keerpunt is er niet. Ik ben gewoon doorgegaan. Ik heb noch wraak genomen noch een ander soort van genoegdoening gekregen. Soms zoek ik Johannes' adres en telefoonnummer op. Hij woont op hetzelfde adres, al jarenlang, met ene Birgitta. Elke keer dat ik zijn naam opzoek ben ik op zoek naar een teken. Is Birgitta op een dag verdwenen? Of hij? Echtscheiding? Dood? Ik wil graag een teken zien dat hem een ramp is overkomen. Maar niets van dat alles. Dezelfde vrouw. Hetzelfde adres. Jaar in, jaar uit.

Wat er gebeurde met mijn relatie met Johannes was simpelweg dat ik een vervelend slachtoffer werd. Dat ik geen andere manier kon vinden om ermee om te gaan. Ik werd meegaand tot het bijna ondraaglijk werd. Het was mijn onhandige manier om zowel mezelf te redden als om me te wreken. Ik dwong Johannes me te kwellen tot hij het zat werd, totdat hij op adem moest komen en naar zichzelf moest kijken in de spiegel.

Ik durfde hem niet echt te verlaten, maar toch had ik hem verlaten, en had alleen een omhulsel achtergelaten. Een mechanisch omhulsel. De automatisch spelende piano van de zelfvernedering. Als Johannes zei dat ik dik was en geen talent had, dan antwoordde ik dat dat misschien ook wel zo was. Als hij zei dat mijn ouders sukkels waren zonder opleiding en klasse, dan was mijn reactie dat dat waarschijnlijk wel klopte. Als hij me begon uit te lachen wanneer ik at, dronk, liep, me aankleedde, wat dan ook, zijn gemene, spottende lach, dan deed ik alsof ik het niet hoorde.

Soms sloeg hij me. Of een vuistslag op mijn schouder, of een oorvijg, en dan deed ik mijn best om geen kik te geven. Dan kneep ik mijn ogen stijf dicht en wendde ik mijn gezicht af. Dat was alles.

Ik geloof dat Johannes ten slotte Jeanette ontmoette, juist toen ik een te saai slachtoffer werd. Een te duidelijk slachtoffer. Het werd pijnlijk met mij. Hij werd verliefd op Jeanette om zijn gezicht te redden. Plotseling was Jeanette er en was ik vrij.

Toen, toen het gebeurde, had ik niet het gevoel dat ik iets had gewonnen. Hoeveel ik er ook over had gefantaseerd dat Johannes op een dag genoeg van mij zou hebben en hoezeer ik dat had gezien als mijn kans op redding, op dat moment was er geen enkel gevoel van opluchting.

Johannes deed opeens vreemd tegen mij. Omhelsde me en verzekerde me hoe verdrietig hij was dat hij niet meer van me hield. Dat hij het niet kon helpen dat hij halsoverkop verliefd was geworden op Jeanette. Maar ze was zo onweerstaanbaar kleurrijk. Ze had zo veel leven in zich. En hij verontschuldigde zich, telkens weer. Niet voor wat hij mij had aangedaan. Maar omdat hij niet meer van me hield. Helaas. Het speet hem zo.

Toen Johannes verdween, daarna, was ik er niet meer. Zo beleefde ik het. Jarenlang ging ik verder met alleen maar omhulsel te zijn. En ik kwam erachter – en het is daarom dat ik bereid ben om nu afscheid van jou en Kleintje te nemen – dat je jezelf niet weg kunt stoppen en denken dat je jezelf weer terug kunt halen wanneer het jou uitkomt.

Straffen door slachtoffer te zijn is een beroerde strategie. Ervandoor gaan door slachtoffer te zijn is ook een beroerde strategie. Met alle respect voor de hulpeloosheid die ik toen voelde: ik groef mijn eigen kuil, ik creëerde de rol van slachtoffer, en dat werd ik en dat werd mijn identiteit.

Ik had kunnen weggaan, en ik deed het niet.

Ook al wist ik eigenlijk de hele tijd wat ik moest doen.

Dat ik moest rennen voor mijn leven.

Op hetzelfde moment dat ik het denk, sta ik op, alsof ik een stroomstoot heb gekregen.

Ik moet rennen. Rennen om te leven.

Ik loop naar het raam. Het kijkt uit op het meer. Het huis ligt op een heuvel en als ik zou proberen om uit het raam te klimmen, dan zou ik te pletter vallen. Ik loop terug en voel aan de slaapkamerdeur. Die zit echt op slot. Ik doe de lamp aan en dan baadt de kamer in het licht. Waarom zou ik het niet doen? Wanneer ik het licht heb aangedaan ga ik even naast de deur staan, voor het geval Yasmine of Olga de deur zouden openrukken, woedend dat de kamer verlicht wordt. Maar ze lijken het niet te hebben opgemerkt. Ik hoor niets. Op het moment dat ik het licht aandeed werd het buiten voor het raam zwart. De omgeving verdwijnt en ik zie mezelf in het raam weerspiegeld. Het maakt me bang. Ik draai me snel om naar de spiegels over de breedte van de kledingkast, om te kijken of het waar is wat ik zie.

Mijn ogen, wat is er met mijn ogen gebeurd?

Ik staar naar mijn eigen spiegelbeeld en mijn ogen zijn zwarte gaten geworden. Donkere kraters. Een zere plek heeft het gebied rond mijn ene oog blauw-geel gekleurd. Mijn haar is vet en wild, het kronkelt zich als het ware rond mijn gezicht, ziet eruit als een rivierdelta. Mijn lippen zijn wit, droog en gebarsten en de kleur van mijn huid, hoe zal ik die beschrijven? Geel, ziek? Ik haal mijn hand over mijn wang. Die is droog en mijn hele wang doet me denken aan vervelling. Alsof ik een andere huid heb gekregen.

Ik kijk langzaam hoofdschuddend naar mijn eigen spiegelbeeld. Nee. Hier ga ik niet verder in mee. Ik vorm je naam met mijn lippen, zeg stilletjes je naam. Anders. En dan Kleintje, Kleintje! Anders!

Ik zie hoe verwrongen mijn gezicht is en hoe de tranen in mijn ogen opwellen. Ik ben nog steeds bij jullie. Ik ben nog steeds bij jullie!

Ik loop terug naar de lichtschakelaar en doe hem aan en knipper ermee. Hoe was het ook alweer? Drie lang, drie kort. Ik sta op het punt in lachen uit te barsten, midden in dit alles, wanneer ik mijn gezicht in de spiegel in drie lange en drie korte flitsen zie oplichten. Ik moet bijna lachen omdat ik weet dat ik de morsetekens voor sos leerde toen ik elf jaar was en *101 Dalmatiërs* las. Het duurt misschien vijf minuten voordat de deur wordt opengetrokken door Olga.

'Waar ben jij mee bezig?' sist ze. 'Hou op!'

Ze slaat mijn hand weg van de lichtschakelaar, maar ik druk hem terug op de schakelaar en begin er weer mee te knipperen. Olga grijpt mijn hand en knijpt erin zo hard ze kan, ze boort haar nagels in de rug van mijn hand en trekt tegelijkertijd mijn hand weg.

'Yassie, kom!'

Yasmine staat er al en ze duwt me bij de schakelaar en bij Olga weg. Ik val tegen het bed, maar sta snel weer op. Yasmine rent naar de deur en ik begrijp dat ze het pistool gaat halen. Ik doe drie vlugge stappen in haar richting. Ik pak haar arm, die steviger voelt dan ik had gedacht, en trek er uit volle macht aan, pak haar steviger vast, trek aan haar trui. Dan probeert Olga de kamer uit te rennen, maar ik weet mijn lichaam tegen de deur te duwen zodat die weer dichtgaat en Olga er ook niet uit kan. Doodstil staan we daar aan elkaar te rukken en te trekken. Ik sta met mijn rug tegen de deur en druk de deur dicht, zodat ze er niet uit kunnen.

Olga en Yasmine trekken aan me, ze willen me weg hebben, maar ik ben koppig. Ondanks alles zijn ze vrij mager. Alle twee. Ik weeg zeker twintig kilo meer, en zo gemakkelijk krijgen ze me niet in beweging.

Olga brengt een hand omhoog en krabt me in het gezicht. Ze boort haar nagels zo hard als ze kan in mijn gezicht en het doet zo'n pijn dat ik heel even mijn zelfbeheersing verlies. Ik weet met mijn ene hand haar krabhand te grijpen en ik buig hem achterover, zo hard als ik kan en ondertussen is het alsof ik bloed in mijn mond proef. Ik buig en buig, het kraakt in haar arm en ik hoor Olga gillen, maar het kan me niet schelen. Ik buig haar hand verder achterover en mijn woede is zo groot; mijn woede helpt me, prikkelt me en mijn voldoening neemt toe naarmate ik het harder hoor kraken.

'Au, verdomme, jij heks!'

Olga weet haar andere hand omhoog te krijgen, ze heeft een vuist gemaakt en ze slaat me recht op mijn neus. Ik laat haar hand los en verlies mijn concentratie, Yasmine weet weg te glippen. Ze dringt langs me heen en ik hoor haar voetstappen over de plavuizen vloer. Waarschijnlijk laat ze het pistool eerst vallen, want ik hoor een klap en een vloek, maar ze staat weer erg snel voor me en houdt het pistool tegen mijn hoofd gedrukt.

'Nu hou je op', brult ze.

Mijn neus doet pijn, maar het kan me niets schelen. Ik krijg een pistool tegen mijn wang gedrukt – weer – maar dat kan me op een bepaalde manier ook niets meer schelen. Ik ben zo boos. Ik ben zo verdomde boos.

'Oké, schiet dan', brul ik. 'Schiet me dan dood zodat je iedereen zult hebben doodgeschoten en er niemand meer over is. En dan! Schieten jullie mij dood, dan zullen jullie nooit meer een rustig moment hebben in jullie hele leven! Begrijpen jullie dat niet!'

Olga huilt en houdt haar ene hand vast.

'Verdomme, ze heeft hem gebroken', huilt ze. 'Verdomme, ze heeft hem gewoon gebroken! Ik kan mijn vingers nauwelijks bewegen!'

Yasmine kijkt naar Olga's hand en onderzoekt hem zo goed als het gaat in het halfduister. Ze betast hem voorzichtig met haar vrije hand en er zit iets ontroerends in dat gebaar dat me door de chaos en de pijn heen raakt, dat ze zo zorgzaam voor elkaar zijn.

'Ach, hij is niet gebroken', zegt Yasmine. 'Je kunt hem gauw weer bewegen.'

'En nu dan,' ga ik verder, 'wat gaan jullie nu doen? Kunnen jullie er niet gewoon vandoor gaan nu het nog kan? En mij hier achterlaten en verdwijnen? Laat mij hier achter en verdwijn!'

'Nee, nu wachten we op Bobby', zegt Yasmine en ze zegt het tegen Olga. 'Nu wachten we op Bobby zoals het is afgesproken. Hij kan ons niet besodemieteren, dat bestaat gewoon niet! Je hebt het mis, Olga, je bent zo verschrikkelijk wantrouwend. We wachten op Bobby en daarna kunnen we vertrekken met alle miljoenen.'

'Yassie, we zijn bedrogen, begrijp je dat dan niet? We gaan.'

Olga trekt Yasmine aan haar hand. Yasmine duwt haar hand weg. Ik weet niet hoe laat het is, maar ik meen door het raam van de keuken te zien dat het al licht wordt. We staan in een kringetje, we zijn buiten adem, we voelen ons niet goed.

'Oké, dan ga ik zelf wel', zegt Olga. 'Als je het niet erg vindt neem ik het geld dat ik hier heb en dan kun jij op Bobby blijven wachten en bedonderd worden.'

Olga loopt naar de hal. Yasmine loopt haar achterna en trekt haar aan haar haren.

'Jij gaat nergens heen!'

Olga draait zich om en geeft Yasmine zo'n harde duw dat ze

omvalt. Yasmine heeft nog steeds Olga's haar vast, en trekt Olga mee in haar val. Ze vallen allebei op de grond. Yasmine verliest het pistool, dat een eindje over de plavuizen vloer glijdt. Het duurt een halve seconde voordat ik reageer. Maar dan doe ik het. Dan spring ik naar voren en trek het pistool naar me toe. Het voelt onwerkelijk zwaar, onwerkelijk koud, helemaal onwerkelijk. Ik doe een paar snelle stappen van hen af met mijn buit. Wanneer ik hem in mijn hand neem zoals je een pistool vasthoudt, bonst mijn hart zo heftig dat het pijn doet in mijn borst. Mijn hand is zweterig. En ik zie hoe zowel Olga als Yasmine verstijft en langzaam overeind komt, met angstige, houterige en voorzichtige bewegingen. Ik krijg een brok in mijn keel van het groeiende gevoel van macht.

Nu ben ik het, de machteloze, die het heeft overgenomen. Ik strek mijn arm met het pistool naar Yasmine en Olga, en ik geloof dat ik glimlach als ik merk hoe ze angstig terugdeinzen.

'Waar is de telefoon?'

Ik klink hees wanneer ik het vraag. Geen van hen geeft antwoord, maar ik zie hem zelf. Nog steeds met het pistool gericht op Yasmine en Olga loop ik ernaartoe. Hij ligt op het aanrecht. Mijn hand trilt en ik laat hem eerst op de vloer vallen en vergeet het pistool op Yasmine en Olga gericht te houden, maar wanneer ik ze als schaduwen zie bewegen hou ik het gauw weer omhoog en zeg tegen ze dat ze stil moeten staan. Olga loopt door, naar de hal.

'Sta stil!'

Wanneer Olga niet stil blijft staan, maar alleen maar haar hoofd schudt, alsof ze niet gelooft dat ik zou kunnen schieten, doe ik het. Ik richt boven haar en Yasmines hoofd. Het schot slaat recht in de muur, vlak onder het plafond en ik laat bijna het pistool vallen door de terugslag.

Olga en Yasmine houden nu hun armen boven hun hoofd en gillen. Ik geloof dat ik ook gil en daarna trilt mijn hand zo dat ik met mijn andere hand mijn pols vast moet houden. Ik hou het pistool in een krampachtige greep, strek de vinger waarmee ik heb afgedrukt, want ik ben bang om nog een keer te schieten zonder dat het mijn bedoeling is.

In mijn ene hand heb ik een pistool en in mijn andere hand een mobiele telefoon, maar ik tril zo dat ik niets anders kan doen dan proberen diep adem te halen en te herstellen. Yasmine en Olga laten hun armen langzaam zakken en ik zie hoe bang ze eruitzien. Ze kijken naar me alsof ik een levensgevaarlijke gek ben geworden en ik denk met een zekere verbazing dat dat misschien ook zo is. Een levensgevaarlijke gek.

'Blijven jullie ... helemaal ... stil.'

Ik ben buiten adem. Ik hoor Yasmine sissen dat Bobby gauw komt en dat hij met me af zal rekenen. Ik geloof dat ik schamper lach wanneer ik het hoor. Ik hou het pistool nog een paar decimeter hoger, in haar richting en ze zwijgt snel. Door wat ze over Bobby zegt probeer ik weer te telefoneren. Met mijn beverige, nerveuze vinger druk ik 112 in. Wanneer ik iemand aan de andere kant hoor zeggen: 'Alarmcentrale, wat is er gebeurd?' ben ik mijn stem volledig kwijt. Ik hoor iemand roepen: 'Hallo!'

'Ik ... ik ben Ingrid Carlberg. De dominee.'

Het voelt alsof ik het mezelf moet inprenten. Ik ben ik. Ingrid Carlberg, de dominee. De moeder van Kleintje. De vrouw van Anders.

'De dominee die als gijzelaar wordt vastgehouden.'

Eerst hoor ik niets, daarna gaat de stem verder met behoedzaam en vriendelijk te vragen of ik kan zeggen waar ik me bevind. Daar stopt het. Ik weet het niet.

'Kun je beschrijven waar je bent, Ingrid? Zie je iets in de buurt wat je kunt beschrijven?'

'Een meer.'

Dan ontdek ik een paar ongeopende enveloppen die naast de telefoon liggen, en daar staat een adres op. Ik zeg het tegen de telefoonstem, die tegen me zegt dat ik rustig moet blijven. 'Hulp is onderweg.'

Er komt hulp aan!

Ze vraagt of ik gewond ben en ik stamel dat iedereen dood is. Maar dan zie ik Olga en Yasmine en hakkelend zeg ik dat er nog twee in leven zijn.

'Ze … ik kan ze doodschieten …'

Heel even een verwarde stilte aan de andere kant, daarna een zucht en een stem die probeert kalmerend te zijn.

'Heb je een wapen, Ingrid? Als je een wapen hebt moet je …'

Dan sluit ik af. Ik kan het niet meer horen. De stem aan de andere kant is verbijsterend in zijn alledaagsheid. Wanneer ik afsluit klinkt haar stem nog steeds in mijn oor, en hoe moet ik het beschrijven, het is iets met de toon. Het klinkt vriendelijk. Wij allemaal, Osmo, Ronnie, Kaj, Yasmine, Olga, onze stemmen zijn hard, opgefokt, gespannen geweest, nooit normaal. Onze stemmen waren als een instrument in de handen van iemand die niet kan spelen. Het wordt nooit echt goed.

Mijn keel doet pijn nadat ik de gewone buitenwereld heb gehoord. Het doet ontzettend pijn. En ik toets jouw nummer, Anders, jouw mobiele nummer. Ik herinner het me deze keer zonder nadenken. Als ik erover was gaan nadenken zou ik er waarschijnlijk niet opgekomen zijn. En dan het ongelooflijke. Ik hoor je stem, Anders. Je antwoordt niet. Het is je antwoordapparaat. Hoe kun je dat hebben aangezet nu ik weg ben?

Wonderlijke, fantastische, idiote jij. Op jouw verzoek laat ik een bericht achter na de piep. De mededeling zelf heb ik niet gehoord. Het moet een nieuwe mededeling zijn. Je klinkt gespannen en gestrest.

Ik doe mijn mond open.

'Eh …'

Ik kijk naar Olga en Yasmine. Ik zie dat ze huilen, allebei. Waarom?

'Ik ben. Ik ben hier. Ik. Ingrid.'

Ik zeg het adres. Daarna sluit ik af. Het mobieltje gaat meteen over. Ik herken je nummer op de display. Maar ik kan hem niet opnemen. Kom, kom in plaats van te bellen. Kom hier. Kom gewoon.

'Alsjeblieft, kun je ons niet laten gaan?' vraagt Olga terwijl de tranen over haar wangen biggelen. 'Alsjeblieft, alsjeblieft Ingrid, kunnen we niet gewoon weggaan? Jij krijgt nu immers hulp. Jij komt vrij.'

'Alsjeblieft', zegt Yasmine huilend. 'Jij krijgt je hele leven terug. Je man en je kind en alles. We kunnen toch gewoon gaan? Alsjeblieft!'

Ik leg de telefoon neer.

'Het geld', zeg ik. 'Dat is niet van jullie. Het is van Sigge. Ik zal het aan hem teruggeven.'

Yasmine en Olga kijken elkaar snel aan.

'Prima', zegt Yasmine. 'We zullen beloven dat we het geld naar hem terugsturen, later. We kunnen … we kunnen een soort van contract maken. Wat dan ook. Maar alsjeblieft Ingrid, laat ons met het geld weggaan.'

Ze gaan dicht tegen elkaar aan staan, zoals ik gewend ben hen te zien. Zij aan zij. Hun smekende gezichten. Ik voel me plotseling oneindig moe. Mijn pistoolarm is zo zwaar. Die doet pijn. Plotseling voel ik het.

'Bedenk dat Sigge vond dat Kaj je moest verkrachten', gaat Yasmine verder. 'Kaj zei het als een grapje. Dat Sigge vond dat ze je moesten verkrachten. Denk daaraan, Ingrid. En jij vindt dat hij dat geld terug moet krijgen? Het zou net goed voor hem zijn dat in plaats daarvan wij het kregen …'

'Ja, eigenlijk wel', valt Olga bij. 'Denk aan mij en aan Yasmine. We zijn meisjes die nooit echt een kans hebben gehad in het leven. We hebben ons altijd aan verschillende mannen moeten aanpassen. Verschillende idioten die tegen ons hebben gezegd wat we moesten doen. Maar nu zullen we onze eigen baas zijn. Van die meidendingen gaan doen. Dat vind je toch goed?'

Ik zie voor me hoe Sigge keek toen hij zei dat Kaj me moest verkrachten. Hij was in paniek en dacht zijn eigen huid te redden door het juiste te zeggen. Of? Wilde hij me vernederd zien worden?

'Jullie konden vluchten', zeg ik tegen Yasmine en Olga en ik laat mijn stem streng klinken. 'Jullie hoefden geen slachtoffer te zijn.'

'Maar ik geloof dat je het niet begrijpt', zegt Olga. 'Ik geloof niet dat je kunt begrijpen hoe het is. Hoe je zo wordt. Je gelooft als het ware niet ...'

Olga bijt op haar lip, verder komt ze niet. Ze weet niet hoe ze moet zeggen, wat ik al weet – veel meer dan ze vermoedt – dat ze geen andere weg zag.

'Dat begrijpt zo iemand als Ingrid toch nooit', zegt Yasmine met een plotselinge felheid. 'Ze is er veel te Zweeds en te verwend en te rijk en te Göran Persson voor. Zelfvoldane rot-Zweden die zo verstandig zijn dat je ervan moet kotsen. Jullie denken dat mensen zo helder en keurig denken en een zorgvuldige keuze maken bij elke stap die ze doen. Loop naar de hel! Jullie zijn zo verdomde ver verwijderd van de rest van de wereld, snap je dat!'

Weet je Anders, ik begin te lachen. Ik kan het niet meer tegenhouden. Het borrelt op uit mijn mond. Ik laat me op de vloer zakken, zit met een pistool – kun je dat begrijpen, een pistool of revolver of weet ik veel – in mijn hand en de lach is niet bevrijdend of heerlijk, het is een lach die pijn doet, die bitter smaakt en dwangmatig is. Ik laat het pistool op mijn schoot liggen en ik zie hoe Olga en Yasmine elkaar een blik toewerpen die bevestigt wat ze al dachten, dat ik echt gek ben geworden.

Ze lopen langzaam achteruit naar de hal terwijl ze me met bange gezichten observeren, maar wanneer ze een eindje van me verwijderd zijn, krijgen ze opeens haast. Ze struikelen haastig en onhandig rond, doen hun kleren aan, ik hoor de buitendeur en weg zijn ze. Ze zijn weg met het geld en ik denk dat het me niets kan schelen. Ik wil alleen maar thuiskomen bij jullie.

Wanneer het geluid van de buitendeur is weggestorven wordt het stil. Ik zit in de stilte en wordt weer mezelf.

Ik denk aan jou, Johannes, en ik hoop dat het een van de laatste keren is in mijn leven. Plotseling herinner ik me wat een wijze collega-dominee eens tegen me zei. Degene die je pijn heeft gedaan vergeeft je nooit.

Dat moet je straf worden. Je zult me nooit vergeven dat je me pijn hebt gedaan. Dat is mijn wraak.

Ik ben er goed uitgekomen. Aardig dat je het vraagt. Ik heb een fantastische dochter en een geweldige man en een leven dat opnieuw kan beginnen. De pijn die ik heb geleden heb ik gebruikt in mijn beroep en in mijn leven als mens. Omgevormd tot iets goeds.

Heb ik je het vergeven? Ik weet het niet.

Maar je zult mij nooit kunnen vergeven, want jouw schaamte is groter dan die van mij, jouw menselijke nederlaag zo veel groter dan die van mij. Met dat inzicht kan ik vrede hebben.

Het besef van wat je me hebt aangedaan zal je achtervolgen, je bent verdoemd. Dat zal altijd op de achtergrond zijn. Je hebt iemand pijn gedaan. Ik kom er misschien overheen. Maar jij nooit. Op het moment dat je denkt dat je er overheen bent, ben je een mens zonder bodem, zonder diepte. Zoek je dieper in jezelf, dan zit ik daar te loeren samen met het besef van wat je me hebt aangedaan.

Dan hoor ik een auto. En wanneer ik besef dat het Bobby kan zijn, hou op ik met lachen en kruip ik in elkaar terwijl ik mijn pistool op de deuropening richt. Ik ben er klaar voor. Ik laat het pistool op mijn knie rusten en denk: kom maar op, kom maar op.

En ik hoor iemand. Meer dan één. Meerdere mensen. Maar jij komt als eerste binnen. Duwde je als eerste naar binnen, langs de agenten. Iemand werd kwaad, maar dat kon je niets schelen.

Mijn man.

Olga en Yasmine reden zich een paar kilometer vanaf het huis klem. Toen ik dat later hoorde was ik eerst teleurgesteld. Alsof ik ze de vrijheid gunde. Dat ze de kans zouden krijgen om zich los te breken, opnieuw te beginnen. Het was kinderlijk gedacht.

Nu moeten ze verantwoording afleggen voor hun daden. Hun schuld onder ogen zien.

Terugziend, Anders, hoe zag ik eruit? Ik vergeet nooit je gezicht toen je me zag. In je ogen zag ik wat er was gebeurd. In je ogen zag ik wat ze met me hadden gedaan. En toen ik zag hoe het insloeg in je, hoeveel pijn het je deed, besefte ik dat de harmonie er was. Ik leef in je, zoals jij in mij leeft en we kunnen, wanneer het er werkelijk toe doet, elkaars pijn voelen.

Jij zag mij, heel eenvoudig.

Het vreemde is dat ik eerst het pistool niet losliet. Je kwam langzaam mijn kant op en ik hield het naar je gericht terwijl ik snikte. Terwijl ik zocht naar woorden, uitdrukkingen, wat dan ook.

En weet je, lieverd, dat ik terugdeinsde voor iets uit het verleden? Dat ik toen ik je zag, zag hoe we ooit waren, iets wat ik zeker niet terug wilde hebben. De omlijsting paste niet meer.

Maar toen ik de ogen van Kleintje in die van jou zag, toen ik jóu zag, was het duidelijk dat we elkaar hebben. En dan is er aan dat andere iets te doen. We kunnen ons samen bevrijden.

Vind je dat ik verward word? Kom op, wees het met mij. Denk precies zo. We weten niet waarnaar we onderweg zijn. Hoe we willen zijn, hoe we onze levens willen leven. Maar we zijn samen. Samen kunnen we thuis zijn.

In het verborgene

Gun Johansson, midden dertig, roept sterke haatgevoelens op bij haar medegevangenen. Ze is veroordeeld voor een afschuwelijke misdaad, maar zelf houdt ze nog steeds vol onschuldig te zijn. Guns leven is verwoest door haar directe familie, die haar volkomen negeerde – alsof ze een ongewenst kind was. Er is maar één persoon die tot Gun weet door te dringen: gevangenisdominee Ingrid Carlberg. Onontkoombaar wordt Ingrid meegezogen in een angstaanjagende werkelijkheid waarin haar eigen leven gevaar loopt.